J.-Claude St-Onge

La condition humaine

Quelques conceptions de l'être humain

4ᵉ édition

Achetez en ligne*
www.cheneliere.ca

*Résidants du Canada
seulement.

gaëtan morin
éditeur
CHENELIÈRE ÉDUCATION

La condition humaine
Quelques conceptions de l'être humain, 4e édition

J.-Claude St-Onge

© 2011 Chenelière Éducation inc.
© 2006, 2000, 1997 gaëtan morin éditeur ltée

Conception éditoriale : Sophie Gagnon
Édition : Johanne O'Grady
Coordination : Jean Boilard
Révision linguistique : Marie Auclair (Communications Texto)
Correction d'épreuves : Christine Langevin
Conception graphique : Josée Bégin
Impression : Imprimeries Transcontinental

**Catalogage avant publication
de Bibliothèque et Archives nationales du Québec
et Bibliothèque et Archives Canada**

St-Onge, J.-Claude (Jean-Claude), 1941-

La condition humaine : quelques conceptions de l'être humain

4e éd.

Comprend des réf. bibliogr. et un index.
Pour les étudiants du niveau collégial.

ISBN 978-2-89632-078-3

1. Philosophie.   2. Homme.   3. Anthropologie philosophique.
4. Philosophes.   5. Philosophie – Problèmes et exercices.   I. Titre.

B77.S24 2010   190   C2010-942401-8

**gaëtan morin
éditeur**

CHENELIÈRE ÉDUCATION

5800, rue Saint-Denis, bureau 900
Montréal (Québec) H2S 3L5 Canada
Téléphone : 514 273-1066
Télécopieur : 450 461-3834 ou 1 888 460-3834
info@cheneliere.ca

ISBN 978-2-89632-078-3

Dépôt légal : 1er trimestre 2011
Bibliothèque et Archives nationales du Québec
Bibliothèque et Archives Canada

Imprimé au Canada

2   3   4   5   6   ITIB   16   15   14   13   12

Nous reconnaissons l'aide financière du gouvernement du Canada par l'entremise du Fonds du livre du Canada (FLC) pour nos activités d'édition.

Gouvernement du Québec – Programme de crédit d'impôt pour l'édition de livres – Gestion SODEC.

Tableau de la couverture :
Sans titre (huile sur toile, v. 1965)
Œuvre de **Marcelle Ferron**
© Succession Marcelle Ferron/SODRAC (2010)

Marcelle Ferron est née à Louiseville, au Québec, en 1924, et décédée en 2001 à Montréal.

Les toiles de Marcelle Ferron se distinguent par de larges touches de couleur et des formes fluides.

Cosignataire, en 1948, du manifeste *Refus global,* Ferron, tant par son œuvre que par ses prises de positions politiques et sociales, est une artiste incontournable de la modernité québécoise.

La photographie de l'œuvre est une gracieuseté de la Galerie Claude Lafitte, Montréal.

Préface

Le désarroi, le manque de repères, si souvent dénoncés aujourd'hui, sont la conséquence de la rapidité des changements intervenus au cours du dernier siècle dans notre regard sur le monde et dans notre capacité à agir sur lui.

Ce regard est nourri moins par les informations que nous apportent nos sens que par les concepts que notre cerveau nous suggère. Or, ces concepts viennent, pour l'essentiel, d'être renouvelés. Le temps a perdu son arrogante indépendance et a dû s'associer à l'espace; la vie a perdu son mystère, même sa définition, et a été insérée dans l'ensemble des processus physicochimiques; le cosmos a perdu son impassible stabilité et n'est plus que l'état provisoire d'un univers en explosion. Du coup, les descriptions d'autrefois perdent toute vérité et ne peuvent que conduire notre imagination vers des représentations fallacieuses. Les mots doivent être redéfinis.

L'action nous permettant de transformer, à notre profit, les choses qui nous entourent n'est efficace que dans la mesure où elle est guidée par une vision lucide, non prisonnière des apparences. Mieux comprendre la réalité est souvent la clé du succès. La découverte de l'équivalence matière-énergie débouche ainsi sur l'usage de la puissance cachée dans les atomes et bouleverse les données des équilibres entre nations. La découverte du rôle des molécules d'ADN supprime le mystère que véhiculait le mot «vie» et ouvre la voie à de nouvelles techniques pour soigner ou même pour procréer. Les nouveaux concepts apportent de nouveaux pouvoirs, donc de nouvelles responsabilités.

Être citoyen aujourd'hui n'a pas le même sens qu'autrefois. Celui à qui n'a pas été enseigné le nouveau regard, qui n'a pas réfléchi aux nouvelles responsabilités, n'est pas en phase avec sa société; il ne peut vraiment y participer. Le rôle essentiel de l'école est de provoquer en chacun cette métamorphose. Encore faut-il que les outils nécessaires soient fournis.

Tel est bien l'objectif du bijou pédagogique qu'est l'ouvrage que nous présente ici Jean-Claude St-Onge. En s'appuyant sur quelques cas de savants ou de philosophes, il fait comprendre le cheminement qui, partant de l'interrogation la plus élémentaire, propose un modèle d'univers et débouche sur l'organisation de la société. Les pensées de Descartes et de Marx, de Darwin et des évangélistes sont analysées avec rigueur, ce qui permet de dépasser les confrontations et de les faire contribuer à la construction d'une lucidité personnelle. Un texte qui sera précieux non seulement aux élèves, mais à tous ceux qui s'interrogent.

Albert Jacquard, printemps 1997

Remerciements

Je remercie chaleureusement les personnes suivantes qui ont collaboré aux diverses éditions de ce manuel :

- Jocelyn Gendron, Rosaire Chénard, Andrée Delorme, Jean Saucier, Michel Métayer, Thérèse Dumouchel et Émile-Mario Laforest, du Collège Lionel-Groulx ;
- Jacques Breton et Jean Michelin, du Collège de Limoilou ;
- Oscar Moya et Francis Lord, du Cégep François-Xavier-Garneau ;
- Annie Bérubé, du Collège de Lévis ;
- Donald Martel, du Collège de l'Outaouais ;
- Paul Ruest, du Cégep de Rivière-du-Loup ;
- Michel Jean, du Cégep de Victoriaville.

Je souhaite également remercier de leur précieuse collaboration les personnes suivantes de la maison d'édition : Sophie Gagnon et Johanne O'Grady (édition), Jean Boilard (coordination), Marie Auclair (révision linguistique) et Christine Langevin (correction d'épreuves).

Du même auteur

(2008). *L'envers de la pilule. Les dessous de l'industrie pharmaceutique.* Montréal : Éditions Écosociété (2ᵉ édition).

(2006). *Les dérives de l'industrie de la santé. Petit abécédaire.* Montréal : Éditions Écosociété.

(2002). En collaboration avec Pierre Mouterde. *ADQ : voie sans issue.* Montréal : Éditions Écosociété.

(2002). *Dieu est mon copilote. La Bible, le Coran et le 11 septembre.* Montréal : Éditions Écosociété.

(2000). *L'imposture néolibérale. Marché, liberté et justice sociale.* Montréal : Éditions Écosociété.

En collaboration. (1997). « Sartre sur la crise d'Octobre 1970 » (entrevue avec Jean-Paul Sartre). *Bulletin d'histoire politique,* 5(3).

Caractéristiques du manuel

CHAPITRE 1

Le déterminisme :
sommes-nous programmés ?

CHAPITRE 3

René Descartes :
être, c'est penser

L'ouverture de chapitre

La page d'ouverture de chapitre comporte la reproduction d'une œuvre d'art et une citation illustrant l'esprit du sujet abordé et pouvant déjà susciter la discussion.

L'introduction

Chaque chapitre commence par un court texte présentant l'essentiel des notions abordées.

Les notes biographiques

Lorsqu'un chapitre est consacré à un philosophe, une rubrique présente les grandes lignes de son parcours.

Introduction

René Descartes (1596-1650), fondateur du **rationalisme** moderne, veut s'affranchir des influences du passé et fonder la philosophie sur de nouvelles bases. Cet effort de remise en question radicale s'intègre dans la nouvelle vision de la nature et de l'être humain qui émerge au XVIIe siècle.

Auteur de la formule célèbre «Je pense, donc je suis», Descartes conçoit l'être humain comme une substance dont toute la «nature n'est que de penser». Il croit en l'**hégémonie** de la raison, qui permettra à l'homme de **dominer la nature.** Selon lui, la raison est à ce point éminente que le corps n'est même pas nécessaire pour penser. Nous serions en quelque sorte de purs esprits. Comme de nombreux rationalistes avant lui, il effectue une coupure radicale entre le monde de la pensée ou de l'esprit et celui du corps, siège des émotions et de l'affectivité. C'est le **dualisme** cartésien.

Cette représentation de l'être humain soulève de nombreuses interrogations. Si l'essence de la vie se réduit à la pensée, que reste-t-il de l'expérience vécue? Peut-on dissocier l'esprit du corps au point que ce dernier ne fasse pas partie intégrante de notre identité? Les recherches contemporaines sur le cerveau confirment-elles cette représentation de l'être humain? Les passions et l'affectivité constituent-elles des entraves à notre épanouissement? Des voix discordantes se feront entendre : les existentialistes s'opposent à la dévalorisation de l'expérience vécue, pendant que Nietzsche et Freud affirment la primauté des passions et du corps dans la définition de la nature humaine.

Rationalisme
Philosophie selon laquelle toute connaissance vraie ne provient que de la raison; tous les problèmes de la vie peuvent se résoudre en faisant appel à cette faculté.

Hégémonie
Suprématie, prépondérance, domination.

Notes biographiques

Issu d'un milieu aisé et jouissant d'une rente familiale, Descartes a voué sa vie à la réflexion. Pour mieux s'y consacrer, il a fui la turbulence de Paris et s'est retiré en Hollande, où il a vécu pendant 20 ans. Invité à la cour de Suède en 1649 par la reine Christine, qui voulait apprendre la philosophie, il est mort quelques mois plus tard d'une pneumonie.

Descartes est également – et certains disent surtout – un éminent physicien et mathématicien. Il invente la géométrie algébrique et découvre la loi de la réfraction

Des illustrations et des photographies évocatrices

Au fil des pages, de nombreuses illustrations et photographies viennent ponctuer le texte.

Le texte en gras

Les passages et les termes les plus importants apparaissent en gras dans le texte courant afin d'attirer l'attention du lecteur.

a dicté aux animaux de fuir à l'approche du tsunami qui a dévasté plusieurs pays asiatiques en décembre 2004.

La société a élevé des bastions pour se protéger contre les instincts. Le premier d'entre eux est le **châtiment.** On a **culpabilisé** l'homme pour pouvoir le punir, et on l'a puni parce qu'il a agi selon ses instincts. Résultat, on a retourné les instincts de l'homme sauvage, libre et vagabond contre l'homme lui-même. Dans une phrase qui anticipe la théorie de Freud sur le refoulement, Nietzsche écrit :

> Tous les instincts qui ne se libèrent pas vers l'extérieur *se retournent en dedans* – c'est ce que j'appelle *l'intériorisation de l'homme.* [...] L'hostilité, la cruauté, le plaisir de persécuter – tout cela retourné contre le possesseur de tels instincts[26].

Mais les instincts sont devenus tellement pervertis qu'ils ne permettent plus à l'être humain de se guider. L'humanité est déboussolée et doit compenser en s'appuyant sur la raison. La répression des instincts est à l'origine de la mauvaise conscience et serait la conséquence

Nietzsche en 1899. Peinture à l'huile de Hans Johann Wilhelm (1855-1917).

d'un divorce violent entre l'être humain et son passé animal. Les instincts, qui faisaient sa « force, sa joie et son caractère redoutable », sont devenus volonté de se torturer soi-même. C'est l'autocrucifiement et l'autoprofanation de l'homme. Nietzsche n'approuve pas toutes les passions. Il condamne ceux qui se laissent aller à la vengeance, s'abandonnent à leurs petits plaisirs et se livrent à leurs instincts les plus bas. Il affirme que les passions doivent être spiritualisées, affinées par l'intelligence.

cœur de l'anthropologie de Nietzsche. Si, pour Descartes, la nature humaine, pour Nietzsche, ce sont les instincts. and, la conscience n'est qu'un instrument des instincts, les gnes d'un « jeu et d'une lutte des passions[27] ». Quand on n instinct, c'est un instinct plus puissant qui s'impose à un ême « les mères des sentiments de valeur eux-mêmes[28] ».

sociales

: « Deviens ce que tu es. » Il est impossible à l'être humain e ce qu'il est :

: « Voilà comment il *faut* que l'homme soit » nous met un pli d'ironie aux persuadés qu'on ne *devient* jamais, malgré tout, que ce que l'on *est* gré l'éducation, l'instruction, le milieu, les hasards et les accidents)[29] [...]

avait cru que les progrès de la raison et des sciences apporteraient la paix et le bonheur éternels à l'humanité. Cette idée s'était imposée telle une évidence au XIXᵉ siècle, avec la révolution industrielle et le développement des sciences et des techniques. Les esprits les plus éclairés étaient alors convaincus que le progrès n'aurait pas de fin. Pour eux, ce n'était qu'une question de temps avant que la guerre, l'ignorance, la souffrance, la maladie et la pauvreté ne soient éradiquées de la planète. Avec la Première Guerre mondiale, ces grands idéaux sont pulvérisés. La science et la technique n'apportent pas que des bienfaits : elles peuvent être mises au service de la mort, et la raison peut devenir un instrument de destruction. C'est l'incompréhension : il ne semble plus y avoir de réponses.

Les existentialistes prennent acte de ces changements. Devant les institutions sociales qui n'ont pas réussi à contenir la barbarie, ils prennent conscience des limites de la raison et de l'incapacité de celle-ci à rendre compte de l'individu dans sa singularité. Ils prennent au sérieux le sentiment d'absurdité de l'existence et la nécessité d'inventer de **nouvelles valeurs**. À l'encontre des sciences humaines, qui étudient l'être humain en tant que phénomène parmi d'autres dans le monde, ils insistent sur la notion de subjectivité, c'est-à-dire sur l'expérience vécue et la condition particulière de chaque individu.

Pour Sartre, l'écriture était une forme d'action et de combat.

L'existence est sans fondement

Pour le chrétien, Dieu est l'auteur de la vie, il a écrit le scénario que l'homme doit jouer dans le cadre précis des indications fournies par la Bible. En fait, l'être humain correspond à une certaine définition, à une image : il est créé selon un plan. Son destin est là, tracé devant lui, les valeurs sont écrites dans le ciel : aimer son prochain, ne pas mentir, ne pas voler, etc. Son existence est **fondée** et **justifiée.** Il a une raison d'être : faire la volonté de Dieu pour le salut de son âme.

C'est toute cette image de l'être humain que Sartre récuse. Dieu n'existe pas ; il n'y a pas d'arrière-monde ni de principe éternel. Loin de s'en réjouir, Sartre trouve ce constat très gênant, car, en l'absence de Dieu « disparaît toute possibilité de trouver

Chez Sartre, la facticité désigne l'impossibilité de trouver un principe fondateur de l'existence humaine.

Récuser
Refuser, rejeter, repousser.

Les exergues

Les exergues précisent ou nuancent les notions expliquées dans le texte courant.

Les définitions

Pour bien comprendre le texte, certaines notions et certains mots, écrits en bleu, sont expliqués dans la marge.

Joseph Staline (1879-1953)
Dirigeant soviétique de 1928 à 1953. Sous sa férule, l'ex-URSS s'est industrialisée et a mis en place des programmes sociaux : éducation et soins de santé gratuits, sécurité d'emploi, etc. En 1928, il a collectivisé de force la moitié des terres en quelques semaines, ce qui a provoqué la famine. En 1936, il a décrété le parti unique et consolidé un État répressif dirigé par une bureaucratie toute-puissante. Les purges à l'intérieur du Parti communiste se sont multipliées, les dissidents ont été fusillés ou expédiés dans des camps de travail et les nationalités non russes, sévèrement réprimées. Il n'y avait qu'une pensée officielle, le stalinisme, lequel travestit la philosophie de Marx.

met l'accent sur la réussite individuelle en tant que valeur suprême : il faut réussir à tout prix, y compris au détriment des autres. Pour Marx, la réalisation des capacités de chaque individu, et par conséquent la liberté réelle, est étroitement liée à l'existence d'une communauté humaine, à la vie en société. C'est pour cette raison qu'on a souvent à tort présenté Marx comme un collectiviste qui place la communauté au-dessus de l'individu, dissous dans une masse anonyme. Cette idéologie fut propagée par le pseudo-socialisme soviétique, particulièrement du temps de Staline. Mais l'auteur du *Capital* dépasse la vieille opposition individu-collectivité. En effet, il est convaincu que le déploiement des aptitudes de chaque individu est indissociable de la communauté, de la vie en société. Contrairement au libéralisme, qui tend à voir l'autre exclusivement comme une menace (ce qui est parfois vrai) et non comme une source de liberté, Marx considère que l'autre est essentiel à mon épanouissement :

> C'est seulement dans la communauté [avec d'autres que chaque] individu a les moyens de développer ses facultés dans tous les sens ; c'est seulement dans la communauté que la liberté personnelle est donc possible[37].

À ce titre, la communauté est triplement importante :

- C'est au contact des autres que chaque individu **développe ses aptitudes,** ses talents ; il apprend de l'expérience des autres.
- La production capitaliste a permis d'augmenter la productivité du travail et de s'affranchir du domaine de la **nécessité.**

> En fait le royaume de la liberté commence seulement là où l'on cesse de travailler par nécessité et opportunité imposée de l'extérieur ; il se situe donc, par nature, au-delà de la sphère de production matérielle proprement dite[38].

Sur ce point, Marx se démarque radicalement des dirigeants soviétiques qui chantaient les louanges de la libération de l'homme par le travail.

- La communauté est essentielle à un autre titre. Ce « vivre avec », l'être social, est un **besoin** de l'être humain. C'est le besoin de partager ses expériences et ses acti[...] per[...]

C'est parmi et avec les autres que l'être humain peut s'épanouir. La liberté devient une réalité au sein d'une communauté où les humains peuvent contrôler collectivement leur travail et satisfaire leurs besoins, particulièrement leurs besoins de créativité.

Selon Marx, l'économie socialiste est basée [...] satisfaction des besoins de la majorité et n[...] profit. Les moyens de production sont contr[...] la collectivité et non par l'État.

37. Marx [...]
38. Marx [...] qu'il e[...] moyen[...] toujou[...]
39. Cité d[...]

Les capsules biographiques

Les capsules biographiques complètent l'information relative à certains philosophes évoqués dans le texte courant.

ENCADRÉ 4.2 L'État-providence

Après l'Allemagne de la fin du XIXᵉ siècle qui ébauche bien timidement les traits de l'État-providence, ses premiers véritables contours apparaissent aux États-Unis sous la présidence de Franklin Delano Roosevelt, qui a gouverné de 1932 à 1945. Pour répondre à la Grande Crise de 1929, Roosevelt met en place un programme d'aide aux chômeurs, à l'industrie et à l'agriculture. Il veut plafonner les revenus à 25 000 $ et imposer à 100 % tout revenu excédant ce montant. L'ensemble de ces mesures sont connues sous le nom de *New Deal*.

Après la Seconde Guerre mondiale, l'État-providence prend son envol et s'implante dans la plupart des pays industrialisés.

L'État-providence se distingue de l'État libéral pur, ou État minimal, par son interventionnisme, lequel se traduit par la mise en place d'un filet de sécurité sociale : allocations familiales, loi sur le salaire minimum, caisses de retraite, assurance maladie, garderies subventionnées, etc. Ces mesures visent la redistribution des revenus afin d'assurer un minimum de justice sociale.

Camp de travail en Californie durant la Grande Crise des années 1930. Plusieurs camps semblables ont vu le jour au Canada et aux États-Unis par crainte que les jeunes chômeurs ne se révoltent. Les conditions de vie y étaient difficiles, pour ne pas dire inhumaines.

D'après Hayek, la redistribution des revenus, à laquelle on assiste dans ce qu'on appelle l'État-providence (*voir l'encadré 4.2*), est la preuve que la société est « devenue totalitaire au sens le plus complet du mot[17] ».

Ces questions relatives à la redistribution des revenus et à la justice sociale sont abordées dans le troisième cours de philosophie, *Éthique et politique*.

La mise en tutelle de la liberté par la propriété

La mise en tutelle de la liberté par la propriété est encore plus évidente chez les physiocrates : « La liberté et la sûreté, écrit Mirabeau (1749-1791), sont des annexes inséparables de la propriété. » Pour Le Mercier de la Rivière, « la liberté sociale se trouve naturellement renfermée dans le droit de propriété[18] ».

Friedrich Hayek se situe dans le droit fil de Locke quand il écrit : « Nous avons peu à peu abandonné cette liberté économique sans l[...] l[...] lib[...] politique n'a jamais existé[19]. » Pour Hayek et pour [...] intervention de l'État dans l'économie impose une [...] La liberté consiste à disposer d'un domaine protégé [...] Ce domaine protégé comprend, comme Locke l'a dé[...] moine de chaque individu[20]. » En d'autres termes, tar[...] l'État n'a pas à s'ingérer dans mes affaires.

L'économiste Michel Mussolino, auteur de *L'in[...] illusions d'une science au pouvoir* (1997), écrira ains[...] vraie passion libérale[21] ».

17. *Ibid.*, p. 80.
18. Cités dans Vachet (1970), p. 314 et 316.

Les encadrés et les figures

Les encadrés et les figures offrent de l'information supplémentaire et facilitent la compréhension de certains aspects de la matière.

La figure 10.1 illustre le rôle du ça.

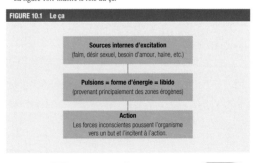

FIGURE 10.1 Le ça

Sources internes d'excitation
(faim, désir sexuel, besoin d'amour, haine, etc.)

↓

Pulsions = forme d'énergie = libido
(provenant principalement des zones érogènes)

↓

Action
Les forces inconscientes poussent l'organisme vers un but et l'incitent à l'action.

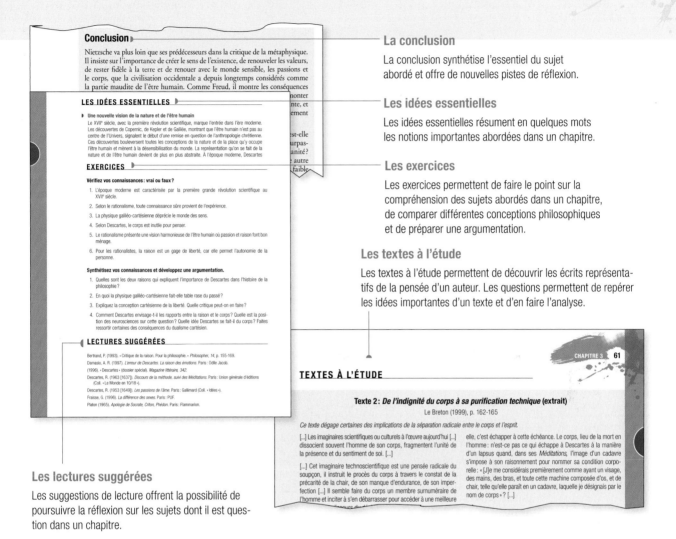

La conclusion

La conclusion synthétise l'essentiel du sujet abordé et offre de nouvelles pistes de réflexion.

Les idées essentielles

Les idées essentielles résument en quelques mots les notions importantes abordées dans un chapitre.

Les exercices

Les exercices permettent de faire le point sur la compréhension des sujets abordés dans un chapitre, de comparer différentes conceptions philosophiques et de préparer une argumentation.

Les textes à l'étude

Les textes à l'étude permettent de découvrir les écrits représentatifs de la pensée d'un auteur. Les questions permettent de repérer les idées importantes d'un texte et d'en faire l'analyse.

Les lectures suggérées

Les suggestions de lecture offrent la possibilité de poursuivre la réflexion sur les sujets dont il est question dans un chapitre.

La bibliographie

La bibliographie présente, par ordre alphabétique, les ouvrages dont il est question dans le manuel.

L'index

L'index simplifie le repérage des concepts et des auteurs présentés dans le manuel.

Table des matières

CHAPITRE 1   Le déterminisme : sommes-nous programmés ?   6

CHAPITRE 8 · Karl Marx : réalisation de soi et sociabilité · 128

CHAPITRE 11 | **L'existentialisme sartrien : liberté et intersubjectivité** | **202**

Introduction

Les différentes conceptions de l'humain

Ange ou démon? Prédéterminé ou libre? Modèle de raison ou esclave des passions? Merveille de la création ou poussière cosmique? Produit de la nature ou automate socioculturel? Telles sont certaines des oppositions dans lesquelles notre culture a campé la condition humaine. C'est dans ce labyrinthe de contradictions que nous tenterons de nous mouvoir.

Les implications pratiques des différentes conceptions

«Qui sommes-nous?», «D'où venons-nous?», ces questions ne laissent personne indifférent. Elles sont essentielles pour vivre plus librement et pour ne pas être à la merci de n'importe quel faux prophète. Parfois, nous avons tendance à les écarter. En effet, nous considérons qu'elles sont trop complexes et que, de toute façon, nous n'obtiendrons jamais de réponse certaine. Pourtant, nos attentes, nos actions et nos attitudes reflètent l'idée que nous nous faisons de nous-mêmes.

Les conceptions de l'être humain auxquelles nous adhérons ont des implications pratiques. Si vous pensez, à l'instar des darwinistes sociaux, que certains sont faits pour dominer, d'autres pour obéir, votre attitude envers différents groupes (les juifs, les exclus, les handicapés, etc.) ne sera pas la même que celle d'une personne qui ne partage pas votre point de vue. Si vous croyez que la personnalité dépend de l'hérédité, comme le pensent certains spécialistes de la génétique des comportements, ou de l'inconscient et des pulsions, comme l'affirme Freud, nous ne sommes pas libres et, en conséquence, comment pouvons-nous être responsables de nos gestes? Si vous pensez que l'être humain possède cette entité spirituelle et immortelle qu'est l'âme, vous chercherez le salut dans l'au-delà, alors que Marx, qui croyait le contraire, visait l'émancipation de l'humanité dans l'ici-bas. Si vous croyez que l'être humain est une brute finie, vous opterez pour un gouvernement répressif.

Le réductionnisme

Les conceptions présentées dans cet ouvrage font généralement ressortir un aspect de l'être humain, aspect que souvent un auteur ou ses interprètes érigent en absolu. Le fait de ramener un phénomène complexe à un principe unique s'appelle le «réductionnisme». Par exemple, selon le réductionnisme biologique, l'être humain ne serait qu'une combinaison de facteurs génétiques; à l'opposé, selon le réductionnisme culturel, la nature humaine est un simple reflet des circonstances et de l'éducation. Or, la condition humaine est fort complexe et il est impossible de la comprendre à l'aide de pareilles simplifications. La recherche d'un principe unique et fondamental génère souvent plus d'illusions qu'elle n'apporte d'éclairage. Comprendre l'être humain consiste peut-être davantage à se défaire des idées fausses et des illusions que nous entretenons à son égard qu'à trouver une vérité, comme le souligne le philosophe et sociologue français Henri Lefebvre.

Les questions philosophiques

Cet ouvrage aborde un certain nombre de questions philosophiques : la liberté, le sens de la vie, les rapports hommes-femmes et les rapports entre **nature** et **culture**. Cette dernière question s'inscrit dans le vieux débat philosophique entre l'inné et l'acquis, que les contributions de la génétique remettent à l'ordre du jour. L'être humain est-il primordialement un être de nature circonscrit par sa biologie et, par conséquent, plus ou moins programmé ? Ou est-il aussi, et de plus en plus, défini par l'organisation sociale, l'époque historique, qui lui traceraient un destin plus ou moins ouvert ?

Ces questions ne sont pas que théoriques. La façon d'y répondre débouche sur un horizon qui soulève la possibilité ou l'impossibilité de transformer la condition humaine. Si l'être humain est essentiellement une nature aux griffes rougies de sang, si ses pulsions le portent irrémédiablement à la violence, les perspectives sont sombres. Si, au contraire, l'organisation sociale modèle largement sa vie, les horizons sont ouverts, car il est possible de transformer ce que l'être humain a construit.

Cette question est d'autant plus pertinente qu'en ce début de millénaire on assiste à une floraison de thèses qui proclament la fin de l'histoire, la fin de la science et la fin de l'idéologie. Comme si l'aventure humaine arrivait à un cul-de-sac, comme si la société dans sa forme actuelle était, comme le soutient Sartre, l'« horizon indépassable de notre temps ». Il ne reste plus qu'à attendre bien sagement la fin de l'être humain.

Cet ouvrage présente ce qu'on appelle l'**anthropologie philosophique** de certains philosophes et auteurs modernes et contemporains. Le choix des conceptions ou des auteurs a été déterminé par l'influence, reconnue ou insoupçonnée, qu'ils exercent ou ont exercée sur les sociétés et qui a contribué à façonner la vision moderne de l'être humain. À l'exception de Dewey et de Sartre, qui ont laissé des indications claires, il faut procéder à un travail de reconstruction de ces visions de la condition humaine.

Tout comme l'idée que chaque individu se fait de lui-même évolue, nous verrons comment la conception de l'être humain s'est transformée radicalement depuis le XVIIᵉ siècle. L'évolution sociale, économique et intellectuelle a profondément bouleversé l'idée que l'être humain se fait de lui-même. Les vieux repères identitaires légués par le christianisme et le rationalisme ont été dissous sous le choc des théories élaborées au XIXᵉ siècle (Darwin, Marx, Freud et Nietzsche).

Nature
1. Tout ce qui n'est pas le résultat de l'activité des humains : les océans, le ciel, les plantes sauvages, la terre, etc. 2. Ce que l'être apporte à la naissance (voir « inné », p. 7) ; ce qui se manifeste spontanément et sur quoi on n'a aucune prise (avoir faim, respirer). 3. Ce qui est universel chez tous les humains. 4. Ce qui définit les choses, les caractérise. Dans cet ouvrage, ce sont surtout les sens 2 et 3 qui sont utilisés. Le terme a une connotation de permanence, d'immuabilité, comme la succession des saisons, les marées et le lever du soleil.

Culture
1. Au sens étroit, désigne les produits de la pensée et de l'imagination : sciences, philosophie, arts, techniques, etc. 2. Dans cet ouvrage, le terme est surtout employé au sens large. Il désigne alors les institutions sociales, les coutumes, les mœurs, les valeurs et les croyances. Il s'agit donc d'un terme voisin de « social », « milieu », « environnement » ou « éducation » ; en opposition à « nature », « inné » et « instinct ».

Anthropologie philosophique
Conception de l'être humain.

Pour cette quatrième édition

Cette quatrième édition, qui a fait l'objet d'une mise à jour complète, comporte un nouveau chapitre sur la conception libérale de l'être humain telle qu'elle se dessine à travers les écrits politiques du philosophe anglais John Locke. Ce choix a été motivé par l'influence que ses idées continuent d'avoir sur les sociétés contemporaines.

Comme dans la troisième édition, les premier et dernier chapitres traitent de la question centrale de la liberté. Les autres chapitres suivent *grosso modo* la chronologie historique. Bien que les chapitres soient liés par des thèmes communs, ils sont relativement autonomes et peuvent être utilisés dans un ordre différent de celui dans lequel ils sont présentés.

LES THÉORICIENS OU LES COURANTS DE PENSÉE

THÈME	Déterminisme biologique	Christianisme	Descartes	Locke	Rousseau
Traits humains fondamentaux	Gènes	Âme	Raison	Propriété Raison Droits naturels	Liberté Perfectibilité
Rapports âme (raison)-corps (passions, matière)	Primauté de la matière	Primauté de l'âme Deux réalités distinctes Passions néfastes	Primauté de la raison Deux réalités distinctes Usage modéré des passions	Âme, raison et corps, trois réalités primordiales	Importance de l'âme Coupure raison-sentiments Reconnaissance des passions
Rapports déterminisme-liberté	Déterminisme	Liberté encadrée par l'Évangile	Liberté absolue	Capacité de choisir	Liberté Déterminisme
Rapports nature-culture (social)	Quasi-exclusivité de la nature	–	–	Influence déterminante de la nature et de la culture	Influence de la nature et du social
Sens de la vie	Varie	Retrouver l'immortalité perdue	Vivre selon la raison	But principal : jouir de ses biens	Liberté Immortalité
Lien au surnaturel	Varie	Primordial Exclusif	Primordial	Important	Important
Rapports hommes-femmes	Inégalité	Inégalité Subordination de la femme	Ne se prononce pas	Inégalité	Inégalité
Sources (influences)	Darwin Génétique	Religion juive Autres religions Théologiens	Rationalisme antique Révolution scientifique	Bacon Hobbes Descartes	Encyclopédistes Récits des explorateurs

Darwin	Dewey	Marx	Nietzsche	Freud	Sartre
Matière évoluée	Animal culturel et naturel	Besoin d'activité Coopération Rapports sociaux	Instincts	Pulsions Inconscient	Liberté Projet Action
Primauté de la matière	Primauté de la matière	Une seule réalité matérielle Primauté de la matière	Primauté du corps	Primauté du corps	Une seule réalité Primauté de la conscience
–	Liberté Déterminisme (nature et culture)	Déterminisme Liberté	Réfutation du libre arbitre	Déterminisme Liberté possible	Aucun déterminisme Liberté absolue
Prédominance de la nature	Rôle déterminant de la culture Importance de la nature	Primauté du social Reconnaissance de la nature	Prédominance de la nature	Primauté de la nature	Primauté de l'action et du social
–	Progrès social	Liberté Société juste Coopération	Surmonter l'homme Aller au bout de ses passions	Brider les passions Équilibre raison-pulsions	Liberté Engagement Justice sociale
Hypothèse superflue	–	Aucun	Aucun	Aucun	Aucun
Inégalité	–	Égalité	Inégalité	Inégalité	Égalité
Observation scientifique Malthus	Darwin Hegel Pragmatisme Anthropologie Psychologie	Hegel Économie anglaise Socialistes utopiques Rousseau Observation de la société	Schopenhauer Hegel Antiquité grecque	Charcot Breuer Pratique médicale	Husserl Heidegger Marx

CHAPITRE 1

Le déterminisme : sommes-nous programmés ?

Nous sommes des « robots aveugles » contenant des gènes qui nous contrôlent corps et esprit.

Richard Dawkins

Qui nous sommes et ce que nous sommes n'est qu'une combinaison de facteurs génétiques.

Le juge Parslow[1]

Introduction

« C'est dans sa nature » ; « On ne peut aller contre sa nature » ; « C'était écrit dans le ciel ». Voilà autant d'expressions qui s'inscrivent dans la conception déterministe de la nature humaine. D'après ce point de vue, il y aurait des forces (instinct, hérédité, éducation) qui nous amènent à agir comme nous le faisons : nous serions soumis au destin, nos gestes seraient déterminés par des puissances indépendantes de notre volonté et nous ne disposerions pas de la faculté de dire librement oui ou non. Sommes-nous libres ou déterminés : avons-nous la faculté de décider uniquement par la volonté ? Cette question est celle du **libre arbitre**.

Les progrès de la biologie et les percées de la génétique ont remis à l'ordre du jour une nouvelle forme de déterminisme : le déterminisme biologique. Ainsi, deux chercheurs de la University of Minnesota affirment que le bonheur se trouve dans les gènes : personne ne doit compter sur l'argent, l'amour ou la réussite pour être heureux, et chacun possède en lui l'aptitude au bonheur, comme il a les yeux bleus ou bruns. Selon cette conception, la nature humaine est soumise à des lois rigides et les comportements sont héréditaires, **innés**. Les humains naissent intelligents ou crétins, honnêtes ou criminels, soumis ou rebelles, et l'environnement ne peut rien ou à peu près rien pour corriger ces traits de caractère.

En appui à la thèse du **déterminisme biologique,** on invoque souvent l'exemple de la célèbre dynastie Bach, formée d'une longue lignée de musiciens et de compositeurs allemands, dont le représentant le plus illustre fut Jean-Sébastien Bach (1685-1750). Mais on pourrait citer de nombreux exemples qui tendraient à infirmer cette thèse. Ainsi, si le caractère et le talent sont héréditaires, comment se fait-il que Nancy Sinatra, fille du célèbre chanteur de charme, et Lisa-Marie Presley, fille du King, ne soient pas aussi renommées que Céline Dion ? Toutefois, même si des observations de ce type peuvent être pertinentes pour le débat portant sur l'hérédité des comportements, elles n'en sont pas moins insuffisantes pour rejeter les prétentions du déterminisme biologique ou celles du cousin de Charles Darwin, Sir Francis Galton, qui soutenait que le génie est héréditaire.

Libre arbitre
Faculté de se déterminer uniquement par la volonté. Y a-t-il une telle chose qu'une volonté libre, qui n'est pas contrainte ou strictement déterminée par notre éducation, nos gènes, etc.? Les partisans du déterminisme strict ne croient pas au libre arbitre. Certains auteurs ont choisi l'expression « liberté intérieure » pour désigner le libre arbitre.

Inné
1. Au sens strict, ce qu'un individu détient à la naissance, c'est-à-dire l'ensemble des données génétiques.
2. Antérieur à toute expérience. S'oppose à « acquis » et à « appris ». Terme voisin d'« instinct ». Peut porter à confusion. Un enfant de mère alcoolique risque de venir au monde avec des tares. Ces problèmes ne sont pas « innés », mais résultent de l'aventure vécue dans le ventre de la mère, donc de facteurs environnementaux.

---

1. Cité dans Testart (1992), p. 84. Ce juge américain a fait cette déclaration dans une cause où la mère porteuse refusait de livrer l'enfant issu des gamètes (ovule et spermatozoïde) du couple. Selon lui, l'enfant appartient aux personnes qui ont fourni les gamètes et non à celle qui lui a donné naissance. Son argumentation était basée sur les études de jumeaux vrais et il concluait à la prédominance du génétique sur le social.

Ce chapitre est principalement consacré au déterminisme biologique. Mais la vision déterministe ne se limite pas à ce courant de pensée, certains auteurs en offrant une vision opposée, soit l'environnementalisme, que nous abordons brièvement à la fin de ce chapitre. Selon les **environnementalistes,** l'être humain est le produit des circonstances, de l'éducation, de la culture et des influences sociales. Nous reportons au chapitre 8 l'examen détaillé d'un autre aspect de la liberté, celui de la liberté sociale, c'est-à-dire les droits et les pouvoirs que la société reconnaît ou refuse de conférer à l'individu.

> Selon le déterminisme biologique, l'homme est contraint d'obéir aux lois que lui dictent ses gènes. Son destin est entièrement contenu dans ses molécules d'ADN. La nature humaine est figée.

La question du libre arbitre a entraîné, en gros, trois types de réponses. Il y a d'abord le déterminisme universel, que l'on peut diviser en deux branches, soit l'une qui soutient que nous sommes déterminés par notre biologie (gènes, hormones, etc.) et l'autre qui affirme que nous sommes entièrement déterminés par notre environnement (culture, éducation, milieu). Il y a ensuite l'indéterminisme, qui prétend, au contraire, que nous sommes entièrement libres. Il y a enfin le déterminisme probabiliste, selon lequel nous sommes à la fois libres et déterminés. La figure 1.1 schématise ces trois réponses, qui font l'objet de ce chapitre.

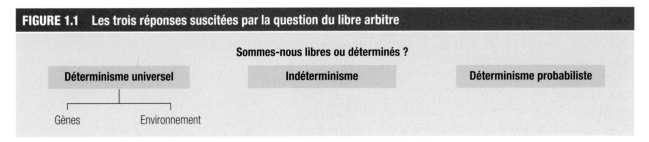

FIGURE 1.1   Les trois réponses suscitées par la question du libre arbitre

Sommes-nous libres ou déterminés ?

Déterminisme universel   Indéterminisme   Déterminisme probabiliste

Gènes   Environnement

Le déterminisme

On a presque tous la conviction intime de sa propre liberté. On pense être l'auteur de ses gestes et l'on croit que ses choix sont faits en toute connaissance de cause. On répugne à la pensée que l'on peut être contraint d'agir selon des forces qui échappent à son contrôle, que ce soient ses molécules d'ADN ou son éducation.

Pour illustrer cette idée, inspirons-nous de l'exemple de Thomas White[2]. Vous trouvez un portefeuille rempli de gros billets. En fouillant dedans, vous découvrez que le propriétaire est le PDG d'une firme multinationale. Vous avez le **choix** entre conserver le portefeuille ou le rendre. Or, vous décidez de le conserver. Vous êtes convaincu que son propriétaire n'a pas besoin d'une poignée de dollars de plus. Vous êtes motivé par la rage et la vengeance.

Imaginons un autre scénario. Supposons que vous racontiez l'histoire à votre petite amie, qui vous dit : « C'est malhonnête. Si tu ne remets pas le portefeuille, je ne veux plus te revoir. » Ou présumons qu'une éducation sévère vous a inculqué des valeurs telles que l'honnêteté et que tout sentiment de culpabilité vous est insupportable.

Dans tous les cas mentionnés, êtes-vous libre de conserver ou de rendre l'argent ? Selon le déterminisme strict, que vous décidiez de conserver l'argent ou de le rendre,

---

2. White (1996), p. 51-52.

votre geste est dicté par des forces internes (la vengeance, le sentiment de culpabilité) ou externes (les pressions de votre amie). Et ces forces vous contraignent à agir comme vous le faites. Un partisan du déterminisme biologique dirait que l'honnêteté ou le sentiment de culpabilité est un simple **reflet** de vos molécules d'ADN.

Le déterminisme universel

Selon le déterminisme, il y aurait des forces et des processus à l'œuvre qui rendent **inévitables** les gestes et les comportements de tout être humain. Chacune de ses actions serait déterminée par des causes précises. De plus, s'il était placé dans les mêmes circonstances, il referait **nécessairement** le même geste. L'être humain n'est pas libre et ne dispose d'**aucune autonomie.** Cette position est celle du déterminisme universel, ou strict.

Dans cette optique, la vie humaine se résume à une séquence précise de gestes. Un individu est programmé pour aller de A à R, en passant par C, F, G, et il ne peut déroger à ce parcours. Il lui est impossible, par exemple, de **choisir** de passer par E et O.

> Selon le déterminisme universel, tous les événements et les comportements ont une cause précise et sont prévisibles. Ils suivent une séquence rigide et excluent toute forme de choix et de liberté. L'avenir est décidé d'avance.

D'après le déterminisme strict, l'univers fonctionne selon un principe rigide : les **circonstances** qui amènent un individu à faire tel geste **dépendent** de celles qui précèdent et **conditionnent** celles qui suivent, et ainsi de suite, dans un enchaînement sans fin de causes et d'effets. Selon cette conception du monde, si un individu pouvait connaître tous les éléments qui forment l'état de l'univers à un moment donné, il pourrait prédire son état futur. C'était la position de l'astronome et mathématicien français Pierre-Simon de Laplace (1749-1827).

Au XVIIIᵉ siècle, la mécanique newtonienne pouvait servir d'assise à cette hypothèse. En effet, grâce aux équations de Newton, on pouvait prédire des années à l'avance la trajectoire et la position des planètes.

Selon le déterminisme universel appliqué au comportement humain, on pourrait dire à peu près ceci : si l'on était en mesure de tout connaître d'une personne (l'ensemble de ses gènes, son histoire familiale, ses fréquentations, etc.), on pourrait prédire la profession qu'elle exercerait à 40 ans, son état civil, le nombre d'enfants qu'elle aurait, etc. Autrement dit, **l'avenir serait contenu dans le passé.**

Le déterminisme biologique

Un courant de pensée influent

Le chroniqueur de *La Presse* Pierre Foglia disait que la plupart de ses lecteurs ne croient plus ni à Dieu, ni à diable, ni au karma et presque plus à Freud. L'homme et sa fiancée «trippent» sur la génétique des comportements[3]. En cela, ils reflètent les grands titres des médias (*voir l'encadré 1.1, p. 10*).

Le déterminisme biologique tire son inspiration du darwinisme social (*voir le chapitre 6*). Les progrès récents de la génétique lui ont donné un nouveau souffle. C'est un courant de pensée qui occupe une place importante dans les universités

---

3. Foglia (1996).

ENCADRÉ 1.1   Les grands titres des médias

Fumer, une affaire de gènes
(*La Presse,* 17 septembre 1992)

L'hérédité, principale cause de l'alcoolisme chez les femmes
(*La Presse,* 15 octobre 1992)

Le divorce pourrait s'expliquer par les gènes
(*La Presse,* 29 novembre 1992)

La colère est dans les gènes, croient les chercheurs
(*La Presse,* 23 octobre 1993)

---

américaines. Parmi ses adhérents les plus convaincus, on compte des biologistes de renommée internationale (Edward O. Wilson, fondateur de la sociobiologie), des lauréats du prix Nobel (Frank Macfarlane Burnet) et des psychologues (Arthur Jensen). Fait à souligner, il est plus rare de trouver des généticiens dans ce groupe.

Ajoutons que certains partisans du déterminisme biologique adoptent des positions plus modérées ou nuancées. Ils diront que l'intelligence ou le bonheur sont génétiques à 80 %. Par exemple, Lindon Eaves, du Medical College de Virginie, pense que la religion, l'orientation sexuelle et l'opinion sur l'avortement ont une **forte composante génétique**[4]. Mais ces prises de position moins tranchées ne doivent pas faire illusion. Dans la forme stricte ou nuancée de la théorie du déterminisme biologique, l'être humain reste largement à la merci de ses gènes et il est vain de penser qu'il pourrait échapper aux contraintes qui s'y rattachent, sauf si l'on imaginait un vaste programme de recherche visant à transformer le patrimoine génétique de l'humanité.

Des conséquences pratiques du déterminisme biologique

Si les affirmations des tenants du déterminisme biologique sont vraies, les conséquences sont nombreuses. Tout d'abord, la vie, l'avenir de tout être humain est décidé d'avance ou très fortement prédéterminé et celui-ci ne peut être tenu pour **responsable** de ses actes. De plus, si la criminalité est innée, il faut peut-être envisager des mesures préventives comme la prison et, grâce à des tests de dépistage, empêcher les futurs criminels de nuire. Si l'alcoolisme est héréditaire et que votre père boit, vous serez sûrement porté sur l'alcool. Si les mathématiques dépendent d'un gène qui se retrouve surtout chez les hommes, pourquoi les femmes opteraient-elles pour des carrières scientifiques ? Si tout, ou presque, est génétique, pourquoi dépenser des milliards en éducation ? Si le milieu n'a aucun effet sur le comportement, pourquoi se donner tant de peine pour élever les enfants ? Si tous les comportements sont innés, la nature humaine est figée, elle ne peut changer, se transformer.

Il est donc important de clarifier les affirmations selon lesquelles les comportements humains seraient déterminés, **causés** génétiquement (*voir l'encadré 1.2, p. 12, pour un complément d'information sur les gènes*). Sur quels fondements s'appuie-t-on pour faire ces affirmations ? Que signifie « tel trait est génétique » ?

---

4. Tiré de Chabot (1992), p. 15.

Les gènes et la causalité

Prenons un caractère simple comme l'appartenance à un groupe sanguin. Les généticiens ont établi qu'il existe, sur le chromosome 1, une paire de gènes identifiés par les lettres r et R. La combinaison rr donne le caractère rhésus négatif; les combinaisons Rr et RR donnent le caractère rhésus positif. Ainsi, un individu rhésus négatif l'est à **cause** de ses gènes rr. Ou prenons la fibrose kystique, qui est la maladie héréditaire la plus répandue au Canada. Une personne sur 20 est porteuse de ce gène qui se trouve sur le chromosome 7. Cette maladie respiratoire entraîne souvent la mort avant l'âge de 30 ans. Le gène en question est constitué, comme disent les généticiens, d'un quart de million de «lettres» (un gène peut contenir de 1 000 à 1 000 000 de ces lettres – *voir l'encadré 1.2, p. 12*). Or, il manque trois lettres au gène défectueux, ce qui dérègle les cellules des poumons et du pancréas. La fibrose kystique se manifeste quand le gène défectueux est présent en double dose.

> Certains caractères et diverses maladies, par exemple la chorée de Huntington, qui provoque des troubles neurologiques entraînant la mort à l'âge adulte, résultent de la présence d'un seul gène. Ce sont des maladies autosomiques dominantes. Par ailleurs, il existe environ 90 caractères ou maladies, comme l'hémophilie, liés au chromosome X et causés par la présence d'un seul gène.

La causalité linéaire : un lien nécessaire et suffisant

Pour préciser le sens des expressions «tel trait est génétique» ou «causé par les gènes», il faut clarifier la signification d'un mot que l'on emploie souvent et qui est source de confusion : le mot «cause». En effet, le déterminisme universel sous-tend un modèle précis de causalité qu'on appelle la **causalité linéaire**.

Pour parler de «cause génétique», il faut que, selon le généticien Albert Jacquard, **chaque fois que l'on a tel gène ou telle combinaison de gènes, on obtient tel caractère.** Autrement dit, il doit exister un lien **nécessaire et suffisant** entre telle combinaison de gènes et tel caractère : nécessaire, car telle combinaison de gènes doit être présente pour entraîner l'effet, par exemple l'appartenance à tel groupe sanguin; suffisant, car l'appartenance à ce groupe sanguin ne dépend d'aucun autre facteur. Pour parler de «cause», il ne suffit pas que deux événements soient associés ou liés, il faut que cette association fournisse toujours les mêmes résultats.

Causalité linéaire
Rapport nécessaire et suffisant entre deux phénomènes, de sorte que A produit toujours B. Il ne s'agit pas d'un simple rapport d'influence entre deux phénomènes.

On trouve ce type de lien entre de nombreux phénomènes. Le soleil se lève, la lumière jaillit; on lâche une craie, elle tombe. Il existe un lien nécessaire et suffisant entre ces deux phénomènes, l'un étant la conséquence de l'autre. Cependant, dans plusieurs cas, comme ceux que nous présentons plus loin, on ne constate pas ce type de lien causal entre les événements.

> Un trait est causé génétiquement lorsqu'un lien nécessaire et suffisant peut être établi entre le trait en question et un gène, ou un ensemble de gènes.

L'interaction multifactorielle : un rapport de production complexe

De nombreux phénomènes sont «la résultante d'un grand nombre de circonstances qui interagissent les unes avec les autres, sans qu'aucune soit suffisante, c'est-à-dire puisse à elle seule entraîner l'événement indépendamment des autres[5]». Pour les expliquer, il faut faire appel à de nombreux facteurs, car il est impossible de les rapporter à une seule cause. Cela est particulièrement vrai dans le domaine des conduites humaines. En effet, la présence d'un facteur donné n'entraîne pas nécessairement

---

5. Jacquard (1984), p. 97.

l'effet prévu. Par exemple, certaines personnes venant d'une famille alcoolique seront portées à boire, alors que d'autres seront d'une sobriété exemplaire. Autrement dit, un facteur donné peut avoir une influence ou ne pas en avoir. De plus, la présence de certains autres facteurs peut annuler la production de l'effet[6].

Les exemples qui suivent montrent que le déterminisme génétique et son pendant, la causalité linéaire, ne sont pas adéquats pour rendre compte de comportements complexes tels que l'alcoolisme, l'orientation sexuelle ou l'intelligence.

L'alcoolisme

L'idée que l'alcoolisme est héréditaire remonte loin dans le temps. Aristote disait déjà que les ivrognes engendrent les ivrognes. L'une des dernières études à faire état d'un lien entre les gènes et l'alcoolisme a été publiée dans le *Journal of the American Medical Association* au printemps 1990. L'examen du cerveau de 70 individus décédés (dont la moitié était, de son vivant, alcoolique) aurait révélé que le gène de

---

ENCADRÉ 1.2 Quelques éléments de génétique[7]

Les chromosomes

Les gènes se trouvent sur des filaments qui se présentent par paires, les chromosomes. Chacune des milliards de cellules du corps humain contient 46 chromosomes, à l'exception des cellules sexuelles (le spermatozoïde et l'ovule n'en contiennent que 23 à cause de la division cellulaire). C'est ainsi qu'un individu hérite de 23 chromosomes de son père et de 23, de sa mère. Par commodité, les généticiens les numérotent de 1 à 22 ; le dernier est le chromosome sexuel (XX pour les femmes, XY pour les hommes).

Les gènes

Les gènes **déterminent** les caractères physiques (couleur des yeux, daltonisme, albinisme) ou d'autres traits tels que les maladies héréditaires au nombre d'environ 5 000 (fibrose kystique, hémophilie, diabète, etc.). Cela, la génétique l'a bien établi. Cependant, pour ce qui est des traits beaucoup plus complexes, par exemple l'alcoolisme ou l'intelligence, presque tout reste à faire, et la génétique des comportements en est encore à ses balbutiements, y compris dans le domaine du comportement animal.

Le gène, ou molécule d'ADN, est une particule de matière composée de six corps chimiques. Parmi eux, quatre sont particulièrement importants, car ils constituent le code génétique : ce sont les **bases nucléiques.** Chacune de ces bases est composée d'atomes de carbone, d'azote, d'hydrogène et d'oxygène. Ces bases, aux noms exotiques, sont désignées par les lettres A (adénine), T (thymine), G (guanine) et C (cytosine). Les généticiens en parlent comme d'un alphabet à partir duquel s'écrit l'histoire des êtres vivants.

Jacquard compare les bases nucléiques à des cubes à faces aimantées : elles ont tendance à s'associer pour former une longue chaîne où les A, T, G et C se succèdent dans un ordre quelconque. Par exemple :

A C G C A T T G...

Une autre face est aimantée et le lien ne peut se faire qu'entre A et T, ou G et C, ce qui crée une chaîne complémentaire.

...A C G C A T T G

T G C G T A A C

Au cours de la division cellulaire, les liens A et T, G et C se brisent et une nouvelle séquence identique est reconstituée. La molécule d'ADN a le pouvoir de se reproduire. Il arrive cependant que les lettres se réorganisent différemment et qu'une nouvelle structure soit créée. On parle alors de **mutation.** Ces mutations sont à la base des **variations,** dont nous reparlons au chapitre 6, et seraient par conséquent à la base même de l'évolution.

L'ADN fournit les recettes de fabrication des protéines et des hormones qui composent l'être humain et qui sont responsables du bon ou du mauvais fonctionnement de l'organisme. Selon la séquence d'ADN, on obtient différentes protéines qui commandent les organes (poumons, pancréas, etc.) et assurent les fonctions vitales, telles que la respiration, la digestion ou l'élimination des toxines.

---

6. Si l'on tient absolument au terme «causalité», qui embrouille davantage qu'il n'éclaire, il faut l'envisager sous un angle complètement différent de l'angle traditionnel. C'est ce que propose le philosophe australien John Anderson avec son concept de champ causal. Il souligne qu'un facteur donné doit agir dans un champ précis pour produire un effet donné. Par exemple, le facteur C produira l'effet E dans le champ Z. Or, ce même facteur peut ne pas produire l'effet E dans un autre champ : il ne produira rien, ou il produira l'effet F.

7. Inspiré de Jacquard (1991).

la dopamine D2 (substance liée aux sensations de plaisir et aux états de dépendance) était présent chez 77 % des alcooliques, mais chez 28 % des non-alcooliques seulement.

Cette étude, comme de nombreuses autres, a fait l'objet de plusieurs critiques. D'une part, ces résultats n'ont pu produire de lien nécessaire et suffisant entre alcoolisme et gènes (puisque 28 % des non-alcooliques possédaient le prétendu « gène de l'alcoolisme »). D'autre part, ils soulèvent de nombreuses questions. L'échantillon était-il représentatif ? Peut-on expliquer le comportement de millions de gens à partir de 70 sujets ? Qu'est-ce que l'alcoolisme et, par conséquent, comment est-on sûr que les sujets de l'étude étaient bien des alcooliques ? Par ailleurs, et l'argument est de taille, six équipes ont refait ces recherches et n'ont pu trouver aucun lien entre la dopamine D2 et l'alcoolisme[8].

Les médias ont parlé abondamment de la découverte de ces scientifiques. On pouvait lire dans les pages du *Time* du 30 avril 1990 : « *Researchers discover a gene at the root of alcoholism.* » Curieusement, aucun article des grands médias n'est venu souligner les résultats des six équipes qui infirmaient l'étude. Dans tout cela, la palme revient sans doute à l'un des auteurs de l'étude, Kenneth Blum, de la University of Texas, qui a déposé un brevet sur un test génétique de l'alcoolisme[9].

Deux chercheurs (Évelyne Dumont-Damien et Michel Duyme), spécialistes de l'analyse génétique des comportements, ont regardé à la loupe pas moins de 350 études sur la question. Ils concluent qu'aucune ne permet d'affirmer qu'il y a une composante génétique de l'alcoolisme[10].

La schizophrénie

On estime qu'environ 1 % de la population souffre de **schizophrénie**, et un pourcentage plus élevé, de psychose maniacodépressive. On entend souvent dire que ces maladies sont génétiques, même si les nombreuses recherches sur la question se contredisent.

Comme le souligne Philippe Chambon[11], les difficultés commencent avant qu'on n'entreprenne les études, car la plupart des maladies mentales sont difficiles à définir, et il n'existe pas de classification rigoureuse.

Les études montrent qu'il est impossible d'affirmer l'existence d'un lien nécessaire et suffisant entre gènes et schizophrénie. On a constaté que, parmi les couples de **vrais jumeaux** où au moins l'un des deux est schizophrène, les deux sont schizophrènes dans environ 50 % des cas[12]. Autrement dit, le vrai jumeau d'un schizophrène est atteint une fois sur deux.

Si la schizophrénie était d'origine purement génétique, dès qu'un jumeau est atteint de la maladie, l'autre le serait automatiquement, puisque les vrais jumeaux possèdent les mêmes gènes. C'est pourquoi il est impossible de parler d'**une** cause ou d'un gène de la schizophrénie. En revanche, certaines études tendent à démontrer qu'il pourrait

Schizophrénie
Selon un dictionnaire de psychiatrie, la schizophrénie comporte certains des symptômes suivants : idées délirantes, hallucinations, discours et comportement grossièrement désorganisés. Il existe plusieurs formes de schizophrénie. Cette affection dure au moins six mois et se manifeste par plusieurs des symptômes énumérés.

Vrais jumeaux
Les vrais jumeaux, ou jumeaux monozygotes, sont issus des mêmes gamètes. Un seul ovule est fécondé par un seul spermatozoïde. La cellule se divise en deux par la suite. Les vrais jumeaux ont donc les mêmes gènes.

---

8. Tiré de Chambon (1993).
9. *Ibid.*
10. *Ibid.*
11. *Ibid.*
12. Gagnon (1991-1992), p. 38.

y avoir une **susceptibilité** génétique à la maladie. C'est ce qui se dégage d'une étude française[13] qui conclut que la maladie pourrait être liée à une paire de gènes. Or, selon les auteurs, 75 % des personnes qui posséderaient ce gène en double dose ne seraient jamais atteintes de la maladie. Ces résultats indiquent que d'autres facteurs interviendraient pour corriger l'action des gènes. On aurait donc affaire à un cas très différent de celui de l'appartenance à un groupe sanguin ou de celui de la fibrose kystique.

Le généticien Jean-Louis Serre souligne que les méthodes employées pour localiser les gènes suspects dans les maladies comme la schizophrénie sont inadéquates. Ces méthodes sont adaptées aux maladies **monofactorielles** comme la fibrose kystique. Or, la schizophrénie et la maniacodépression feraient intervenir des facteurs complexes, environnementaux et génétiques. De là vient l'impossibilité de se « référer au concept de "gène responsable" (même au pluriel)[14] ». Serre relève que des études ayant localisé un « gène de susceptibilité » tant pour la psychose maniaco-dépressive que pour la schizophrénie ont par la suite été contredites.

Monofactoriel
Découlant d'un seul facteur.

L'orientation sexuelle

La génétique des comportements utilise abondamment les études de jumeaux, qui font l'objet de quelque 400 publications par année. L'une de ces études, publiée dans les *Archives of General Psychiatry* de décembre 1991, avait pour but de démontrer que l'homosexualité dépend de facteurs génétiques.

Les auteurs (J. M. Bailey et R. C. Pillard) ont recruté des homosexuels ayant un frère jumeau, vrai ou faux, un frère ordinaire (non jumeau) ou un frère adopté. Leur hypothèse était la suivante : si les gènes ont une influence sur le comportement, les vrais jumeaux (qui ont les mêmes gènes) devraient davantage adopter des comportements similaires que les faux jumeaux ou les frères ordinaires, qui n'ont que 50 % de leurs gènes en commun.

Les résultats rapportés par Claire Chabot[15] montraient que les frères étaient tous les deux homosexuels lorsqu'ils étaient :

- des vrais jumeaux : 52 % ;
- des faux jumeaux : 22 % ;
- des frères adoptés : 11 % ;
- des frères ordinaires (non jumeaux) : 9,2 %.

Malgré certaines réserves, les auteurs concluent que les données sont claires et qu'elles constituent la preuve d'un lien entre l'homosexualité et les gènes.

Jonathan Beckwith, de la Harvard Medical School, spécialiste des études de jumeaux, ne partage pas ces conclusions[16]. De prime abord, les résultats présentés ci-dessus semblent confirmer les conclusions de Bailey et Pillard. En effet, les comportements des vrais jumeaux se ressemblent davantage que ceux des faux jumeaux ou des frères ordinaires. Cependant, en examinant les trois derniers résultats, on

---

13. Citée dans Jacquard (1984), p. 98-100.
14. Serre (1992), p. 86.
15. Chabot (1992), p. 16.
16. *Ibid.*

devrait conclure, en toute logique, que l'homosexualité est causée par des facteurs environnementaux. Si le fait que dans 22 % des cas les deux faux jumeaux sont homosexuels est la preuve d'une connexion entre gènes et homosexualité, le résultat devrait être identique pour les frères ordinaires. Or, ce n'est pas le cas. En effet, sur le plan génétique, les faux jumeaux sont des frères ordinaires conçus en même temps.

L'explication la plus vraisemblable pour comprendre cet écart (de 22 % à 9,2 %) fait appel aux facteurs environnementaux. Les environnements des faux jumeaux se ressemblent davantage que ceux des frères ordinaires : ils sont nés en même temps, ont des histoires familiales et culturelles qui se ressemblent davantage que celles de deux frères nés à différents moments. De plus, comment expliquer qu'un même comportement soit plus fréquent chez des frères adoptés, qui n'ont pas les mêmes gènes, que chez de vrais frères qui partagent 50 % de leurs gènes ? Finalement, si le comportement est déterminé par les molécules d'ADN, celui des vrais jumeaux ne devrait pas différer. Pourtant, chez 48 % des vrais jumeaux, seul l'un des deux est homosexuel.

Ces doutes n'empêchaient pas le journal *The Gazette* de citer cette étude dans son édition du 19 octobre 1996. On la donnait en preuve dans un article coiffé du titre percutant et sans appel « *Gayness in the genes* ». Une telle affirmation ne serait pas sans conséquence sur un adolescent ou une adolescente qui s'interroge sur son orientation sexuelle et dont la famille comporte des membres homosexuels. Aux États-Unis, plus de 40 % des suicides chez les adolescents seraient attribuables à des problématiques liées à l'orientation sexuelle[17].

Ces études posent un sérieux problème dès le départ. En effet, **les vrais jumeaux ne partagent pas seulement leurs gènes, mais aussi leur environnement.** Dès lors, comment est-il possible de distinguer les influences de l'environnement de celles des gènes ?

De l'utilité de l'éducation

Les chercheurs ont tenté de prouver l'influence des gènes en poursuivant une piste qui semble, à première vue, plus prometteuse : l'étude de vrais jumeaux **élevés séparément.** On a entrepris, en 1979, la plus grande étude du genre, la *Minnesota Twins Study,* sous la direction du psychologue Thomas J. Bouchard. Celui-ci a recruté une centaine de paires de vrais jumeaux élevés séparément aux États-Unis, au Canada, en Grande-Bretagne, en Australie, en Chine, etc.

Les conclusions de Bouchard, publiées dans la revue *Science* d'octobre 1990, sont les suivantes :

- Les gènes ont une influence prépondérante sur le comportement ; l'intelligence serait déterminée à 70 % par les gènes (*voir l'encadré 1.3, p. 16*).
- Le fait d'être élevé par les mêmes parents a un effet négligeable sur des comportements tels que le respect de l'autorité, l'agressivité, la moralité ou l'intelligence.

---

17. *La Presse,* 21 novembre 1994.

ENCADRÉ 1.3   Les gènes, le milieu et le quotient intellectuel (QI)

Thomas J. Bouchard soutient que l'intelligence serait génétique à 70 % ; Jensen avance le chiffre de 80 %. Albert Jacquard souligne que le fait de dire « 70 % de "causes génétiques" et 30 % de "causes environnementales" pour l'intelligence » n'a aucune signification. Le seul sens qu'on pourrait donner à cette affirmation serait le suivant : un enfant n'ayant reçu aucun apport du milieu serait intelligent à 70 % et celui qui n'aurait reçu aucun gène le serait à 30 %, ce qui est absurde[18].

L'étude de l'INSERM

Mentionnons l'étude de l'Institut national de la santé et de la recherche médicale (INSERM) de Paris, qui met en lumière des facteurs importants dans un comportement tel que la réussite scolaire ou les résultats aux tests de QI. Cette étude oppose de nombreux arguments aux personnes qui croient à la toute-puissance des gènes dans la détermination de l'intelligence.

L'étude, dirigée par le généticien Michel Schiff, a été menée sur une période de 10 ans[19]. Elle a porté sur 74 enfants nés dans des familles pauvres de la catégorie socioprofessionnelle la plus basse :

- Trente-neuf de ces enfants sont restés dans leur milieu d'origine.
- Trente-cinq de leurs frères et sœurs ont été adoptés par des familles de **cadres moyens,** soit la catégorie socioprofessionnelle quasiment la plus élevée.

Ces enfants n'étaient pas dotés d'un bagage génétique identique, mais ils avaient la moitié de leurs gènes en commun. Cependant, les milieux dans lesquels ils vivaient **différaient radicalement.** Après plusieurs années, on a comparé les résultats des enfants adoptés à ceux qui étaient restés dans leur famille d'origine.

L'échec scolaire

À 10 ans, 5 des 35 enfants adoptés avaient connu des échecs scolaires (redoublement) et 1 avait connu un échec grave (affecté à une classe parallèle). En revanche, sur les 39 enfants restés dans leur famille d'origine, 24 étaient en situation d'échec, dont 12 en situation d'échec grave.

Le QI

Les 35 enfants adoptés avaient une moyenne de 108,7 aux tests de QI. Les 39 enfants restés dans leur famille d'origine obtenaient 94,6. Or, ces chiffres correspondent aux moyennes de 108,9 pour les enfants de cadres moyens et de 94,8 pour ceux d'ouvriers peu qualifiés.

Cette étude ne prouve pas que l'intelligence est déterminée par le milieu, ne serait-ce premièrement parce que les enfants ne sont pas parfaitement comparables génétiquement, deuxièmement parce que QI et intelligence ne sont pas synonymes[20], troisièmement parce que la question des apports du milieu et des gènes, évalués en pourcentages, n'a pas une grande signification. Cependant, ces indications démontrent l'influence considérable du milieu sur les résultats aux tests de QI et sur la réussite ou l'échec scolaire. L'environnement joue un rôle de premier plan pour corriger une action potentielle des gènes.

La détermination, la cause et la corrélation

Les tenants du déterminisme biologique soutiennent que le QI est le principal sinon le seul facteur de réussite scolaire et sociale. À première vue, ils semblent avoir raison. En effet, un enfant dont le QI est parmi les 10 % les plus élevés a **50 fois** plus de chances de se retrouver, à l'âge adulte, dans la tranche des 10 % des plus hauts revenus qu'un enfant dont le QI est dans les 10 % les plus faibles[21]. Cependant, **toutes choses égales d'ailleurs,** quand on compare des personnes de même milieu, un enfant dont le QI se situe dans les 10 % les plus élevés n'a que **2 fois** plus de chances (et non 50) de se retrouver, à l'âge adulte, dans les 10 % des plus hauts revenus, par rapport à un enfant dont le QI est parmi les plus faibles. Et, plus important, un enfant provenant d'une famille se situant dans les 10 % les plus riches a **25 fois** plus de chances d'arriver au sommet de la hiérarchie socio-économique qu'un enfant issu d'une famille se situant dans les 10 % les plus pauvres, même quand ces enfants ont tous deux un QI moyen.

Ce sophisme courant, celui du **lien causal douteux,** consiste à attribuer le statut de « cause » à l'un des deux phénomènes qui se trouvent en relation. Ici, la cause apparente est vue comme étant le QI et l'effet, la réussite sociale. Or, il s'agit d'une simple corrélation. En réalité, QI et réussite sociale sont tous deux principalement déterminés par d'autres circonstances, à savoir l'appartenance à la classe sociale.

---

18. Ces données sont tirées d'un article d'Albert Jacquard publié dans la revue *La Recherche* de janvier 1978.
19. Schiff (1982).
20. Voir Tort (1977). Tort, Jacquard, Gould et d'autres auteurs dénoncent l'identification du QI à l'intelligence et les abus auxquels l'usage irraisonné de cet instrument a donné naissance.
21. Lewontin, Rose et Kamin (1985), p. 116, d'après l'étude de Bowles et Nelson (1974).

Claire Chabot note qu'il y a de quoi inquiéter parents et éducateurs quant au rôle qu'ils jouent auprès des enfants[22].

L'hypothèse qui préside à de telles études est la suivante : s'il existe des similitudes importantes entre jumeaux élevés séparément (environnements différents), ces ressemblances s'expliquent par la seule chose qu'ils ont en commun, à savoir leursgènes.

Beckwith, Billings et Alper soulignent que les chercheurs de la *Minnesota Twins Study* n'ont jamais publié de données détaillées sur les jumeaux de leur étude. Leurs résultats ne « peuvent donc être vérifiés par des chercheurs indépendants[23] ».

Ils remettent aussi en question l'idée selon laquelle l'environnement des jumeaux est « significativement différent[24] ». Habituellement, les parents ou les agences d'adoption cherchent l'environnement situé le plus près du milieu d'origine. Les jumeaux sont d'ordinaire élevés par de proches parents, vivent dans la même ville, fréquentent la même école et sont adoptés par une famille du même milieu socioéconomique. Ces observations rejoignent celles des auteurs de *Nous ne sommes pas programmés*[25]. Ceux-ci ont analysé de façon détaillée les études qui se servent de jumeaux et qui portent sur l'hérédité de l'intelligence. Ils soulignent que, dans certains cas, l'un des jumeaux est élevé par la mère et l'autre, par la grand-mère, que les deux jumeaux fréquentent la même école, qu'ils ont les mêmes amis, etc.

L'une des études abondamment citée par les partisans de l'hérédité de l'intelligence s'est d'ailleurs avérée une « gigantesque fraude scientifique[26] ». Il s'agit de celle de Sir Cyril Burt, anobli par la reine. Cette étude s'est retrouvée dans tous les manuels de psychologie

Pour différentes raisons, notamment une méthode scientifique douteuse, les études connues n'ont pas réussi à démontrer l'existence d'un lien causal entre les gènes et certains traits tels que l'alcoolisme, l'orientation sexuelle ou l'intelligence. Dans l'état actuel des connaissances, c'est au mieux une hypothèse.

Armés de la conviction délirante qu'ils pouvaient créer la race supérieure, les nazis ont construit de nombreux camps de concentration, aussi appelés camps de la mort. Des millions de juifs ont péri dans les chambres à gaz et ont été soumis à des expériences cruelles à des fins prétendument scientifiques. Sur cette photo, un aperçu du camp d'Auschwitz, situé en Pologne. Il s'étendait sur 42 km².

22. Chabot (1992).
23. Cité dans Chabot (1992), p. 16.
24. *Ibid.*
25. Lewontin, Rose et Kamin (1985), p. 131-135. Les auteurs sont respectivement généticien, neurobiologiste et psychologue. Cet ouvrage clair et incisif constitue une synthèse impressionnante des connaissances actuelles pour toute personne qui s'intéresse à l'être humain.
26. *Ibid.*, p. 124-131.

élémentaire à une certaine époque. L'un des admirateurs de Burt, le psychologue Hearnshaw, a été forcé d'admettre que des preuves montraient que certains chiffres avaient été inventés et certains résultats, truqués. En outre, on n'a jamais retracé les jumeaux de l'étude ni les dames qui auraient fait passer les tests de QI aux prétendus sujets recrutés par Burt.

D'autres arguments font douter de la validité de ces recherches. Les vrais jumeaux, à cause de leur ressemblance, ont tendance à être traités pareillement, tout comme les personnes belles ou laides, handicapées ou noires. La ressemblance entre les jumeaux tend à «créer un environnement similaire[27]». À cause de cette similitude des environnements, il est difficile, sinon impossible, de séparer les influences respectives du biologique et du social.

Le Pioneer Fund

La *Minnesota Twins Study* a reçu 700 000 dollars d'une organisation américaine, le Pioneer Fund, qui se consacre à l'**amélioration raciale.** Claire Chabot rappelle que cette organisation a toujours été intéressée à prouver la thèse du déterminisme biologique afin d'avoir des appuis scientifiques pour démontrer que l'intelligence, la criminalité et l'homosexualité sont d'origine génétique[28]. Un triste personnage qui a laissé sa marque dans l'histoire pour avoir tenté d'améliorer la race, Adolf Hitler, a également cherché des appuis parmi les scientifiques, tel le lauréat du prix Nobel Konrad Lorenz.

D'autres chercheurs ont été bénéficiaires du Pioneer Fund, dont Arthur Jensen, qui attribue à des causes génétiques le fait que les Noirs auraient un QI moyen de 10 à 15 points inférieur à celui des Blancs. Il est intéressant de noter que le QI des enfants noirs adoptés **avant l'âge de un an** par des Blancs dont les revenus et l'éducation sont au-dessus de la moyenne est de plus de 15 points supérieur à celui des enfants noirs issus de milieux défavorisés[29]. Jensen oublie également de mentionner que le QI des «Noirs du Nord est statistiquement supérieur au quotient intellectuel des Blancs du Sud[30]».

Les gènes et la féminité

Selon le déterminisme biologique, la nature profonde de chacun des deux sexes dépend des gamètes (ovules et spermatozoïdes) et, par conséquent, des gènes. Pour Jeffrey Weeks : «Toutes les différences commencent avec les ovaires [*sic*] et les spermatozoïdes[31].» Dawkins pense que la différence entre les sexes «provient de cette différence fondamentale[32]». Quelle est-elle ? Dans toutes les espèces, la femelle produit peu d'ovules (la femme en produit environ 450 au cours de sa vie) ; l'homme, lui, produit des millions de milliards de spermatozoïdes (de 300 à 400 millions par éjaculation). À partir de ce constat, on déduit les traits prétendument innés de chacun des deux sexes. Pour Dawkins, «c'est ici que l'exploitation des femelles commence[33]».

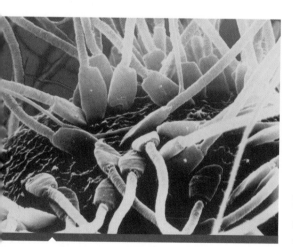

Spermatozoïdes sur un ovule.

---

27. Chabot (1992), p. 17.
28. *Ibid.*
29. Atkinson et Hilgard (1980).
30. Vergez et Huisman (1980).
31. Cité dans Badinter (1992), p. 42.
32. Dawkins (1976), p. 152. (Nous traduisons.)
33. *Ibid.*, p. 153. (Nous traduisons.)

Les femelles sont maternelles, tatillonnes – *fussy*, selon l'expression de Dawkins. Elles ne couchent pas avec n'importe qui et se laissent désirer, et ce, parce qu'elles produisent peu d'ovules et doivent investir une quantité considérable d'énergie une fois qu'elles sont fécondées (gestation, production du lait, etc.)[34]. Comme les mâles produisent bien plus de spermatozoïdes, les gènes égoïstes qu'ils contiennent cherchent désespérément à se propager au maximum. Voilà pourquoi les mâles sont portés à avoir des aventures et n'ont pas tendance à se consacrer aux soins des enfants. Ils sont trop occupés à chercher des partenaires sexuels.

D'autres auteurs infèrent du faible nombre d'ovules et du grand nombre de spermatozoïdes le caractère agressif et compétitif des mâles : les plus compétitifs réussissent à féconder les femelles pour assurer la transmission de leurs gènes[35]. Cette agressivité innée des mâles garantit leur domination sur les femmes. David Barash, de son côté, croit que le viol est naturel et inévitable ; il correspond à un besoin inconscient de reproduction[36].

On est porté à s'indigner de ce point de vue, ou au contraire, à en rire. Et pourtant, on sait qu'un manuel scolaire reflétant cette philosophie, *Exploring Human Nature,* a déjà été adopté par 26 États américains. Pour lire une critique détaillée de ce point de vue, qui reprend des idées anciennes remises au goût du jour, le lecteur se reportera au chapitre 6 de l'excellent ouvrage de Lewontin, Rose et Kamin[37].

L'humain : un automate génétique ?

Le déterminisme biologique présente l'être humain comme une mécanique sophistiquée dont le comportement ne diffère guère de celui des animaux que par une plus grande complexité.

Les comportements stéréotypés des animaux

Les comportements des **invertébrés** et des **vertébrés** sont largement automatiques. Le généticien André Langaney (1942-) observe qu'il existe quelques preuves qu'ils sont programmés génétiquement[38]. C'est ainsi qu'on a identifié, chez la souris et la mouche drosophile, différents gènes directement liés à des comportements précis. Mais la plupart des preuves selon lesquelles ces comportements sont automatiques sont indirectes. Par exemple, certains insectes continuent à pondre leurs œufs quand le nid est éventré. L'araignée déposée sur une toile déjà commencée ne s'en rend pas compte et recommence depuis le début. Les abeilles sont successivement nourrices, maçonnes et butineuses. Elles n'échappent pas à ce destin. Ces comportements suivent toujours la **même séquence** et sont **prévisibles.** Ils semblent fondamentalement innés et codés génétiquement. La capacité de ces animaux à varier et à innover est pratiquement inexistante, comme l'observait Rousseau (*voir le chapitre 5*).

Invertébrés
Animaux qui n'ont pas de colonne vertébrale, notamment les mollusques, les crustacés et les insectes.

Vertébrés
Animaux dotés d'une colonne vertébrale, comprenant notamment les batraciens, les reptiles et les oiseaux. Les mammifères et les primates sont également des vertébrés.

Les tenants du déterminisme biologique conçoivent l'être humain sur le modèle de l'automate. Ses comportements seraient innés et suivraient des séquences totalement ou largement prévisibles, comme ceux des animaux.

---

34. *Ibid.,* p. 174-176.
35. Badinter (1992), p. 42.
36. Cité dans Badinter (1992), p. 43.
37. Lewontin, Rose et Kamin (1985).
38. Langaney (1979), chap. 11.

Mammifères
Animaux caractérisés par un système nerveux développé, portant des mamelles et respirant au moyen de poumons.

Primates
Mammifères à mains préhensiles. Comprennent les singes et les hominiens.

Plastique
Malléable, flexible, qui peut prendre différentes formes.

Polygamie
Fait pour un homme d'avoir plusieurs épouses ou pour une femme d'avoir plusieurs maris.

Chez les **mammifères** et les **primates**, autres que l'être humain, où l'apprentissage joue un plus grand rôle, le répertoire des comportements est limité. Même si l'on peut apprendre à l'ours à danser, le comportement des mammifères est largement fixe et invariant. Les cigognes, comme les gibbons, vivent en couple toute leur vie ; les merles, en couples saisonniers ; les caméléons et les pandas, en solitaires ; les chimpanzés, en troupes peu hiérarchisées pratiquant la promiscuité sexuelle. On ne verra pas l'un de ces gibbons adopter des comportements caractéristiques des chimpanzés, ni inversement.

L'invention et l'autostructuration

Il existe un certain nombre d'arguments qui indiquent que l'être humain n'est pas un automate génétique. Premièrement, l'être humain manifeste une grande variété de comportements, car l'**apprentissage** joue un rôle dominant dans son développement. Comme le signale Langaney, à la naissance, il est largement **indéterminé,** ce qui rend ses comportements **plastiques** et modifiables. L'être humain invente, s'adapte à presque tout. Il vit seul, en couple plus ou moins stable, il pratique la monogamie ou la **polygamie**. Deuxièmement, il s'adapte aux niches écologiques les plus diverses, des glaces polaires aux sables brûlants du désert. L'ours polaire ne pourrait s'adapter au Sahara alors que le chameau ou le lion ne survivrait pas aux rigueurs de l'Arctique. Troisièmement, il s'adapte à toutes les structures sociales, comme le démontrent les expériences de transplantation – le bébé chinois adopté par des parents québécois se moule parfaitement sur sa société d'adoption. Il n'est pas déterminé à sa naissance dans ces domaines.

Cette polyvalence, qui est le propre de l'être humain, provient du pouvoir d'autostructuration du cerveau. Comme le souligne Jacquard, à partir des données multiples issues des gènes, du milieu et de la société, l'individu a, pour une part, la capacité de s'autoconstruire[39]. Cette capacité est d'autant plus grande que l'organisme est nourri par des stimulations externes dont l'importance ne peut être exagérée. L'expérience cruelle qu'un roi de Prusse, Frédéric II, a menée nous le confirme. Il a tenu des enfants à l'écart de toute parole pour savoir quelle était la langue naturelle : le grec, l'hébreu ou le latin. Ces enfants n'ont jamais parlé. L'être humain dispose ainsi de processus, dont il est lui-même la source, et cette capacité est porteuse de liberté. Mais ce pouvoir d'invention est souvent, trop souvent, contrecarré, comme nous le montrons plus loin.

Les gènes : des chefs qui donnent des ordres ?

Il ne fait pas de doute que les gènes ont un effet déterminant sur les caractères physiques de l'être humain. Un jour, on trouvera peut-être des **gènes de susceptibilité** (qui s'exprimeront plus ou moins selon le milieu) pour des comportements comme la schizophrénie. Quant à des caractères ou des comportements comme l'intelligence, l'alcoolisme, le divorce ou la pratique religieuse, on n'en sait rien ; c'est au mieux une hypothèse.

Pour les tenants du déterminisme biologique, les gènes sont comme des « chefs qui donnent des ordres », selon la formule de Jacquard. Parce qu'un individu possède tel ensemble de gènes, il possède tels traits, c'est fatal. Pourtant, comme

---

39. Jacquard (1984), p. 211-216.

l'observe Jacquard, il est possible de contourner la fatalité. Le diabète est corrigé par l'administration d'insuline ; certains problèmes de la vision d'ordre génétique sont corrigés par le port de lunettes. La phénylcétonurie (maladie génétique qui détruit le cerveau par accumulation de produits toxiques) se corrige par une diète appropriée.

Le déterminisme biologique réconforte les personnes qui pensent avoir gagné à la loterie génétique. Dans leur tête, elles méritent d'occuper les hautes sphères de la société, de faire partie de l'élite. Comme le rappelle Thuillier[40], le directeur du périodique français *Le Figaro Magazine*, Louis Pauwels, résumait ce point de vue dans une image simple et crue : il y a d'un côté le « diamant », dont M. Pauwels fait partie, et, de l'autre, la « merde ». C'est moins culpabilisant de savoir que les perdants méritent leur sort – ils n'ont pas reçu les bons gènes. En outre, on n'aurait plus à investir dans l'éducation des pauvres et l'on paierait alors moins d'impôt. Le déterminisme biologique vole ici au secours du néolibéralisme (*voir le chapitre 4, particulièrement l'encadré 4.3, p. 75-76*).

La réfutation de la philosophie déterministe

La plupart des philosophes ont rejeté le déterminisme universel en disant que la liberté doit exister. En effet, si l'homme n'est pas libre, il est impossible de tenir qui que ce soit responsable de ses gestes. Or, cela est moralement et socialement inconcevable, car la vie en société serait impossible. Cet argument, aussi séduisant soit-il, est pourtant insuffisant. Il n'infirme pas le déterminisme universel et ne prouve pas l'existence de la liberté. En effet, tout ce qu'on vient de faire, avec un tel argument, c'est de substituer le mot « responsabilité » à celui de « liberté » et de définir le dernier par le premier. Il existe pourtant de bonnes raisons de rejeter le déterminisme universel, qu'il soit biologique ou environnemental.

Premièrement, il est impossible de le démontrer. Personne n'a jamais pu découvrir toutes les « causes » qui expliquent tel état de l'univers. Or, si plusieurs causes sont à ce jour inconnues, on peut raisonnablement supposer que ce n'est pas en raison des limites imposées par les connaissances, mais tout simplement parce qu'elles n'existent pas.

Deuxièmement, l'expérience démontre, comme le signale Roland Quilliot, qu'il est impossible de « prédire **rigoureusement** les choix individuels ». En effet, les conduites humaines sont relativement indépendantes des déterminismes contraignants. À partir « de conditions de départ identiques, des différences de comportement existent toujours[41] ». C'est ainsi que la plupart des délinquants viennent de familles défavorisées, mais tous les individus issus d'un tel milieu ne deviennent pas pour autant délinquants. Il existe donc une certaine indétermination inhérente aux conduites humaines.

Inhérent
Qui fait partie de la nature d'une chose, en est inséparable.

Troisièmement, des physiciens et des biologistes ont démontré « que l'expression des gènes en protéines n'est pas le phénomène déterministe décrit à longueur d'ouvrages : les gènes de cellules identiques, placés dans le même environnement ne

40. Thuillier (1981b).
41. Quilliot (1993), p. 60. (Nous soulignons.)

s'expriment pas de la même façon [...] le hasard est bel et bien un moteur de la vie[42] ». Même dans le cas de caractères beaucoup plus simples que les comportements, on découvre que les lois gouvernant l'expression des gènes sont plus complexes qu'on ne le croyait. On pensait que telle combinaison de gènes donnait toujours tel caractère. Or, certains gènes peuvent avoir une expressivité variable. Des personnes ayant le gène de l'X fragile ne manifestent pas de retard mental ou sont atteintes de façon plus ou moins importante. Même chose pour les doigts en surnombre et la fragilité osseuse héréditaire qui ne sont pas toujours causés par les mêmes gènes et les mêmes facteurs environnementaux[43]. De plus, le même gène peut différer d'un individu à l'autre et produire la même protéine. Un gène incomplet continue à produire une protéine donnée. L'ablation d'un gène n'empêche pas la cellule de produire la protéine correspondante. Par ailleurs, l'environnement a une influence sur l'expression des gènes, et ceux-ci ne sont pas des machines : ils agissent comme s'ils pouvaient se « réparer ». Enfin, des recherches effectuées sur des rats de laboratoire tendent à démontrer que les gènes sont sensibles à l'environnement. C'est la conclusion du professeur Meany, de l'hôpital Douglas à Montréal, qui a montré que l'attention que la mère porte à ses rejetons altère le gène responsable du stress. Robert Cairns, de la University of North Carolina, a piloté une étude sur la violence chez les rats. Il conclut que « l'agression et la violence sont par essence des actes sociaux. Leur analyse ne peut être réduite à des événements biologiques[44] ».

Quatrièmement, la physique a considérablement modifié la vision moderne de l'univers en écartant le déterminisme absolu pour faire place à une marge d'indétermination. La mécanique quantique a démontré qu'il n'est pas possible de connaître l'état du monde. En effet, il est impossible de mesurer à la fois la vitesse et la position d'une particule de matière et de prévoir ce que fera un électron. Ilya Prigogine, Prix Nobel de chimie en 1977, pense que les lois de l'univers ne sont pas rigoureusement déterministes ; elles ne sont que **probables.** C'est une caractéristique objective du monde nullement due à l'ignorance de l'homme.

Le rejet du déterminisme universel ne veut pas dire que tout est aléatoire, incertain et livré au hasard. À l'opposé, il ne signifie pas non plus que chacun peut choisir sa vie comme il l'entend et que les contraintes n'existent pas. Cette position serait plutôt celle de l'indéterminisme.

L'indéterminisme

Pour sauver la liberté, on a adopté la position inverse, l'**indéterminisme.** Si, par « indéterminisme », on entend que rien ne détermine les gestes d'un individu, on revient au même problème que celui que présentait le déterminisme universel. Si les actes d'un individu ne sont motivés par aucune circonstance (histoire familiale, conditions sociales et économiques, etc.), en quoi sont-ils ses actes ? S'ils ne sont produits par rien, il n'a aucune prise sur eux[45], toute possibilité de choisir entre deux ou plusieurs séquences d'actions s'avère impossible. Si tout est livré au hasard, l'individu n'est pas plus libre que si tout est rigoureusement déterminé. On peut mettre ces positions dos à dos, et c'est l'impasse.

---

42. Coisne et Klinger (2009), p. 39.
43. Chambon (1993).
44. Souccar (1998), p. 38.
45. Hospers (1953), chap. 4.

Une solution de rechange

Cependant, on n'a pas à choisir entre le déterminisme universel et l'indéterminisme. Entre les deux, il y a place pour une forme de déterminisme **souple.** Il serait préférable d'utiliser un autre terme, car il prête à confusion, mais faute de mieux parlons de déterminisme **probabiliste.** Cette forme de déterminisme admet une marge d'indétermination. Elle est non seulement compatible avec la liberté mais elle en constitue l'une des conditions. En effet, c'est parce que les comportements ou les attitudes d'un individu s'expliquent par des circonstances déterminables (organisation sociale, culture, histoire, à la limite gènes) que celui-ci a une prise sur eux et que s'ouvre la **possibilité** de les changer, donc d'augmenter sa marge de liberté.

C'est parce qu'il a été possible d'établir les raisons qui ont entraîné l'infériorisation des femmes que ces dernières ont collectivement, et en partie, réussi à défaire les **conditionnements** qui les maintenaient dans cette situation. Si elles étaient confinées dans des rôles et des territoires précis, ce n'est pas en raison de leur « nature féminine ». Si leur situation avait été attribuable à des facteurs naturels ou génétiques, on voit mal comment leur émancipation aurait pu se produire… à moins d'imaginer une improbable et gigantesque mutation biologique, dont les femmes occidentales auraient été les bénéficiaires. Autrement dit, ce que la culture et l'histoire ont fait peut être défait. L'organisation sociale avait appris aux femmes un rôle et elles l'ont désappris. La culture, les structures sociales et l'éducation sont des produits de l'être humain et ils peuvent être transformés.

L'environnementalisme

La présentation de la conception déterministe de l'être humain serait incomplète si nous ne mentionnions pas les théories qui offrent une solution de rechange tant au déterminisme universel qu'au déterminisme biologique pour expliquer diverses conduites humaines. C'est l'environnementalisme, que nous pouvons diviser en deux grands courants et que nous présentons brièvement dans les paragraphes qui suivent.

Le réductionnisme environnemental

Un premier courant décrit l'être humain comme le reflet passif des conditions environnantes, comme s'il était biologiquement vide. Cette forme de **réductionnisme** environnemental seretrouve chez certains marxistes vulgaires et chez les tenants du behaviorisme tels que le psychologue américain B. F. Skinner (1904-1990). Ainsi, pour Skinner, l'être humain est un automate entièrement conditionné par son milieu. Il n'a aucune autonomie et sa

Cette photo rappelle l'une des expériences célèbres d'Ivan Pavlov sur le réflexe conditionné. Ce physiologiste et médecin russe conditionna les chiens à saliver au son d'une cloche.

liberté est une illusion. Skinner arrive aux mêmes constatations que les déterministes biologiques purs et durs, mais en invoquant des raisons diamétralement opposées.

Skinner s'appuie plutôt sur l'étonnante capacité d'apprentissage de l'être humain. Ce dernier serait à la merci des **renforcements** positifs («On t'achètera une automobile si tu réussis ton cégep») ou négatifs («On t'enlèvera ton allocation si tu échoues à ton examen de maths»). Skinner pense qu'à l'aide de programmes de renforcement on doit imposer des conduites précises à l'être humain, à condition qu'elles soient bénéfiques à l'ensemble de la société[46]. Big Brother se profile dans l'ombre de Skinner et l'homme ressemble au chien de Pavlov...

Pour Skinner, l'homme autonome n'existe pas et, à mesure que notre «compréhension progresse, la matière dont il est fait s'évapore [...] À l'"Homme en tant qu'homme" nous disons sans hésiter : bon débarras[47]». L'être humain, pour Skinner, est infiniment plastique et malléable. C'est une **table rase** qui permet au milieu d'écrire le scénario qu'il veut.

Big Brother
Du roman futuriste de George Orwell, *1984* (publié en 1949). C'est le dirigeant de l'État totalitaire qui voit tout et qui sait tout. Les citoyens sont filmés, épiés, dénoncés, programmés pour obéir à Big Brother.

L'influence déterminante des conditions environnantes

Les thèses de ce deuxième courant de pensée sont abordées dans les chapitres 7 et 8 (portant sur Dewey et Marx). Nous nous contenterons ici de quelques remarques.

Ce courant de pensée met en lumière l'influence des conditions environnantes (institutions culturelles, facteurs socioéconomiques, etc.) sur la détermination des conduites humaines. On n'y repousse pas pour autant les facteurs biologiques, et l'on n'y conçoit pas l'être humain comme un **pur miroir** de l'environnement, à la merci des circonstances.

Les environnementalistes de ce type expliqueront un phénomène comme la réussite sociale en faisant ressortir le jeu des facteurs socioéconomiques, par exemple l'appartenance à une classe sociale (*voir l'encadré 1.3, p. 16*). Ils appuient leurs dires sur les conclusions d'études comme celle-ci :

> La probabilité qu'un enfant devienne l'un de ces 10 % d'adultes ayant les plus hauts revenus est 10 fois plus grande pour les enfants dont les parents font eux-mêmes partie de cette tranche socio-économique que pour ceux dont les parents font partie de la tranche des 10 % à revenus les plus bas[48].

Les conditions environnantes rendent donc fortement **probables** différentes conduites, mais ni l'individu ni la société ne sont déclarés **passifs** par rapport à ces conditions.

Les tenants du déterminisme probabiliste de type environnemental soulignent l'importante influence des conditions sociales sur les conduites humaines. Contrairement au déterminisme biologique, ce type de déterminisme n'est pas incompatible avec la liberté. On n'y affirme pas que l'homme est programmé par son milieu.

Dans la même veine, la psychologie sociale met en lumière l'importance des **contraintes situationnelles** dans la détermination des conduites humaines. Quarante ans de recherche en psychologie sociale indiquent que la liberté absolue est une illusion et que l'homme est ouvert à maints **conditionnements** qui restreignent grandement les chemins de sa liberté et déterminent ses choix. Cette discipline met en lumière la puissance des conditions environnantes et jette un éclairage indispensable sur le débat entre déterminisme et liberté (*voir la*

---

46. Skinner (1972).
47. Skinner, cité dans Lecomte (1996b), p. 21.
48. Lewontin, Rose et Kamin (1985), p. 101. Ces données sont tirées de l'étude de Bowles et Nelson (1974).

rubrique Texte à l'étude, *p. 28*). L'expérience de Stanley Milgram, dans laquelle de 65 % à 85 % des sujets étaient prêts à donner des décharges électriques mortelles à un pur innocent, montre comment nous sommes influencés par la situation environnante (*voir le chapitre 11, p. 208-209*).

La mort du sujet

Pour tout un courant de pensée, le XXe siècle signe la mort du sujet, que Descartes met au centre de l'histoire. L'autonomie de l'être humain est totalement pulvérisée. L'histoire devient un mécanisme sans sujet. L'individu est **contrôlé,** déterminé par des «structures»: gènes, conditionnements environnementaux pour Skinner, pulsions pour Freud, rapports sociaux pour certains anthropologues ou philosophes. Le philosophe marxiste Louis Althusser (1918-1990), qui fait une lecture structuraliste de Marx, conçoit l'histoire comme un procès sans sujet. L'être humain serait un pur produit des structures socioéconomiques (*voir le chapitre 8*).

Structuralisme
Courant philosophique, populaire dans les années 1960, selon lequel tout peut s'expliquer par l'existence de structures – inconscient, symboles, rapports sociaux. Le structuralisme liquide le sujet. L'anthropologue Claude Lévi-Strauss (1908-2009) fut l'un des représentants les plus en vue du structuralisme. Il montra que les modes de pensée des sociétés dites «primitives», bien que différents de la rationalité occidentale, n'étaient pas pour autant prélogiques.

Empirisme
Philosophie qui fonde la connaissance sur les sens et l'expérience. S'oppose au rationalisme.

Conclusion

À la naissance, l'être humain est très indéterminé. Cela ne veut pas dire qu'il est libre. Cela ne signifie pas non plus que le cerveau est une table rase, une page blanche sur laquelle l'expérience écrit son scénario, comme le pensaient Skinner et le philosophe empiriste John Locke (*voir le chapitre 4*). Aujourd'hui, on pense généralement que le cerveau n'est ni une cassette vierge ni un disque de phonographe, pour reprendre l'image du biologiste François Jacob. Chaque humain a une constitution biologique qui le définit de multiples manières. Par exemple, il est programmé pour manger, boire et mourir. S'il a le ou les gènes de telle maladie, il sera «programmé» pour mourir à 30 ans. Mais, là encore, la prudence est de mise, car plusieurs maladies génétiques peuvent être corrigées et d'autres le seront dans l'avenir. L'être humain n'est pas pour autant un robot génétique. Il n'existe pas de preuves que son destin ou ses caractères et comportements complexes (intelligence, criminalité, croyances religieuses, réussite sociale) sont causés génétiquement. Et les théories de rechange plus plausibles ne manquent pas. Cela veut dire que l'aventure que l'être humain vivra est plus ou moins ouverte, qu'il a un potentiel et un registre de comportements vaste. Il a la capacité de s'autoconstruire. Mais ce pouvoir d'invention et d'autoconstruction est souvent contrecarré. Car l'être humain ne peut rien tout seul. Il est un animal social, flexible et plastique, il apprend. Il apprend tellement bien, comme le dit Langaney, qu'il «tend souvent vers ce que l'on pourrait **presque** qualifier d'automate socioculturel[49]».

L'être humain n'est pas programmé génétiquement, ce qui ne signifie pas qu'il est indépendant de ses gènes. À l'opposé, il est très sensible aux pressions de son entourage, et ce, dès la naissance. Il est d'autant plus facile à **dresser** qu'au début il est à la merci des parents et plus tard des éducateurs, de l'organisation sociale, des employeurs, de sa classe et des valeurs de sa société.

---

49. Langaney (1979), p. 116. (Nous soulignons.)

LES IDÉES ESSENTIELLES

▶ **La philosophie du déterminisme**

Selon les tenants du déterminisme universel, chacun des gestes d'un individu est attribuable à une cause précise qui le contraindrait à agir comme il le fait. Ce type de déterminisme exclut toute forme de hasard, de liberté et de responsabilité.

▶ **Le déterminisme biologique**

Le déterminisme biologique prétend que l'être humain est déterminé par ses gènes, sinon entièrement, du moins de façon prépondérante.

Le déterminisme suppose un modèle de causalité bien précis. C'est pourquoi il faut clarifier la signification de ce petit mot rempli d'ambiguïtés : le mot « cause ». On dit qu'une chose est causée par une autre lorsqu'il existe un lien nécessaire et suffisant entre ces deux choses. Chaque fois que l'on a la cause A, on obtient l'effet B.

▶ **Des hypothèses non confirmées**

Les généticiens ont montré qu'il existe des traits, disons relativement simples, qui sont causés, en ce sens bien précis, par les gènes ; par exemple, l'appartenance à un groupe sanguin. Cependant, les études en matière de génétique des comportements qui tentent d'établir un tel lien entre une combinaison donnée de gènes et un caractère ou un comportement complexe (intelligence, alcoolisme, homosexualité, agressivité, divorce) n'ont pu démontrer l'existence d'un lien nécessaire et suffisant entre telle combinaison de gènes et tel caractère.

▶ **Les gènes et la féminité**

Les tenants du déterminisme biologique stipulent que les caractères prétendument innés des sexes proviennent des gamètes.

▶ **L'humain : un automate génétique ?**

Le déterminisme biologique présente l'être humain comme un automate génétique.

Les connaissances actuelles permettent de poser l'hypothèse que diverses espèces animales (les invertébrés et les vertébrés) sont fort probablement des automates génétiques. Leurs comportements sont prévisibles et suivent la même séquence. Chez l'être humain, il existe une variété très large de comportements, souples et souvent imprévisibles. L'humain a la capacité de s'autoconstruire, de s'inventer, et les gènes ne sont pas des chefs qui donnent des ordres.

▶ **La réfutation du déterminisme universel**

La plupart des philosophes ont rejeté le déterminisme universel, car on y évacue toute forme de responsabilité. Mais il y a de meilleures raisons de le rejeter :

– Le déterminisme universel est indémontrable.
– Il est impossible de prédire de façon rigoureuse les choix individuels.
– Des gènes identiques placés dans le même contexte ne s'expriment pas de la même façon.
– Des conditions identiques donnent des comportements différents.

Pour sauver la liberté, on s'est replié sur l'indéterminisme. Cette position est aussi insoutenable que le déterminisme universel. Si les gestes d'un individu ne sont produits par rien, en quoi sont-ils ses gestes ?

Entre le déterminisme universel et l'indéterminisme, il y a place pour un déterminisme souple. Liberté et responsabilité supposent une certaine forme de déterminisme souple. C'est parce qu'il est capable de comprendre ce qui influence ses gestes qu'un individu peut avoir une prise sur ceux-ci et échapper à ses conditionnements.

▶ **L'environnementalisme**

Les environnementalistes sont répartis en deux grands courants. Il y a ceux qui pensent que l'être humain est le reflet passif de son milieu. C'est le réductionnisme environnemental. Par exemple, B. F. Skinner pense que l'être humain est totalement conditionné par son milieu.

À l'opposé, les environnementalistes souples mettent en lumière les influences sociales et culturelles telles que l'appartenance de classe sur un comportement comme la réussite scolaire, sans nier les caractéristiques biologiques de l'être humain.

Cela ne signifie pas que l'être humain est programmé par son environnement. Les conditionnements sociaux sont très puissants, mais il est possible d'y échapper. Par exemple, les femmes occidentales ont été capables de briser les déterminismes qui les enfermaient dans des sphères et des rôles précis.

▶ **La mort du sujet**

Pour tout un courant de pensée, le XXe siècle a signé la mort du sujet. L'être humain doué d'une certaine autonomie n'existe plus.

▶ **Conclusion**

L'être humain n'est pas indépendant de ses gènes. Mais il n'est pas non plus un robot génétique. Selon Langaney, il est indéterminé à la naissance. Il a la capacité de s'inventer, de s'autoconstruire. Cependant, il dépend de son entourage ; donc, il est facile à dresser. Souvent, il tendrait presque – la nuance est importante – à être un automate socioculturel. Pourquoi ? Parce qu'il apprend bien. Trop bien.

EXERCICES

Vérifiez vos connaissances : vrai ou faux ?

1. Selon le déterminisme biologique, les traits de caractère sont innés.

2. Le déterminisme universel est incompatible avec la liberté.

3. La causalité linéaire sous-tend un lien d'influence probable entre deux événements.

4. En génétique des comportements, on a trouvé des liens nécessaires et suffisants entre un comportement comme l'alcoolisme et un ensemble donné de gènes.

5. Tous les comportements humains suivent une séquence prévisible.

6. Selon l'indéterminisme, l'être humain ne peut attribuer quelque cause que ce soit à ses gestes.

7. Toutes les formes de déterminisme social ou environnemental sont incompatibles avec la liberté.

8. L'être humain est totalement indépendant de ses gènes.

9. Le sophisme du lien causal douteux consiste à attribuer le statut de « cause » à un phénomène parce qu'il est en relation avec un autre (*voir l'encadré 1.3, p. 16*).

10. Les expériences de la psychologie sociale démontrent l'aptitude de l'être humain à la soumission volontaire.

Synthétisez vos connaissances et développez une argumentation.

1. Quelle est la principale thèse du déterminisme biologique ?

2. Qu'est-ce que le déterminisme ?

3. Qu'est-ce que la causalité linéaire ?

4. À partir des exemples analysés dans le texte (la critique des études sur l'alcoolisme, sur l'homo-sexualité, etc.), peut-on dire que la causalité linéaire est le modèle le plus adéquat pour expliquer les divers comportements étudiés ? Ces études démontrent-elles que ces comportements sont causés génétiquement et que, par conséquent, l'être humain ne serait qu'un automate génétique ?

5. D'après le déterminisme biologique, l'être humain, tout comme les vertébrés et les invertébrés, ne serait qu'un automate génétique. Donnez deux arguments que l'on pourrait opposer aux partisans de cette thèse.

6. Quelles objections peut-on formuler au regard de la thèse du déterminisme universel ?

7. Le déterminisme probabiliste est compatible avec l'idée selon laquelle la liberté est possible. Expliquez.

TEXTE À L'ÉTUDE

Sommes-nous vraiment libres ? (extrait)

Beauvois (1995), p. 10-11

À titre expérimental, un psychologue demande à un inconnu qui attend le bus avec lui de surveiller un instant sa valise. Un complice de l'expérimentateur survient en son absence et tente de subtiliser la valise. Dans 90 % des cas, l'inconnu s'interpose. Par contre, si l'expérimentateur laisse la valise mais ne demande rien à cette personne, elle ne réagit que dans 15 % des cas en constatant le vol, soit six fois moins. Cette expérience, ainsi que de nombreuses autres, [a] montré que de multiples conduites humaines sont « déterminées », c'est-à-dire qu'on peut modifier leur probabilité d'apparition en modifiant délibérément certains aspects du contexte.

Il est probable que peu de gens considèrent que la demande préalable soit à l'origine du comportement de protection de la valise. Elle multiplie cependant la probabilité d'intervention par six. Les explications généralement fournies pour justifier l'intervention contre le vol sont apparemment moins simplistes : « On ne peut assister à un vol sans réagir » ; « C'est le devoir de tout citoyen » ; « C'est une question de tempérament », etc. Mais ces explications ne semblent pas pertinentes puisque, sans la demande explicite, il est probable que le voleur aurait agi en toute tranquillité...

De multiples études ont confirmé ce décalage entre l'explication que nous donnons de nos conduites et la réalité de leur détermination. [...]

Bien que les sujets fournissent des explications erronées de leur acte, ils ne disent cependant pas n'importe quoi. Ils ont acquis des « théories » psychologiques qui les orientent vers une explication qui concerne non la détermination de leur conduite, mais la signification, socialement acceptable, qu'elle doit revêtir pour eux.

Les psychologues sociaux appellent « théories publiques » ces conceptions communément partagées au sein de la société. La fonction de celles-ci est davantage esthétique que descriptive : il importe surtout qu'elles soient « belles », c'est-à-dire qu'elles reposent sur une conception éminemment libérale de l'homme, perçu comme décideur éclairé. [...]

La puissance méconnue de l'environnement

Tout d'abord, ces théories postulent que les causes des conduites se situent en l'individu lui-même. Cette recherche de causes personnelles débouche sur la production de significations des conduites tout à fait acceptables dans notre commerce social. De nombreuses études expérimentales montrent qu'on a plus de chances d'être apprécié par un évaluateur (enseignant, supérieur hiérarchique, travailleur social, etc.) si on explique nos actes (même s'ils ne sont pas particulièrement louables) en termes personnels (explications « internes ») que si on fait référence à l'influence des autres ou aux circonstances (explications « externes »).

[...]

Une deuxième particularité des conceptions psychologiques que nous mettons habituellement en œuvre est le peu d'importance accordé aux processus de soumission et d'obéissance. Nos théories libérales tendent, comme nos romans libéraux et nos psychologues médiatiques, à « débiter » de l'individualité et négligent fortement ce que font les gens quand ils agissent comme ceux dont ils partagent le sort, ce qui est pourtant la situation la plus fréquente.

Repérez les idées et analysez le texte.

1. Dans ce texte, comment définit-on le déterminisme ? Cette conception laisse-t-elle une place à la liberté ?

2. Beauvois constate l'existence d'un décalage entre les explications que l'on donne des comportements humains et la réalité de leur détermination. Que veut-il dire ? Donnez un exemple.

3. L'auteur souligne que l'on préfère les explications internes aux explications externes. Pourquoi ? Donnez un exemple différent de celui du texte.

LECTURES SUGGÉRÉES

Beauvois, J.-L. (1995). « Sommes-nous vraiment libres ? » *Sciences humaines, 48*.

Chabot, C. (1992). « Les jumeaux sous la loupe des chercheurs. » *Québec Science*.

Chambon, P. (1993). « Nos gènes décident-ils de tout ? » *Science et avenir,* novembre.

Dawkins, R. (1976). *The Selfish Gene*. New York : Oxford University Press.

Jacquard, A. (1991). *Inventer l'homme*. Bruxelles : Éditions Complexe.

Jacquard, A. (1984). *Au péril de la science*. Paris : Seuil.

Jordan, B. (2000). *Les imposteurs de la génétique*. Paris : Seuil.

Lewontin, R. C., S. Rose et L. J. Kamin (1985). *Nous ne sommes pas programmés*. Paris : La Découverte.

Schiff, M. (1982). *L'intelligence gaspillée*. Paris : Seuil.

Serre, J.-L. (1992). « Biologie et médias : les dangers du scoop. » *La Recherche, 23*(239).

Skinner, B. F. (1972). *Par-delà la liberté et la dignité*. Montréal : HMH.

Vergez, D. et A. Huisman (1980). *Nouveau cours de philosophie, t. 2, partie IV,* « Les illusions du biologisme et du racisme ».

CHAPITRE 2

Le christianisme : une origine surnaturelle

Peuple à genoux,
Attends ta délivrance

Minuit chrétiens

Introduction

Le christianisme (qui s'est fractionné en plusieurs dénominations: catholiques, protestants, orthodoxes, etc.) plonge ses racines dans la religion juive et est à bien des égards une conception de référence qui continue d'exercer une influence considérable en dépit du déclin de l'institution religieuse.

C'est au début du XVIe siècle que les tensions qui existaient au sein de l'Église catholique explosent pour donner naissance à la Réforme protestante. Avec l'islam et le judaïsme, le christianisme fait partie des trois grandes religions monothéistes (un seul Dieu). Ces trois religions se réclament du même prophète, Abraham, qui vécut il y a 3 900 ans environ. Des 25 prophètes mentionnés dans le Coran, dont Jésus, 24 se retrouvent dans la Bible.

La croyance qu'il existe une vie après la mort est très répandue, croyance que partagent d'ailleurs plusieurs des élèves à qui nous avons enseigné ces dernières années. Pourtant, une majorité d'entre eux s'avouent **agnostiques** ou **athées**. Au Québec, une enquête réalisée en 1997 dévoilait que seuls 36 % des jeunes âgés de 15 à 24 ans ont encore la foi. Cette proportion atteint 77,5 % chez les personnes âgées de plus de 65 ans[1].

Aux questions «d'où venons-nous?» et «qui sommes-nous?», le christianisme répond que nous avons été créés par Dieu et que la possession d'une âme immortelle nous distingue des autres créatures vivantes. La réalité humaine dans son **essence** même est spirituelle, elle dépasse et **transcende** le monde naturel. Jésus, fondateur de cette doctrine, prêchait des valeurs authentiques telles que la fraternité humaine et le partage. Dans les premières communautés chrétiennes, les croyants «étaient unis et mettaient tout en commun[2]». Ils vendaient leurs biens et en partageaient le fruit selon les besoins de chacun.

Agnosticisme
Doctrine d'après laquelle il est impossible de démontrer l'existence de Dieu. Par conséquent, on ne peut affirmer que Dieu existe.

Athéisme
Négation de l'existence de Dieu.

Essence
Ce qui constitue la nature d'une chose, la définit, en délimite les possibilités. Qualités de base partagées par les choses de même nature.

Transcendant
1. Du verbe «transcender», qui signifie «dépasser». 2. Caractère de ce qui est supérieur au monde sensible et différent de lui, qui dépasse la réalité matérielle. S'oppose à «immanent».

---

1. Sondage réalisé par Zins, Beauchesne et associés auprès de 4 000 personnes, *La Presse* (1997). La proportion est de 50 % chez les personnes âgées de 45 à 54 ans.
2. La Bible, Actes des Apôtres, 2, 44.

C'est dans la Bible, composée de 73 livres, et dans les textes des théologiens, comme saint Augustin (354-430) et saint Thomas d'Aquin (1225-1274), que l'on trouve les principales bases de cette conception[3].

Nous verrons que c'est sur cette toile de fond que des conceptions rivales ont été définies, surtout à partir du XVIIᵉ siècle. Malgré ses convictions religieuses, Rousseau rejetait l'idée selon laquelle l'être humain serait marqué par le péché originel. Darwin répondait à la question « d'où venons-nous ? » en élaborant une théorie des origines de la vie qui fournissait une solution de rechange au **créationnisme**. Marx, Nietzsche, Freud et Sartre remplaçaient la dimension du surnaturel et du sacré, que l'on considérait jusque-là comme faisant partie intégrante de la condition humaine, par une vision **laïque** de l'être humain.

> La Bible est composée de l'Ancien et du Nouveau Testament. L'Ancien Testament, dont les premiers textes remontent à il y a environ 3 000 ans, est hérité de la religion juive ; le Nouveau Testament, qui comprend 27 livres, relate la vie du Christ.

Créationnisme
Théorie selon laquelle les espèces ont été créées telles quelles. Le créationnisme s'oppose à l'évolutionnisme, théorie d'après laquelle tous les êtres vivants ont une origine commune et sont le produit d'une longue évolution de la matière.

Laïque
Qui n'est pas religieux.

Suprasensible
Qui n'est pas perceptible par les sens et est supérieur à la réalité sensible.

Un monde créé par Dieu

Comme plusieurs religions, le christianisme affirme la primauté du spirituel sur le matériel et l'existence d'une réalité surnaturelle représentée par Dieu, l'Être suprême. Cette dimension sacrée transcende le monde matériel. Elle se situe **hors et au-dessus** du monde sensible ; elle en est la cause et lui donne sa signification. Dieu est l'absolu, la source de tout, et l'être humain a été créé à son image : « Faisons l'homme à notre image, selon notre ressemblance[4] [...] »

Ce Dieu est un Dieu d'amour et de bonté qui voit à tous les besoins des êtres humains ; c'est la Providence :

> Qu'allons-nous manger ? qu'allons-nous boire, de quoi allons-nous nous vêtir ? Tout cela les païens le recherchent sans répit [...] Tout cela vous sera donné par surcroît [...] Ne vous inquiétez donc pas pour le lendemain[5].

Le christianisme divise la réalité en deux entités distinctes, soit le monde **suprasensible** et le monde sensible (*voir la figure 2.1*).

FIGURE 2.1	La représentation chrétienne de la réalité
Le monde suprasensible	**Le monde sensible**
Dieu, l'absolu, l'esprit, l'âme, le paradis, le surnaturel, etc. C'est l'univers des choses stables, permanentes et identiques.	L'être humain, le corps, les passions, la matière, la nature, la Terre, etc. C'est l'univers des choses perceptibles par les sens, le monde des choses changeantes et imparfaites.

---

3. Les différences entre les anthropologies de l'Ancien et du Nouveau Testament, de même que celles que l'on trouve entre les branches du christianisme (catholicisme, protestantisme, etc.), mériteraient d'être approfondies, ce qui est cependant impossible dans le cadre de cet ouvrage.
4. La Bible, Genèse, 1, 26.
5. La Bible, Évangile selon saint Matthieu, 6, 31-34.

La preuve physicothéologique de l'existence de Dieu

Selon le christianisme, l'ordre et l'harmonie de l'Univers sont la preuve que Dieu existe. La vie sur terre n'est pas le résultat du hasard : elle traduit une **intention consciente**. L'**ordre** qui y règne, comme le mouvement régulier des planètes, est le résultat d'un principe surnaturel. Toute la création dans sa **complexité** est le reflet d'une intelligence supérieure. On n'a qu'à penser à l'œil avec ses 120 millions de bâtonnets, ses cônes et ses centaines de millions d'autres cellules.

De plus, quand on regarde la façon dont l'Univers est organisé, on ne peut s'empêcher de conclure que la vie elle-même a un but, une finalité. Ce n'est pas par hasard que le corps humain sécrète des anticorps pour assurer sa défense, que les globules blancs se mobilisent en cas d'urgence pour assurer le maintien de la vie. Les multiples fonctions de l'organisme ont pour but sa survie et celle de l'espèce. Or, s'il y a un but, il faut que quelqu'un ait eu ce but, il doit y avoir eu une intention consciente derrière ces phénomènes. C'est ce qu'on nomme la « preuve physicothéologique de l'existence de Dieu ».

Une place privilégiée pour l'être humain

Parmi toutes les créatures vivantes, l'être humain occupe une place privilégiée et dominante. Il règne sur la terre et sur les autres êtres vivants :

> L'être humain occupe une place dominante au sein de la création.

> Soyez féconds et prolifiques, remplissez la terre et dominez-la. Soumettez les poissons de la mer, les oiseaux du ciel et toute bête qui remue sur terre[6].

Une âme immortelle

Selon le christianisme, l'être humain se distingue des autres créatures vivantes par son âme, immatérielle et immortelle. L'âme est la réalité ultime, le fondement même de l'existence ; elle fait toute la richesse de l'être humain et lui confère une identité unique. Elle donne un sens à la vie, car elle transcende la mort du corps et lui survit.

> Pour le christianisme, l'immortalité de l'âme donne un sens à la vie.

Le corps, siège des passions, est mortel et périssable. Il est le sanctuaire de l'âme et doit ressusciter au jour dernier. Pour mériter la vie éternelle, l'homme ne doit pas se laisser subjuguer par les passions du corps qui éloignent de Dieu.

Cette vision de l'être humain qui serait formé de deux principes distincts et opposés s'appelle le « dualisme », conception qui fut sévèrement critiquée par le philosophe allemand Friedrich Nietzsche (1844-1900). La notion de dualisme est relativement récente dans la culture occidentale. Dans la Grèce du poète Homère, qui vécut il y a 2 900 ans, on ne possédait pas les concepts de « corps » et d'« esprit ». Mais avec Platon (v. 427-347 avant notre ère), la culture occidentale a scindé l'être humain en deux principes distincts et privilégié l'esprit, ou la pensée, notamment en tant que source de connaissance. Par ailleurs, cette notion de dualisme constitue une différence majeure entre la pensée orientale et la philosophie occidentale. Par exemple, les

---

6. La Bible, Genèse, 1, 28.

Japonais parlent d'une «unité corps-esprit», estimant que la vraie connaissance ne peut être obtenue «simplement par le biais d'un raisonnement théorique, mais seulement à travers une "connaissance ou réalisation corporelle"[7]». Nous reviendrons plus loin sur le thème du dualisme.

La dimension tragique de l'existence

Le christianisme fait ressortir la dimension tragique de l'existence terrestre. L'être humain est dépassé par ces réalités que sont la mort, la souffrance et les injustices. Pour bon nombre de personnes, la pensée que la vie se termine avec la mort du corps est insupportable et révoltante. Cette dimension tragique et absurde de l'existence est renforcée par les souffrances de la vie et le spectacle du mal et des injustices qui foisonnent sur terre. Les méchants sont souvent récompensés, et les bons, malheureux.

L'Ecclésiaste se fait l'écho de ces préoccupations : «Regardez les pleurs des opprimés : ils n'ont pas de consolateur. La force est du côté des oppresseurs[8].» L'équité sera rétablie par la justice divine, qui sanctionnera les actions bonnes ou mauvaises dans l'au-delà.

Devant l'angoisse et le désespoir, la religion offre un sentiment de sécurité pour la vie ici-bas et un passeport pour l'éternité.

La liberté et la raison

C'est l'âme, ce don de Dieu, qui fait que l'être humain est doué de conscience. Une voix intérieure l'enjoint de faire le bien et d'éviter le mal. «C'est une voix inscrite par Dieu au cœur de l'homme ; sa dignité est de lui obéir, et c'est elle qui le jugera[9].»

Raison
1. Faculté qui permet la mise en ordre des données de l'expérience et l'établissement de liens entre elles. 2. Faculté qui permet de juger et de fournir des justifications. 3. Attitude critique qui suppose la capacité de s'interroger, de douter. 4. Explication, cause. 5. Connaissance naturelle par opposition à ce qui vient de la foi. Terme opposé à «mythe», à «préjugé».

Contrairement aux animaux, l'être humain est doué de jugement et de **raison**. Selon saint Thomas d'Aquin, l'un des plus influents théologiens du christianisme, cette faculté le rend apte à choisir entre le bien et le mal, et il est **libre** de faire ce choix. Pour le chrétien, choisir le bien est la meilleure option, car c'est choisir Dieu et l'immortalité.

La liberté implique que l'homme est responsable de ses actes. Il ne peut imputer la responsabilité de ses fautes à l'influence des autres ou à ses mauvais penchants. Cependant, cette liberté est limitée, puisque l'être humain doit suivre la voie tracée par les textes sacrés pour trouver le bonheur éternel[10]. C'est une liberté sous haute surveillance !

Le péché originel

Le péché originel signifie la perte de l'immortalité.

Aux débuts de la Création, l'être humain vivait en harmonie avec Dieu et la nature. Cependant, Adam et Ève ont voulu, comme des dieux, posséder la connaissance de ce qui

---

7. McCarthy (1999), p. 150-151.
8. La Bible, Qohéleth ou L'Ecclésiaste, 4, 1.
9. «L'Église et la vocation humaine» (1966), p. 56-73.
10. Pour plus de détails, voir Leclerc et Pucella (1993), p. 101-104.

est bon et mauvais. C'est par orgueil qu'ils ont désobéi à Dieu en mangeant le fruit défendu et qu'ils ont perdu leur innocence. L'être humain est, depuis, enclin au mal et contaminé par le péché originel. En défiant Dieu, les humains ont perdu l'immortalité. Pour la regagner, ils doivent mener un combat perpétuel contre leur tendance à faire le mal.

Après cette faute, l'être humain se trouve amoindri et déchu, et il ne peut lutter seul contre les forces du mal. Il devra attendre sa Rédemption par le Messie, dans la personne du Christ.

La Bible donne une vision pessimiste de l'être humain. Dans les Psaumes,

Adam et Ève sont expulsés du paradis terrestre.

on le compare à du vent, à une ombre qui passe. Dans le livre de Job, on lit : « Que dire de l'homme, ce ver, du fils d'Adam, cette larve[11]. »

Les femmes et le christianisme

Dans les textes sacrés, la femme occupe une place subordonnée. Dans l'Ancien Testament, Dieu s'adresse à Moïse pour établir la valeur de chacun des sexes : « Pour un homme entre 20 et 60 ans, la valeur est de 50 sicles d'argent – en monnaie du sanctuaire ; pour une femme la valeur est de 30 sicles[12]. »

D'après la Bible, la femme est un appendice de l'homme, puisque Ève a été créée à partir de la côte d'Adam. Le premier livre de la Bible, la Genèse, peint la femme sous les traits de la tentatrice qui cause la perte de l'homme : c'est Ève qui convainquit son fiancé de croquer le fruit défendu (*voir la rubrique* Texte à l'étude, *p. 42*).

> [Dieu] dit à la femme : « Je ferai qu'enceinte, tu sois dans de grandes souffrances ; c'est péniblement que tu enfanteras des fils. Ton désir te poussera vers ton homme et lui te dominera[13].

---

11. La Bible, Job, 25, 6.
12. La Bible, Lévitique, 27, 3-4.
13. La Bible, Genèse, 3, 16.

Gravure sur cuivre de Jean Baptiste Haussard, d'après le tableau de Giulio Romano intitulé *La création d'Ève*.

Cette malédiction est reprise dans le Siracide, l'un des livres de l'Ancien Testament :

> La femme est à l'origine du péché et c'est à cause d'elle que nous mourons [...] Si elle ne marche pas au doigt et à l'œil, sépare-toi d'elle et renvoie-la[14].

Ce serait une erreur de croire que l'on est aujourd'hui affranchi de ces idées millénaires. Ce mythe imprègne toujours les civilisations modernes et est propagé par de nombreuses productions hollywoodiennes. Sous une forme à peine déguisée, c'est le message de films tels que *Fatal Attraction, Basic Instinct* ou *Damage*.

---

14. La Bible, Siracide, 25, 24-26.

Saint Paul, dans son épître aux Galates, proclame qu'«il n'y a plus l'homme et la femme; car tous, vous n'êtes qu'un en Jésus-Christ[15]». Mais, dans son épître aux Corinthiens, il change son fusil d'épaule : «[...] le chef de la femme, c'est l'homme [... et] l'homme n'a pas été créé pour la femme, mais la femme pour l'homme[16].» Paul prêche l'abstinence et le célibat, car l'amour de la femme détourne de Dieu. Le mariage est un pis-aller :

> Il est bon pour l'homme de s'abstenir de la femme. Toutefois, pour éviter tout dérèglement, que chacun ait sa femme, et que chaque femme ait son mari [...] car il vaut mieux se marier que brûler[17].

Aujourd'hui, l'Église affirme que la femme a les mêmes droits que l'homme. Mais, en pratique, les femmes ne peuvent pas dire la messe, elles occupent une place subordonnée au sein de la hiérarchie ecclésiastique, et le mari demeure le chef du foyer. D'ailleurs, encore en 1966, le prêtre rappelait à la femme, lors de la cérémonie du mariage, cette parole de Paul : «Que la femme soit soumise à son mari comme au Seigneur lui-même[18].»

Le corps et la sexualité

Saint Paul (v. 5-62) est l'un des premiers apôtres à l'origine de la longue et difficile cohabitation de l'être humain avec son corps. Le corps est l'incarnation du mal : «[...] car je sais qu'en moi – je veux dire dans ma chair – le bien n'habite pas[19].» Il compare le désir de la chair à la mort et affirme que le corps «appartient au Seigneur». Saint Augustin, l'un des Pères de l'Église, explique son profond dégoût pour le corps en soulignant que l'homme naît entre les matières fécales et l'urine. Il compare l'orgasme à une crise d'épilepsie ou de rage et fait du péché originel un péché sexuel. Pour lui, la seule fonction de la sexualité se limite à la procréation. Selon saint Jérôme (v. 347-420), «nous devons nous libérer des œuvres charnelles». Il faut se délivrer de la chair et **mortifier** le corps par la continence et le jeûne. Ces privations sont le moyen de nous ouvrir à Dieu et d'expier nos péchés.

> La difficile cohabitation de l'être humain avec son corps.

Mortifier
Faire souffrir dans l'intention de rendre insensible aux tentations.

On notera qu'Augustin, qui avait bien connu les joies de la chair avant sa conversion, implorait constamment Dieu de lui donner la «chasteté, mais pas tout de suite». Quant à Jérôme, il croyait qu'un homme qui aime trop sa femme commet l'adultère. Pourtant, quand il faisait pénitence dans le désert, «son imagination enfiévrée emplissait sa cellule de troupes de danseuses[20]».

Cette vision de la sexualité est toujours présente, sous des formes atténuées, dans la hiérarchie catholique. Près de nous, pour le pape Jean-Paul II et pour son successeur Benoît XVI, le but de la sexualité demeure la procréation et ils condamnent toute forme de contraception (à l'exception de la méthode du calendrier) et s'opposent à l'avortement en toute circonstance. En 1992, une directive du Vatican adressée aux évêques rappelait qu'«une discrimination sur la base des tendances homosexuelles n'est pas injuste[21]».

---

15. La Bible, Épître aux Galates, 3, 28.
16. La Bible, 1re Épître aux Corinthiens, 11, 3 et 9.
17. *Ibid.,* 7, 1-2 et 9.
18. *Missel des jeunes,* p. 133.
19. La Bible, Épître aux Romains, 7, 18.
20. Tannahil (1980), p. 115.
21. Welzer-Lang, Dutey et Dorais (1994), p. 95.

En 2010, Benoît XVI rappelait son opposition à un projet de loi britannique interdisant toute discrimination à l'égard des gais.

Du mépris au culte du corps

Depuis quelques années, la société occidentale rejette la vision pessimiste du corps et de la sexualité. On redécouvre le corps. L'important est maintenant d'« être bien dans son corps », à un point tel que le corps est devenu une obsession.

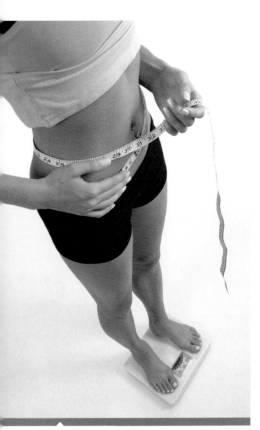

Le culte qui entoure le corps dans nos sociétés contemporaines fait que celui-ci est plus que jamais un embarras.

L'industrialisation aurait transformé le corps d'organe de plaisir en organe de performance.

En ce sens, regardons le culte que l'on voue aux athlètes, aux mannequins et aux vedettes du cinéma. Il faut garder le corps jeune au moyen de crèmes, de lissages, de régimes amaigrissants et d'exercices : jogging, aérobique et conditionnement physique font partie du menu quotidien. Le corps, c'est notre capital, et il faut le rendre attrayant à tout prix. Le corps, c'est la nouvelle religion, le symbole de la réussite. Pourtant, beaucoup de nouvelles pratiques à l'égard du corps – on n'a qu'à songer aux implants mammaires et aux pilules pour maigrir – se font au détriment de la santé et soumettent le corps à des régimes inhumains. Par exemple, l'Aminorex, première pilule pour maigrir, a été lancée en 1970. Chez 10 % des sujets exposés, elle élevait la pression des vaisseaux pulmonaires au point que cela pouvait causer des défaillances cardiaques. Après 18 mois de traitement, près de 1 % des personnes traitées mouraient[22].

La réappropriation du corps est certes une nécessité, mais le malaise face au corps continue de persister et ses racines remontent loin dans le temps. En dépit du fait que l'on insiste de nos jours sur la réappropriation du corps, le message est suspect. En effet, le nouveau corps, le modèle que l'on nous propose d'imiter, est celui des industries de la mode, du sport et du sexe. Plutôt que de réconcilier l'être humain avec son corps, toute l'attention qui entoure celui-ci fait qu'il est plus que jamais un **embarras.** Il n'y a qu'à regarder les modèles de beauté que l'on donne aux jeunes filles, ou les modèles de masculinité proposés aux jeunes hommes, modèles qui sont les uns comme les autres irréalistes. La réhabilitation du corps est plus apparente que réelle. Une étude réalisée en 1996-1997 auprès de 1 290 élèves du secondaire, dans Lanaudière et sur la Rive-Sud de Montréal, révèle que 75 % des filles et 60 % des garçons sont insatisfaits de leur corps. Lorsqu'on leur montrait des silhouettes, 52 % des filles désiraient un corps plus maigre de un ou deux crans, et 11 % de plus de deux crans, et ce, même si 65 % des garçons préfèrent une silhouette plus en chair que celle qui était choisie par les filles[23].

Le malaise face au corps, comme l'a fait ressortir Sartre (*voir le chapitre 11*), est tenace. Les différentes civilisations ont oscillé entre la condamnation du corps en tant que prison, obstacle, tombeau (nous y reviendrons au chapitre suivant) et, à l'autre extrémité, son exaltation en tant qu'organe de

22. St-Onge (2004), p. 76.
23. Thibaudeau (1999).

jouissance, instrument de création, moyen de libération. La théorie freudienne peut être interprétée dans un sens comme dans l'autre : elle peut servir à la dépréciation systématique du corps ou à l'apologie de son dynamisme sexuel[24].

ENCADRÉ 2.1   La religion, l'industrialisation et la répression sexuelle

L'historien J. Van Ussel présente un point de vue inédit quant aux causes du malaise sexuel occidental. À son avis, c'est l'industrialisation plus que l'Église qui serait à l'origine de la répression sexuelle. Van Ussel pense que l'on trouve de tout dans la Bible en matière de sexualité. Il affirme que les autorités ecclésiastiques ont dû composer avec les mœurs sexuelles des peuplades converties au christianisme et qu'elles ont été incapables d'imposer leur morale sexuelle.

Plusieurs historiens soulignent qu'avant le XVIe siècle la sexualité était beaucoup plus libre. Tout le monde couchait dans la même chambre, la nudité était acceptée et les rapports sexuels avant le mariage étaient institutionnalisés. C'est à partir de cette époque que la répression sexuelle s'est intensifiée : le Vatican a couvert les nus de la chapelle Sixtine ; un peu partout, l'adultère a été plus sévèrement puni. Au XVIIe siècle, la France enfermait les prostituées et, au XVIIIe, des médecins comme Tissot donnaient le ton à la croisade antimasturbation qui a fait rage jusqu'au milieu du XXe siècle.

L'industrialisation et l'invention de la **manufacture**, vers 1650, auraient entraîné la répression sexuelle. Selon Van Ussel, c'est l'« **embourgeoisement** de la société qui a mené au syndrome antisexuel[25] ». L'invention de la chambre à coucher privée, celle de la chemise de nuit et celle de la fourchette datent de cette époque. Elles ont contribué à creuser la distance entre l'humain et son propre corps. La pudeur, l'intimité et le privé ont fait leur apparition. De nouvelles valeurs comme la maîtrise de soi, l'épargne, la modération et la productivité sont devenues essentielles à la réussite. Le travail, terme dérivé du latin *tripalium,* qui était un instrument de torture, et que la Bible considère comme une malédiction, est devenu une vertu. « La bourgeoisie [a développé] un esprit de performance, rendant impossible l'expérience voluptueuse du sexe[26]. »

Conclusion

Pour le christianisme, la réalité ultime est l'esprit, et l'essence de l'être humain réside dans une dimension suprasensible. Le Christ a livré au monde un message d'espoir et de fraternité. Mais, comme cela arrive à la plupart des grands systèmes de pensée, cet idéal a maintes fois été détourné de sa voie par ceux qui le professaient, au point que le pape Jean-Paul II, dans un geste sans précédent, en mars 2000, a demandé pardon à Dieu pour les péchés commis par les représentants de l'Église.

Manufacture
Première forme d'organisation du travail caractéristique du capitalisme. La période « manufacturière proprement dite » dura environ « depuis la moitié du XVIe siècle jusqu'au dernier tiers du XVIIIe » (Marx, 1948, p. 28). Elle regroupe des artisans de métiers différents ou un grand nombre d'ouvriers exerçant le même métier, sous l'autorité d'un entrepreneur.

Embourgeoisement
De « bourgeoisie », classe possédant les principales richesses sous le **capitalisme**.

Capitalisme
Régime social et économique défini par la concentration de la propriété des moyens de production (usines, machines, terres, etc.) aux mains d'un groupe social, la bourgeoisie. Son existence dépend d'une classe sociale qui ne dispose d'aucun moyen de production, le prolétariat. Celui-ci doit vendre sa force de travail pour survivre. Le travailleur est lui-même devenu une marchandise.

---

24. Bernard (1976), p. 8-9.
25. Van Ussel (1970), p. 13.
26. *Ibid.,* p. 60. Pour en savoir plus, voir Elias (1977) et Jaccard (1975).

LES IDÉES ESSENTIELLES

▶ **Une place privilégiée pour l'être humain, voulue par Dieu**

L'être humain a été créé par Dieu et il occupe une place privilégiée. Sa présence sur terre n'est pas le résultat du hasard ; elle a été voulue par Dieu et elle montre que la vie dans toute sa complexité est le résultat d'une intelligence supérieure. C'est la preuve physicothéologique de l'existence de Dieu.

▶ **Le dualisme de l'âme et du corps**

Selon la conception dualiste, l'être humain est formé de deux principes distincts et opposés : une âme immatérielle et immortelle, qui le différencie des autres créatures vivantes, et un corps matériel et périssable. Le sens de la vie consiste à vivre selon l'Évangile pour accéder au royaume de Dieu.

▶ **La dimension tragique de l'existence**

Le christianisme fait ressortir la dimension tragique de l'existence : la peur de la mort, le sentiment d'impuissance devant les injustices et les souffrances.

▶ **La liberté**

L'être humain est doué de conscience et de raison, grâce auxquelles il peut faire la différence entre le bien et le mal ; il est libre de choisir l'un ou l'autre.

▶ **Le mal**

L'être humain est marqué par le péché originel. Il est porté vers le mal et, seul, il ne peut le vaincre. Il doit compter sur le secours du Fils de Dieu pour racheter ses fautes.

▶ **La femme**

La Bible et les Pères de l'Église placent la femme en position d'infériorité. Elle est là pour servir l'homme. C'est la tentatrice, la source du mal, celle qui éloigne de Dieu.

▶ **Le corps et la sexualité**

La valeur de l'être humain dépend de son âme. Son corps et ses passions l'éloignent du sens même de la vie à cause des tentations et des désirs qu'ils suscitent en lui. Selon saint Paul, le corps de l'homme appartient au Seigneur. L'être humain est coupé d'une partie de lui-même. Cette vision pessimiste du corps sera reprise et amplifiée par plusieurs figures dominantes du christianisme. Elle mènera au mépris du corps et de la sexualité.

Certains historiens attribuent davantage l'attitude antisexuelle de la civilisation occidentale à l'industrialisation qu'à l'influence de l'Église.

▶ **Le culte du corps**

Depuis quelques années, la société est passée du mépris au culte du corps. Cette réhabilitation du corps est plus apparente que réelle. Le malaise face au corps est perceptible : celui-ci a été récupéré par les industries de la mode, du sport et du sexe, qui en donnent une image tour à tour idéalisée, mécanique ou inaccessible.

EXERCICES

Vérifiez vos connaissances : vrai ou faux ?

1. Selon le christianisme, l'être humain occupe une place privilégiée dans la création.

2. D'après le christianisme, l'ordre et la complexité de l'Univers sont la preuve que Dieu existe.

3. Selon saint Paul, le corps de l'homme appartient au Seigneur.

4. Les débuts de l'industrialisation auraient favorisé le rapprochement entre l'être humain et son corps.

5. On est passé du mépris au culte du corps.

Synthétisez vos connaissances et développez une argumentation.

1. Qu'est-ce qui distingue l'être humain des autres créatures ?

2. Dans vos propres mots, résumez la preuve physicothéologique de l'existence de Dieu.

3. En quoi l'existence de Dieu constituerait-elle une justification, un fondement de la vie humaine ?

4. Selon le christianisme, le péché fait partie de la nature humaine. Expliquez.

TEXTE À L'ÉTUDE

Les débuts de l'humanité (extrait)

La Bible, Genèse, 2 et 3

Le paradis terrestre

[...] Le Seigneur Dieu modela l'homme avec de la poussière prise du sol. Il insuffla dans ses narines l'haleine de vie, et l'homme devint un être vivant. [...]

[...]

Le Seigneur Dieu prit l'homme et l'établit dans le jardin d'Éden pour cultiver le sol et le garder. Le Seigneur Dieu prescrivit à l'homme : « Tu pourras manger de tout arbre du jardin, mais tu ne mangeras pas de l'arbre de la connaissance de ce qui est bon ou mauvais car, du jour où tu en mangeras, tu devras mourir. »

[...] Le Seigneur Dieu fit tomber dans une torpeur l'homme qui s'endormit ; il prit l'une de ses côtes et referma les chairs à sa place. Le Seigneur Dieu transforma la côte qu'il avait prise à l'homme en une femme qu'il lui amena. L'homme s'écria :

« Voici cette fois l'os de mes os et la chair de ma chair, celle-ci, on l'appellera femme car c'est de l'homme qu'elle a été prise. »

Aussi l'homme laisse-t-il son père et sa mère pour s'attacher à sa femme, et ils deviennent une seule chair.

Hors du jardin d'Éden

Tous deux étaient nus, l'homme et sa femme, sans se faire mutuellement honte.

Or le serpent était la plus astucieuse de toutes les bêtes des champs que le Seigneur Dieu avait faites. Il dit à la femme : « Vraiment ! Dieu vous a dit : "Vous ne mangerez pas de tout arbre du jardin"... » La femme répondit au serpent : « Nous pouvons manger du fruit des arbres du jardin, mais du fruit de l'arbre qui est au milieu du jardin, Dieu a dit : "Vous n'en mangerez pas et vous n'y toucherez pas afin de ne pas mourir." » Le serpent dit à la femme : « Non, vous ne mourrez pas, mais Dieu sait que le jour où vous en mangerez, vos yeux s'ouvriront et vous serez comme des dieux possédant la connaissance de ce qui est bon ou mauvais. »

La femme vit que l'arbre était bon à manger, séduisant à regarder, précieux pour agir avec clairvoyance. Elle en prit un fruit dont elle mangea, elle en donna aussi à son mari qui était avec elle et il en mangea. [...]

Or ils entendirent la voix du Seigneur Dieu qui se promenait dans le jardin au souffle du jour. L'homme et la femme se cachèrent devant le Seigneur Dieu au milieu des arbres du jardin. Le Seigneur Dieu appela l'homme et lui dit : « Où es-tu ? » Il répondit : « J'ai entendu ta voix dans le jardin, j'ai pris peur car j'étais nu, et je me suis caché. » — « Qui t'a révélé, dit-il, que tu étais nu ? Est-ce que tu as mangé de l'arbre dont je t'avais prescrit de ne pas manger ? » L'homme répondit : « La femme que tu as mise auprès de moi, c'est elle qui m'a donné du fruit de l'arbre, et j'en ai mangé. »

Le Seigneur Dieu dit à la femme : « Qu'as-tu fait là ? » La femme répondit : « Le serpent m'a trompée et j'ai mangé. »

[...]

Il dit à la femme : « Je ferai qu'enceinte, tu sois dans de grandes souffrances ; c'est péniblement que tu enfanteras des fils. Ton désir te poussera vers ton homme et lui te dominera. »

Repérez les idées et analysez le texte.

Dans cet extrait, on aborde deux grands thèmes dont nous avons discuté. Quels sont-ils ? Résumez-les dans vos propres mots.

LECTURES SUGGÉRÉES

Bernard, M. (1976). *Le corps*. Paris : Delarge.

(1995). *Bible (La)*. Montréal : Société biblique canadienne.

(1966). « L'Église et la vocation humaine », dans *Documents conciliaires 3, L'Église dans le monde*. Paris : Éditions du Centurion, p. 56-73.

Elias, N. (1977). *La civilisation des mœurs*. Paris : Calmann-Levy.

CHAPITRE 3

René Descartes :
être, c'est penser

Je pense, donc je suis.

René Descartes

Introduction

René Descartes (1596-1650), fondateur du **rationalisme** moderne, veut s'affranchir des influences du passé et fonder la philosophie sur de nouvelles bases. Cet effort de remise en question radicale s'intègre dans la nouvelle vision de la nature et de l'être humain qui émerge au XVIIe siècle.

Auteur de la formule célèbre «Je pense, donc je suis», Descartes conçoit l'être humain comme une substance dont toute la «nature n'est que de penser». Il croit en l'**hégémonie** de la raison, qui permettra à l'homme de **dominer la nature.** Selon lui, la raison est à ce point éminente que le corps n'est même pas nécessaire pour penser. Nous serions en quelque sorte de purs esprits. Comme de nombreux rationalistes avant lui, il effectue une coupure radicale entre le monde de la pensée ou de l'esprit et celui du corps, siège des émotions et de l'affectivité. C'est le **dualisme** cartésien.

Cette représentation de l'être humain soulève de nombreuses interrogations. Si l'essence de la vie se réduit à la pensée, que reste-t-il de l'expérience vécue? Peut-on dissocier l'esprit du corps au point que ce dernier ne fasse pas partie intégrante de notre identité? Les recherches contemporaines sur le cerveau confirment-elles cette représentation de l'être humain? Les passions et l'affectivité constituent-elles des entraves à notre épanouissement? Des voix discordantes se feront entendre: les existentialistes s'opposent à la dévalorisation de l'expérience vécue, pendant que Nietzsche et Freud affirment la primauté des passions et du corps dans la définition de la nature humaine.

Rationalisme
Philosophie selon laquelle toute connaissance vraie ne provient que de la raison; tous les problèmes de la vie peuvent se résoudre en faisant appel à cette faculté.

Hégémonie
Suprématie, prépondérance, domination.

Notes biographiques

Issu d'un milieu aisé et jouissant d'une rente familiale, Descartes a voué sa vie à la réflexion. Pour mieux s'y consacrer, il a fui la turbulence de Paris et s'est retiré en Hollande, où il a vécu pendant 20 ans. Invité à la cour de Suède en 1649 par la reine Christine, qui voulait apprendre la philosophie, il est mort quelques mois plus tard d'une pneumonie.

Descartes est également – et certains disent surtout – un éminent physicien et mathématicien. Il invente la géométrie algébrique et découvre la loi de la réfraction en optique. Avec d'autres mathématiciens, comme Fermat, il contribue à mettre au point l'outil qui permettra de construire la physique moderne[1]. Il admet volontiers qu'au collège il se plaisait surtout aux mathématiques et ne prisait guère la philosophie (celle des Anciens), puisqu'« il ne s'y trouve encore aucune chose dont on ne dispute, et par conséquent qui ne soit douteuse[2] ».

Descartes est important dans l'histoire de la philosophie, essentiellement pour deux raisons. En matière de connaissance, il rejette la **foi aveugle** en l'Église et l'autorité du passé. Si cela paraît banal de nos jours, c'est une véritable révolution au XVIIe siècle. La pratique, jusque-là, consistait à commenter la pensée des grands philosophes de l'Antiquité (Platon [v. 427-347 avant notre ère], Aristote [384-322 avant notre ère], etc.) et celle d'éminents théologiens comme saint Thomas d'Aquin et saint Augustin. Descartes affiche sa volonté d'en finir avec cette pratique stérile. Il veut asseoir la raison comme seule auto-rité en matière de connaissance. D'autre part, il place le **sujet** pensant comme fondement de toute réalité. Il en fait la base et la source de toute connaissance : c'est le **cogito** cartésien.

Sujet
C'est la personne libre et autonome. Parce qu'il est doué de raison, le sujet maîtrise son environnement et sa situation. Opposé à « objet ».

Cogito
Du latin *cogitare*, cogiter, réfléchir.

Ère moderne
L'ère moderne va du milieu du XVe à la fin du XVIIIe siècle.

L'époque moderne

Avec Descartes, nous sommes au cœur de l'**ère moderne**. Le capitalisme prend son essor au XVIIe siècle (*voir le chapitre 4*). Ce siècle est marqué par la première grande révolution scientifique et est jalonné par les œuvres des classiques de la lit-térature (Cervantès, Corneille, Molière et Racine) et de la peinture (Rembrandt et Vélasquez).

L'avènement de la modernité est marqué par les noms de Nicolas Copernic (1473-1543) et de Johannes Kepler (1571-1630), qui renversent la vieille conception géocentrique du monde, selon laquelle la Terre est le centre immobile de l'Univers autour duquel tournent les planètes. Avec ce qu'on appelle la « révolution coper-nicienne » émerge la conscience d'un système **hélio-centrique** : la Terre est une planète parmi d'autres qui gravitent autour du Soleil. Le physicien et astro-nome de Pise, Galilée (1564-1642), contemporain de Descartes, ayant perfectionné le télescope, arrive à fournir des preuves empiriques de la théorie héliocen-trique. Il note que si Jupiter a des satellites, la conception géocentrique est fausse et que rien ne nous interdit de penser que la Terre puisse avoir son propre satellite, la Lune. L'idée selon laquelle la Terre n'est pas le centre de l'Univers bouleverse toutes les croyances admises et les mentalités.

Descartes veut faire table rase du passé. Il sera l'un des premiers à affirmer que la raison doit être la seule autorité reconnue en matière de connaissance.

Une nouvelle vision de la nature et de l'être humain

La découverte du système héliocentrique modifie l'idée qu'on se fait de la nature et de la place que l'être humain y occupe. La nouvelle physique galiléo-cartésienne fait

---

1. Chaunu (1996), p. 27.
2. Descartes (1963), *Discours de la méthode*, p. 30.

table rase du passé et remplace graduellement la physique d'Aristote. Selon ce dernier, les corps ont des **qualités** sensibles : ils sont lourds ou légers, froids ou chauds. Ces qualités sont perceptibles par les sens (odorat, goût, vue, toucher et ouïe) et expliquent le mouvement des choses. Les corps lourds, tels que les pierres, sont attirés vers le sol ; en outre, un corps lourd est censé atteindre le sol plus rapidement qu'un corps léger en vertu de sa masse. Quant aux corps légers, tels que la flamme, ils sont attirés vers le haut.

Les expériences de Galilée font éclater cette perception de la réalité. Il laisse tomber un boulet de canon et une sphère de bois d'une tour. En faisant abstraction de la résistance de l'air, il constate que ces deux objets rejoignent le sol en même temps. Dans la nouvelle physique galiléo-cartésienne, le monde est un assemblage de choses étendues (occupant un certain espace) et, par conséquent, mesurables. Tout peut être quantifié. La vérité ne réside pas dans l'expérience sensible, mais dépend de la raison. On assiste à une certaine **désensibilisation** du monde.

En 1687, Newton vient compléter ce nouvel édifice en publiant ses *Principia mathematica*. Il y expose en formules mathématiques sa théorie de la gravitation universelle, laquelle explique aussi bien le mouvement des planètes que la chute d'une pomme. On peut ainsi prédire des années à l'avance l'heure et le lieu de la prochaine éclipse solaire ou lunaire.

Ces découvertes sont attribuables aux progrès des mathématiques, plus précisément à la mécanique, branche qui se spécialise dans l'étude du mouvement des corps et des machines. C'est le triomphe de la raison et des mathématiques comme sources et modèles de vérité. Descartes en prend bonne note ; Nietzsche entreprendra plus tard la critique de cette conception du monde et de la vie.

Freud rappelait que les découvertes de Copernic et de Galilée infligeaient une blessure à notre orgueil en montrant que nous, les êtres humains, n'étions pas situés au centre de l'Univers. Aujourd'hui, nous avons bien d'autres raisons de sentir notre solitude au sein de celui-ci. Notre système solaire ne constitue qu'une infime partie de notre galaxie, la Voie lactée, dont la forme est comparable à la nébuleuse d'Andromède apparaissant au centre de la photo. En se déplaçant à 300 000 kilomètres à la seconde, il faudrait 100 000 ans pour traverser la Voie lactée.

Le rationalisme

Descartes s'inscrit dans la longue tradition philosophique du rationalisme qui a marqué la pensée occidentale. Cette vision de l'Univers, et l'anthropologie philosophique dont elle est porteuse, n'a pas été inventée par Descartes. **Il n'est pas le premier** à croire que la raison « est la seule chose qui nous rend homme et nous distingue des bêtes[3] ». Les philosophes de l'**Antiquité** grecque, dont Platon fut l'un des plus célèbres représentants, ont inauguré ce courant de pensée qui a connu son apogée au Siècle des **Lumières**. Dans ce chapitre, nous examinerons le rationalisme moderne à travers la philosophie de Descartes. Soulignons que le rationalisme moderne a évolué et s'est ramifié en différents courants avec des penseurs tels Spinoza, Leibniz et Hegel.

Antiquité
Terme qui désigne les anciennes civilisations. Dans ce texte, il s'agit principalement de l'Antiquité grecque et romaine.

Lumières
Le XVIIIe siècle est appelé Siècle des Lumières. À cette époque, il existe un courant de pensée principal selon lequel règnent la raison comme seule autorité en matière de connaissance ainsi qu'une confiance inébranlable dans le progrès.

---

3. *Ibid.*, p. 26.

L'être pensant

L'ambition de Descartes est de construire un système de pensée aussi fiable que celui des mathématiques. Cette recherche l'amène à définir l'être humain comme un être de raison. C'est dans le *Discours de la méthode* (1637) et les *Méditations* (1641) qu'il décrit cette démarche.

À moins que Descartes ne fasse preuve d'humour, le *Discours de la méthode*, texte fondateur du rationalisme moderne, débute par un sophisme :

> Le bon sens [synonyme de raison chez Descartes] est la chose du monde la mieux partagée : car chacun pense en être si bien pourvu que ceux mêmes qui sont les plus difficiles à contenter en toute autre chose, n'ont point coutume d'en désirer plus qu'ils en ont. En quoi il n'est pas vraisemblable que tous se trompent[4].

Sophisme
Raisonnement fallacieux qui a toutes les apparences de la vérité.

Ce sophisme est celui de l'appel à la popularité. Tout le monde se dit bien pourvu de raison, de sorte que tant de gens ne peuvent se tromper. Par conséquent, tous les humains sont rationnels.

Par la suite, Descartes annonce qu'il ne retiendra comme vraies que les idées claires (présentes à la conscience) et distinctes (complètement analysées). Pour y parvenir, il a recours au **doute systématique.** Toutes les choses dont il peut douter, il les considère comme fausses afin d'arriver à un système qui élimine toute possibilité d'erreur.

Premièrement, comme Platon, il dit qu'il peut douter des perceptions des sens, car on peut «supposer qu'il n'y avait aucune chose qui fût telle qu'ils nous la font imaginer[5]». Par exemple, le bâton qui baigne dans l'eau semble courbé ; en réalité, il est droit. De même, on a l'impression que la Terre est stable et immobile, alors qu'elle tourne à la vitesse grand V.

Deuxièmement, Descartes constate que les hommes commettent souvent des erreurs ; par exemple, on a longtemps cru que le système géocentrique était vrai... Il se résout donc à douter des connaissances les plus sûres, y compris des démonstrations mathématiques.

Troisièmement, il estime que, comme il arrive de croire que les rêves sont aussi vrais que la réalité, les idées que nous avons à propos des choses ne sont que des illusions. Dans les *Méditations,* il imagine un mauvais génie qui s'amuse à le tromper en lui faisant croire que la Terre, le ciel, les couleurs, bref le monde extérieur n'est qu'un rêve[6] (*voir la figure 3.1*).

Descartes d'après Frans Hals.

Le cogito cartésien : Je peux douter de tout, mais je ne peux douter que je doute. Par conséquent, je pense. C'est une certitude inébranlable.

Si Descartes pousse le doute un peu loin en remettant en question la réalité du monde extérieur, n'a-t-il pas raison de se méfier de ce que l'on croit être des connaissances sûres ? À son époque, on croyait que le Soleil tournait autour de la Terre.

4. *Ibid.*, p. 25.
5. *Ibid.*, p. 51.
6. Descartes (1963), *Méditations*, p. 140.

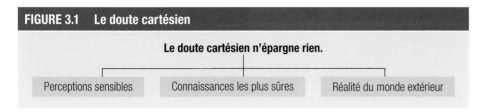

FIGURE 3.1   Le doute cartésien

Le doute cartésien n'épargne rien.

| Perceptions sensibles | Connaissances les plus sûres | Réalité du monde extérieur |

De nos jours, on entretient encore toutes sortes d'idées fausses. Jusqu'à tout récemment, par exemple, on pensait que les ulcères d'estomac étaient causés par les sucs gastriques ; on attribue maintenant ces problèmes à une bactérie. Quant aux sens, ne nous apprennent-ils pas que « le soleil se lève et se couche », alors qu'il n'en est rien ?

Une fois que Descartes a tout remis en question, il arrive à une vérité : je ne peux douter que je doute. La pensée, voilà notre première **certitude.** Si je doute, c'est que je pense, et si je pense, c'est que j'existe : *Cogito ergo sum* – Je pense, donc je suis[7].

Descartes croit avoir touché une première certitude, le cogito, qui est une idée claire et distincte. Il en déduit que l'être humain est essentiellement **une chose qui pense,** un esprit, une raison.

[...] je connus de là que j'étais une substance dont toute l'essence ou la nature n'est que de penser et qui, pour être, n'a besoin d'aucun lieu, ni ne dépend d'aucune chose matérielle[8].

L'identité de la pensée et de l'être : les idées innées

Nous l'avons vu dans le *Discours de la méthode,* Descartes remet en question la perception sensible, l'existence du monde extérieur et les connaissances estimées les plus sûres. Dans les *Méditations,* il reprend cette démonstration en choisissant l'exemple d'un morceau de cire d'abeille juste tiré de la ruche. Il note que la cire possède une forme, une couleur, une odeur, bref des qualités perceptibles par les sens. Mais toutes ces qualités s'évanouissent lorsqu'il met la cire sur le feu. Elle perd sa forme et sa consistance, et sa couleur change. Descartes demande : comment savons-nous qu'il s'agit toujours de la même cire ? À son avis, l'imagination et les sens ne sont d'aucune utilité pour répondre à cette question. Seule la raison permet d'affirmer qu'il s'agit du même objet, la pensée étant l'unique source de vérité.

> L'être humain, chez Descartes, est désincarné. C'est un pur esprit qui n'a pas besoin du corps pour penser.

À la suite de cette démonstration, Descartes se trouve devant deux problèmes. Tout d'abord, si les idées sont un gage de vérité, qu'est-ce qui rend possible la perception par l'esprit des objets qui nous entourent ? C'est l'idée d'**étendue,** qui est une **idée innée,** que Dieu a implantée en nous. Le deuxième problème de Descartes consiste à savoir si les idées innées correspondent bien aux objets qui existent réellement et indépendamment de nous. Se pourrait-il que notre représentation du monde extérieur ne soit qu'une illusion ? La réponse de Descartes est simple : il dit

7. Descartes (1963), *Discours de la méthode,* p. 52.
8. *Ibid.*

que Dieu, dans son infinie bonté, ne nous tromperait pas et que nous ne pouvons douter de l'existence de Dieu. C'est une idée claire et distincte, plus sûre encore que le cogito. En quoi Descartes est-il persuadé de l'existence de Dieu ? Il soutient qu'il a en tête l'idée d'un être **infini et parfait** et qu'il ne peut lui-même être la cause de cette idée, puisqu'il n'est ni infini ni parfait. De plus, comme il faut autant de réalité dans la cause que dans l'effet, il s'ensuit que Dieu existe. Par ailleurs, s'il n'existait pas, il ne serait pas parfait.

Descartes s'inspire de la preuve ontologique de saint Anselme (1033-1109) et saute de l'idée d'une chose à son existence. Or, le simple fait de posséder le concept « hippopotame rose » implique-t-il que la chose existe ? Le philosophe allemand **Kant** a critiqué cet argument en montrant que l'existence ne peut être déduite d'un concept. L'existence n'est pas un prédicat, une qualité comme une autre, par exemple l'omnipuissance ou l'omniscience.

Selon Descartes, l'existence de Dieu est même plus sûre que le fait d'avoir un corps :

> [...] je veux bien qu'ils [les hommes] sachent que toutes les autres choses, dont ils se pensent les plus assurés, comme d'avoir un corps et qu'il y a des astres et une terre, et choses semblables sont moins certaines[9].

Selon la philosophie cartésienne, toute forme d'être est identifiée à la pensée. La connaissance du monde extérieur, y compris celle de son propre corps, se résume à l'**image mentale** que l'être humain s'en fait. Cette position qui définit la réalité à partir des idées se nomme idéalisme et pose l'identité de la pensée et de l'être. L'idéalisme s'oppose au matérialisme, lequel soutient que la réalité ultime n'est pas l'esprit mais la matière. Le matérialisme rejette toute explication du monde ayant recours à des forces surnaturelles.

Le libre arbitre cartésien

Descartes ne fournit pas de preuve élaborée de l'existence de la liberté, puisque celle-ci est une évidence : « Que la liberté de notre volonté se connaît sans preuve par la seule expérience que nous en avons[10]. »

Pour Descartes, il y a des actes totalement libres, qui ne dépendent de rien sinon de la volonté de les accomplir : si je veux lever mon bras ou remettre à plus tard la vaisselle à laver, il n'en dépend que de ma **volonté.** Celle-ci est indépendante de toute cause extérieure. La volonté peut donner son consentement à telle ou telle chose, quand bon lui semble. Elle « est tellement libre de sa nature qu'elle ne peut jamais être contrainte[11] ». Par exemple, de deux propositions, « la Terre est ronde » et « la Terre est plate », dont l'une est vraie et l'autre fausse, on est libre de choisir celle que l'on veut. C'est ce que Descartes appelle la « liberté d'indifférence », degré le plus bas de la liberté.

Ontologie

Partie de la philosophie où l'on se penche sur l'être en tant qu'être, où l'on se pose la question : « Qu'est-ce qui est ? » Par exemple, quel est le statut des entités spirituelles comme l'âme ?

Emmanuel Kant (1724-1804)

Philosophe allemand ayant eu une influence considérable aux XVIIIe et XIXe siècles. Il s'intéressa à la physique et à l'astronomie. Il remit en question la métaphysique traditionnelle et tenta de faire la synthèse du rationalisme et de l'empirisme. En posant la question : « Qu'est-ce que la raison peut connaître ? », il tenta de dégager les conditions de toute forme de connaissance et les limites de la raison. Selon Kant, le monde tel que nous le connaissons est en grande partie une construction de l'esprit.

Idéalisme

Au sens général, tendance à ne pas accorder assez d'importance à la réalité. En philosophie, doctrine selon laquelle les idées ont une existence supérieure au monde sensible. Elles constituent la « vraie réalité », la seule et unique source de vérité. L'idéalisme fait appel aux entités immatérielles pour expliquer les phénomènes concrets, qui sont de pâles reflets des idées. Cette doctrine fut celle de Platon.

Matérialisme

Théorie rejetant toute explication surnaturelle ou spirituelle et selon laquelle la matière est la seule réalité. L'esprit, les idées seraient le produit de la matière à son stade le plus évolué.

Une vision idéaliste de la liberté : ma volonté « est tellement libre de sa nature qu'elle ne peut jamais être contrainte ».

---

9. *Ibid.,* p. 55.
10. Descartes (1985), p. 443.
11. Descartes (1953), p. 56.

Descartes reconnaît l'existence d'une forme de liberté supérieure selon laquelle on croit ou l'on agit en fonction de ce qui est conforme à sa raison. Se rendre à l'évidence de la raison ne constitue pas une contrainte, puisque c'est agir selon sa nature profonde d'être pensant. De plus, l'homme est tellement libre qu'il peut refuser d'agir ou de croire ce que la raison lui présente comme une évidence. C'est la preuve ultime qu'il est libre.

Tous les philosophes rationalistes ne partagent pas le point de vue de Descartes au sujet de la liberté. Spinoza soutient que la volonté libre n'existe pas. D'autres insistent sur l'idée selon laquelle la raison est un gage de liberté, puisqu'elle permet l'**autonomie** de l'être humain : en s'appuyant sur sa capacité de jugement, celui-ci peut distinguer le vrai du faux, se libérer des préjugés et arrêter d'être l'esclave de l'opinion des autres. Le sujet rationnel devient son propre maître et décide de sa vie en toute indépendance. La raison permet également à l'être humain d'acquérir des connaissances, grâce auxquelles il peut maîtriser et transformer son milieu. Finalement, la raison fournit les moyens de concevoir des lois auxquelles tous les humains se soumettent volontairement pour assurer une vie sociale harmonieuse. Ce point de vue est partagé par Rousseau, comme nous l'expliquons au chapitre 5.

> **Baruch Spinoza (1632-1677)**
>
> Philosophe rationaliste hollandais de confession juive. Il a gagné sa vie en polissant le verre. Célèbre pour ses écrits sur la morale. Le « bien c'est la vie selon la raison, qui nous "sauve" du trouble des passions[12] ». Selon Spinoza, tout est soumis à un déterminisme strict ; bien avant d'autres, il rejette toute idée de finalité dans l'Univers et celle d'un Dieu transcendant. Il croit que tous les êtres sont des modalités de Dieu. Ses idées lui ont valu bien des ennuis.

> La liberté est possible grâce à la raison. Elle permet l'autonomie de l'être humain.

Les femmes et le rationalisme

La philosophie rationaliste – et, à quelques exceptions près, celle de tous les philosophes jusqu'au XIXe siècle – exclut la femme de son univers. Comme le remarque Geneviève Fraisse, les commentaires se limitent la plupart du temps à une note en bas de page, à quelques injures, à des présences cachées ou à des anecdotes[13].

En dépit d'une correspondance soutenue avec une reine et une princesse, Descartes fut d'une discrétion peu commune sur le sujet. Fidèle à sa prudence légendaire, il se contente de quelques lignes sur l'amour. Il précise que c'est un sujet qui exigerait de longs développements, « mais il fait bref[14] ».

Spinoza livre à peine plus qu'une note en bas de page. Il y rappelle l'absence de raison des femmes. Dans son *Traité politique* (1677), il laisse inachevée « sa démonstration de l'exclusion des femmes des affaires publiques[15] ».

> La philosophie rationaliste est un univers dont les femmes furent exclues. Ce fut le cas de pratiquement toutes les écoles de philosophie jusqu'au XIXe siècle. Quelques exceptions notables : Condorcet (1743-1794) et Poullain de La Barre (1647-1723), qui considérait, dans un ouvrage paru en 1673, que « l'esprit n'a pas de sexe ». Le XVIIIe siècle s'escrima contre ce point de vue et produisit pas moins de 360 réfutations de cette thèse sur l'égalité des sexes.

Platon rappelle que l'amour et la philosophie ont beaucoup en commun. Mais cet amour est abstrait, désincarné, asexué : c'est l'amour de la Vérité et du Beau.

---

12. Clément et autres (1994), p. 336.
13. Fraisse (1996), p. 50.
14. *Ibid.*, p. 14.
15. *Ibid.*, p. 61.

Comme le souligne Geneviève Fraisse, le philosophe est un amant de la vérité et devient «fécond par l'esprit[16]». Il est l'accoucheur de la Vérité. En image, il s'approprie le féminin pour mieux l'exclure de sa réalité. Il nie le corps, la sexualité et la femme pour les récupérer par l'esprit. Disons, à la décharge de Platon, que celui-ci accorde aux femmes la place qui leur revient dans la société utopique et à venir qu'il décrit dans *La république*. Elles auront la même éducation et les mêmes fonctions que les hommes.

Pythagore, inventeur du théorème qui porte son nom et admiré par Platon, résume le point de vue de plusieurs rationalistes :

> Il y a un principe bon qui a créé l'ordre, la lumière et l'homme et un principe mauvais qui a créé le chaos, les ténèbres et la femme[17].

Les critiques et les conséquences de l'anthropologie rationaliste

Un dualisme impossible

Le rationalisme cartésien présente un être humain éclaté. D'un côté, il y a la pensée, ou l'âme immatérielle, immortelle et sans dimension, que Descartes loge pourtant dans la glande pinéale, ancien nom de l'épiphyse. La fonction de cette glande située à la base du cerveau est mal connue ; elle semble jouer le rôle d'horloge biologique. De l'autre côté, il y a le corps, pure étendue, imparfait, mû par des mécanismes tel un automate.

Si l'esprit et le corps sont deux substances radicalement différentes, comment le contact peut-il s'établir entre elles ? Par exemple, quand on se coupe, le corps le ressent, et cette blessure interrompt le cours des pensées ; inversement, quand on décide de faire un geste, disons écrire au tableau, la pensée provoque le mouvement du corps[18]. Cela veut dire que les sensations du corps ont des répercussions sur la pensée, l'âme, et que les pensées agissent sur le corps. Or, comment une sensation matérielle atteint-elle la pensée immatérielle ou inversement ?

Descartes se contente de dire qu'**il en est ainsi.** Ses successeurs ont essayé de répondre à la question en proposant une intervention divine miraculeuse. Quand la volonté de l'humain lui dicte de faire un geste, c'est Dieu qui bouge son corps, car elle ne peut elle-même provoquer ce mouvement. Quant à la coupure, elle est incapable d'atteindre sa pensée ; c'est donc Dieu qui lui fait éprouver cette douleur[19].

Il y a plus de 2000 ans, le philosophe romain Lucrèce (v. 98-55 avant notre ère) se posait déjà la question des rapports

Dans cette illustration sur les mouvements involontaires, Descartes cherchait à montrer comment les impulsions nerveuses se rendent au cerveau.

16. *Ibid.*, p. 20.
17. Cité en exergue dans Beauvoir (1949).
18. Gontier (1994), p. 35.
19. *Ibid.*

entre l'âme et le corps. D'après lui, il était impossible de dissocier les deux. Si ton corps est transpercé par la pointe d'un couteau, ton esprit s'en ressent et tu es étourdi. Quand tu as bu, tes membres sont pesants et ton intelligence s'embrouille. Si le vin bouleverse l'âme, une cause plus importante la fera périr. De plus, l'esprit traverse les mêmes phases que le corps. Enfant, ton corps et ton esprit sont mal assurés. À mesure que tu grandis, corps et esprit s'affermissent, tu es plus solide sur tes jambes et ton intelligence se développe. Autrement dit, corps et esprit sont indissociables.

L'objectivation du corps

Descartes considère qu'il n'est pas « cet assemblage de membres qu'on appelle le corps humain ». En termes plus clairs, il considère qu'il n'est pas son corps. Le corps n'est qu'une machine et un assemblage de ressorts. En dernière instance, il se réduit à une image mentale, car « nous ne concevons les corps que par la faculté d'entendre[20] », c'est-à-dire par l'entendement, ou la raison. Autrement dit, je sais que j'ai un corps uniquement parce que je peux le concevoir, m'en faire une image mentale. Ce ne sont pas le toucher, la vue, la douleur que j'éprouve qui le font exister. Le corps devient un **objet** de pensée et non une expérience vivante de perception de soi-même. Il s'ensuit qu'il ne fait pas partie de l'identité, qu'il est dé-réalisé. Descartes conçoit notre relation avec le corps de la même façon que celle que nous entretenons avec les objets extérieurs tels que la table ou la chaise de salon. Cette représentation du corps est indéfendable, dans la mesure où l'on peut se défaire de sa table mais pas de son corps ni s'en séparer (*pour plus de détails, voir la section « Quelques remarques critiques » du chapitre 4, p. 73*).

La transformation du corps en objet est visible dans l'intérêt que Descartes porte à la médecine. Il se livre à de nombreuses dissections et forme le projet d'une médecine et d'une physique qui permettraient à l'être humain de vivre 500 ans. Le corps est une machine imparfaite qu'il faut rapiécer et transformer pour la rendre plus performante. Le corps réel est fragile, il vieillit et nous entraîne inexorablement vers la mort. Il faut donc s'en détacher et le maîtriser.

Descartes s'inscrit dans une longue tradition de méfiance à l'égard du corps réel, méfiance aujourd'hui véhiculée par certains courants de la science contemporaine. Comme le souligne Le Breton[21], la perception du corps comme inadéquat aboutit au développement des nouvelles techniques de procréation médicalement assistée, par exemple la fécondation *in vitro*, permettant dans certains cas de choisir un embryon exempt de diverses maladies. Des médecins évoquent la possibilité de l'enfant parfait, d'autres rêvent de l'enfant sur mesure : une revue médicale canadienne envisageait la possibilité de fabriquer des individus spécialement conçus pour voyager dans l'espace. Certains biologistes songent à se passer du corps de la femme en lui substituant des couveuses artificielles.

Cette lutte contre le corps dévoile la peur de vieillir, voire la peur de la mort. La méfiance est telle que « certains courants de la cyberculture rêvent à sa disparition[22] » (*voir le* Texte à l'étude 3, *p. 62*). L'expression la plus extrême de ce fantasme

---

20. Descartes (1963), *Méditations*, p. 152.
21. Le Breton (1999).
22. *Ibid.*, p. 166.

est fournie par certains adeptes des technosciences qui rêvent de télécharger leur identité dans leur ordinateur afin de se passer de leur corps. Le titre d'un article de Marvin Minsky, « *Is the body obsolete?*[23] » (Le corps est-il désuet ?), en dit d'ailleurs long sur les rapports que notre culture continue d'entretenir avec le corps.

La transformation du corps en objet de pensée et d'expérimentation, en mécanique composée de parties élémentaires (les processus physicochimiques) qui sont simplement juxtaposées, a certes donné naissance à de grandes découvertes. Ces processus physicochimiques forment incontestablement la base du corps vivant. Cependant, le corps ne se réduit pas à cette image appauvrie.

L'opposition passion-raison

La coupure entre le corps et l'âme se double d'une opposition entre la passion et la raison. Pour la plupart des grands rationalistes, les passions et les émotions sont suspectes ; elles doivent être maîtrisées par la raison, car elles faussent les perceptions. Ne dit-on pas que l'amour est aveugle ? L'être humain doit dominer, dompter son corps et ses émotions qui le rapprochent de la bête. Tout en reconnaissant que l'âme pâtit des passions (amour, haine, désir, joie, etc.), Descartes adopte une position plutôt modérée en affirmant que « nous n'avons rien à éviter que leurs mauvais usages ou leurs excès[24] ».

Cette méfiance à l'égard des passions atteint son **paroxysme** chez Platon, qui rejette le corps dans l'infra-humain. Selon lui, le corps est la prison de l'âme. Nous sommes

Paroxysme
Le plus haut degré. Dans une maladie, période durant laquelle les symptômes sont les plus aigus.

S'inspirant du *Traité des passions* de Descartes, le peintre Charles Le Brun a illustré les passions de l'âme. Ici : la jalousie.

23. *Ibid.*, p. 250.
24. Descartes (1953), p. 175.

La douleur.

La colère.

contaminés par ce « mal qui nous tient en esclavage » et nous cause des ennuis (maladie et fatigue). Le corps remplit l'homme d'amour, de désirs, de craintes : « Guerres, dissensions, batailles, c'est le corps seul et ses appétits qui sont en cause[25]. » Platon, tout comme Descartes, disqualifie les sens, car ils nous voilent la vérité :

> [...] tant que nous aurons le corps associé à la raison dans notre recherche et que notre âme sera contaminée par un tel mal, nous n'atteindrons jamais complètement ce que nous désirons et nous disons que l'objet de nos désirs c'est la vérité[26].

Cette représentation de l'être humain, qui instaure une opposition radicale entre la passion et la raison, entre le corps et l'esprit, est remise en question par les neurosciences. Le neurologue américain Antonio Damasio, auteur de *L'erreur de Descartes*[27], montre que la capacité de ressentir des émotions affecte la faculté de raisonner. En effet, à la suite de l'enlèvement d'une tumeur au cerveau qui a causé une lésion au cortex, l'un de ses patients ne réagit plus devant les désastres (tremblements de terre ou accidents sanglants). Parallèlement, il ne peut plus classer de documents ni organiser son temps de façon rationnelle. C'est ainsi que « l'affaiblissement de la capacité à réagir sur le terrain des émotions [peut] être à la source de comportements irrationnels[28] ». Bref, il est impossible de séparer le corps de l'esprit, les émotions de la raison. Un spécialiste français du système nerveux, Alain Prochiantz, affirme, à l'instar de Nietzsche, que « le corps, c'est la pensée[29] ». Cette indissociabilité du corps et de l'esprit explique les difficultés d'apprentissage des enfants perturbés émotionnellement.

---

25. Platon (1965), *Phédon,* p. 115.
26. *Ibid.*
27. Damasio (1997).
28. Fottorino (1998), p. 120.
29. *Ibid.,* p. 133.

La figure 3.2 résume les conséquences de l'anthropologie cartésienne.

FIGURE 3.2   Les conséquences de l'anthropologie cartésienne

Anthropologie cartésienne

| Séparation radicale de l'esprit et du corps | Impossibilité de réconcilier l'esprit et le corps | Séparation de la raison et de la passion | Objectivation du corps |

Conclusion

Descartes inaugure la modernité en faisant du sujet pensant la source de la vérité. Il annonce que celle-ci ne descend plus du ciel. Ces premiers pas vers la désacralisation du monde sont perceptibles dans l'idée cartésienne des deux substances – l'âme et le corps –, entre lesquelles aucune interpénétration n'est possible. L'univers de l'âme est celui où Dieu règne en maître. Le monde de l'étendue et du corps, régi par les lois naturelles, appartient à l'être humain, qui doit s'en rendre maître par la connaissance. En même temps que Descartes effectue cette rupture en douceur, il n'oublie pas de renouveler sa profession de foi, laquelle reflète sa prudence légendaire. En homme rationnel, il est conscient de la puissance de l'Église. Il a probablement en tête l'exemple de Galilée, que le Saint-Siège a forcé à se rétracter sous la menace de la torture.

Après Descartes, le rationalisme s'est développé dans différentes directions, parfois contradictoires. Les rationalistes plus radicaux comme Spinoza estiment que la raison peut tout connaître. En effet, le monde et la raison seraient organisés selon le même modèle : l'ordre et la connexion des idées sont les mêmes que l'ordre et la connexion des choses. Il suffit de penser rationnellement pour connaître la vérité. Descartes, plus prudent, croit que la raison n'a pas nécessairement de pouvoirs illimités dans des domaines comme la morale, la politique et la religion.

Le rationalisme a profondément modelé la conception qu'a l'homme de l'univers :

- La valorisation de la raison a permis à l'être humain de s'affranchir de nombreux préjugés et de forces occultes comme la peur du diable, la croyance que les astres ont un effet sur son destin, que les maladies sont causées par les humeurs du corps (bile, sang, larmes, etc). Ces croyances sont, encore de nos jours, utilisées pour exploiter les plus démunis et ceux qui sont en mal de sens ou de valeurs.
- Le rationalisme du Siècle des Lumières a aussi joué un rôle important dans la critique de l'absolutisme royal et l'acquisition des libertés individuelles : liberté d'expression, liberté de mouvement, etc. (*voir la section «Aux origines du libéralisme» du chapitre 4, p. 66*).
- La méthode scientifique fondée sur l'expérimentation et la foi en la raison a permis de connaître les lois de la nature et de mettre au point des techniques qui ont contribué à l'amélioration du sort du monde.

Cependant, l'anthropologie rationaliste présente une vision réductrice de l'être humain. Elle isole une caractéristique – la raison – pour l'ériger en absolu et la considère au détriment des autres. Depuis, la raison est devenue l'objet d'un culte. Investie de la toute-puissance, elle a reçu le statut de mythe, qu'elle s'était pourtant donné pour mission de combattre au moment de son premier épanouissement dans la Grèce antique.

Par ailleurs, la raison, présentée comme la solution à tous les problèmes de la vie, s'est avérée impuissante à conjurer les horreurs de la Seconde Guerre mondiale, avec ses 50 millions de victimes, ses mutilés et ses destructions matérielles incalculables. À la suite de ce conflit, on a pu qualifier l'être humain d'*Homo sapiens demens*.

Pierre Bertrand[30] affirme que la raison est apparue comme la grande libératrice vis-à-vis des superstitions, des préjugés et des dogmes. Cependant, elle peut être utilisée dangereusement par les pouvoirs établis et les bureaucraties. C'est notamment la fameuse « raison d'État », au nom de laquelle on autorise le mensonge, la fourberie et le meurtre. C'est au nom de la « raison économique » qu'on justifie les licenciements massifs et la modernisation des équipements. Résultat, les produits des entreprises « rationalisées » ont plus de difficulté à être écoulés faute de consommateurs. La raison n'est donc pas, **en soi,** opposée à toute irrationalité et se transforme souvent en outil de répression et de contrôle. À ce titre, elle serait l'expression d'une peur de soi, de la vie et du corps, de l'inconnu et de la nature dans ce qu'elle a de débordant et d'incompréhensible, comme le souligne Nietzsche.

Il est vrai qu'on a souvent abusé de la Raison (avec une majuscule, comme il convient à Dieu ou à Sa Majesté). Il est vrai que le non-sens fait partie de l'existence. Mais la raison n'en reste pas moins indispensable malgré ses limites ; elle demeure plus qu'une « ondulation, une vibration au sein de ce vide », comme l'écrit Bertrand. On ne gagne rien à la laisser au vestiaire. Le fascisme, qui cultive l'irrationnel, est là pour le rappeler. « Le sommeil de la raison engendre des monstres », comme l'indique le titre de la toile du peintre espagnol Francisco Goya (1746-1828).

Sapiens
En latin, « sage ».

Demens
En latin, « dément, fou ».

---

30. Bertrand (1993).

LES IDÉES ESSENTIELLES

▶ **Une nouvelle vision de la nature et de l'être humain**

Le XVIIe siècle, avec la première révolution scientifique, marque l'entrée dans l'ère moderne. Les découvertes de Copernic, de Kepler et de Galilée, montrant que l'être humain n'est pas au centre de l'Univers, signalent le début d'une remise en question de l'anthropologie chrétienne. Ces découvertes bouleversent toutes les conceptions de la nature et de la place qu'y occupe l'être humain et mènent à la désensibilisation du monde. La représentation qu'on se fait de la nature et de l'être humain devient de plus en plus abstraite. À l'époque moderne, Descartes est le premier à affirmer qu'il faut faire table rase du passé et se fier uniquement à la raison en matière de connaissance.

▶ **Exister, c'est penser**

Descartes veut construire la philosophie sur des bases solides. Il observe qu'on peut douter des perceptions sensibles, des connaissances qui semblent les plus sûres et même de l'existence du monde extérieur. Après avoir tout remis en question, il ne reste qu'une chose dont il est impossible de douter, à savoir que je doute. Or, si je doute, c'est que je pense.

Si la pensée est une chose sûre, comment peut-on être certain que les idées correspondent aux objets qui existent réellement ? La perception du monde extérieur est rendue possible grâce à l'idée d'étendue, qui est une idée innée que Dieu a implantée en nous. Et puisque Dieu ne nous tromperait pas, l'idée que nous nous faisons du monde extérieur est nécessairement vraie.

▶ **Le libre arbitre cartésien**

Selon Descartes, la liberté est une question de volonté. La volonté «est tellement libre de sa nature qu'elle ne peut jamais être contrainte». Mais il se rend compte qu'on peut vouloir des choses sans être capable de les obtenir.

▶ **Le dualisme du corps et de l'esprit**

En définissant l'être humain en tant que substance pensante et immatérielle rattachée à un corps matériel, Descartes s'enferre dans un dualisme impossible. Il est incapable de démontrer comment le contact peut s'établir entre l'esprit immatériel et le corps, pure étendue.

Le corps est réduit à une image mentale. La relation que nous entretenons avec lui est semblable à celle que nous entretenons avec les objets extérieurs. Le corps ne fait plus partie de notre identité.

▶ **L'opposition passion-raison**

La coupure corps-âme se double de l'opposition passion-raison. Pour la plupart des rationalistes, les passions sont suspectes ou carrément nocives, d'où la nécessité de les maîtriser. Les neurosciences remettent en question cette opposition radicale de la passion à la raison.

▶ **La raison et l'autonomie**

La plupart des philosophes rationalistes définissent la liberté comme synonyme de l'autonomie. L'être humain étant doué de raison, il peut distinguer le vrai du faux, se libérer des préjugés et mener sa vie en toute indépendance.

▶ **Les femmes et la raison**

La femme est pratiquement exclue de l'univers du rationalisme. Le plus souvent, on la voit comme un obstacle à l'activité philosophique ; elle aurait moins de raison que l'homme.

▶ **L'influence du rationalisme**

Le rationalisme continue de marquer la civilisation moderne : l'accent mis sur la raison a permis à l'homme de s'affranchir de nombreux préjugés et superstitions et d'acquérir des connaissances afin d'améliorer son sort. Cependant, la raison a parfois été utilisée pour justifier l'injustifiable.

EXERCICES

Vérifiez vos connaissances : vrai ou faux ?

1. L'époque moderne est caractérisée par la première grande révolution scientifique au XVIIe siècle.

2. Selon le rationalisme, toute connaissance sûre provient de l'expérience.

3. La physique galiléo-cartésienne déprécie le monde des sens.

4. Selon Descartes, le corps est inutile pour penser.

5. Le rationalisme présente une vision harmonieuse de l'être humain où passion et raison font bon ménage.

6. Pour les rationalistes, la raison est un gage de liberté, car elle permet l'autonomie de la personne.

Synthétisez vos connaissances et développez une argumentation.

1. Quelles sont les deux raisons qui expliquent l'importance de Descartes dans l'histoire de la philosophie ?

2. En quoi la physique galiléo-cartésienne fait-elle table rase du passé ?

3. Expliquez la conception cartésienne de la liberté. Quelle critique peut-on en faire ?

4. Comment Descartes envisage-t-il les rapports entre la raison et le corps ? Quelle est la position des neurosciences sur cette question ? Quelle idée Descartes se fait-il du corps ? Faites ressortir certaines des conséquences du dualisme cartésien.

Établissez des liens entre les idées.

Comparez les points de vue du christianisme et du rationalisme au sujet du corps. Traitez des conséquences qu'ont eues ces visions des rapports entre le corps et l'esprit. Comment la société actuelle se situe-t-elle par rapport au corps ?

TEXTES À L'ÉTUDE

Texte 1 : *Discours de la méthode* (extrait)

Descartes, cité dans Allard (1995), p. 25-27

Cet extrait, tiré de la quatrième partie du Discours de la méthode, *résume la démarche des trois premières parties.*

1. Je ne sais si je dois vous entretenir des premières méditations que j'y ai faites ; car elles sont si métaphysiques et si peu communes qu'elles ne seront peut-être pas au goût de tout le monde. Et toutefois, afin qu'on puisse juger si les fondements que j'ai pris sont assez fermes, je me trouve en quelque façon contraint d'en parler. J'avais dès longtemps remarqué que, pour les mœurs, il est besoin quelquefois de suivre des opinions qu'on sait être fort incertaines tout de même que si elles étaient indubitables, ainsi qu'il a été dit ci-dessus. Mais pour ce qu'alors je désirais vaquer seulement à la recherche de la vérité, je pensai qu'il fallait que je fisse tout le contraire et que je rejetasse comme absolument faux tout ce en quoi je pourrais imaginer le moindre doute, afin de voir s'il ne resterait point, après cela, quelque chose en ma créance qui fût entièrement indubitable. Ainsi, à cause que nos sens nous trompent quelquefois, je voulus supposer qu'il n'y avait aucune chose qui fût telle qu'ils nous la font imaginer. Et pour ce qu'il y a des hommes qui se méprennent en raisonnant, même touchant les plus simples matières de géométrie et y font des paralogismes, jugeant que j'étais sujet à faillir autant qu'aucun autre, je rejetai comme fausses toutes les raisons que j'avais prises auparavant pour démonstrations. Et enfin considérant que toutes les mêmes pensées que nous avons étant éveillés nous peuvent aussi venir quand nous dormons, sans qu'il y en ait aucune pour lors qui soit vraie, je me résolus de feindre que toutes les choses qui m'étaient jamais entrées en l'esprit n'étaient non plus vraies que les illusions de mes songes. Mais aussitôt après, je pris garde que, pendant que je voulais ainsi penser que tout était faux, il fallait nécessairement que moi, qui le pensais, fusse quelque chose. Et remarquant que cette vérité : *Je pense, donc je suis,* était si ferme et si assurée que toutes les plus extravagantes suppositions des sceptiques n'étaient pas capables de l'ébranler, je jugeai que je pouvais la recevoir sans scrupule pour le premier principe de la philosophie que je cherchais.

2. Puis examinant avec attention ce que j'étais et voyant que je pouvais feindre que je n'avais aucun corps et qu'il n'y avait aucun monde ni aucun lieu où je fusse, mais que je ne pouvais pas feindre pour cela que je n'étais point ; et qu'au contraire, de cela même que je pensais à douter de la vérité des autres choses, il suivait très évidemment et très certainement que j'étais ; au lieu que si j'eusse seulement cessé de penser, encore que tout le reste de ce que j'avais imaginé eût été vrai, je n'avais aucune raison de croire que j'eusse été ; je connus de là que j'étais une substance dont toute l'essence ou la nature n'est que de penser et qui, pour être, n'a besoin d'aucun lieu, ni ne dépend d'aucune chose matérielle. En sorte que ce moi, c'est-à-dire l'âme, par laquelle je suis ce que je suis, est entièrement distincte du corps, et même qu'elle est plus aisée à connaître que lui et qu'encore qu'il ne fût point, elle ne laisserait pas d'être tout ce qu'elle est.

3. Après cela, je considérai en général ce qui est requis à une proposition pour être vraie et certaine ; car puisque je venais d'en trouver une que je savais être telle, je pensai que je devais aussi savoir en quoi consiste cette certitude. Et ayant remarqué qu'il n'y a rien du tout en ceci : *Je pense, donc je suis,* qui m'assure que je dis la vérité, sinon que je vois très clairement que, pour penser, il faut être, je jugeai que je pouvais prendre pour règle générale que les choses que nous concevons fort clairement et fort distinctement sont toutes vraies, mais qu'il y a seulement quelque difficulté à bien remarquer quelles sont celles que nous concevons distinctement.

Repérez les idées et analysez le texte.

1. Dans le premier paragraphe, Descartes résume les arguments qui l'amènent à considérer que la seule chose indubitable est qu'il pense. En quelques mots, reprenez son argumentation. Que pensez-vous de sa démarche et des arguments qu'il avance ?

2. Dans le premier paragraphe, Descartes affirme qu'en matière de morale (de « mœurs », comme il dit), il faut suivre des opinions parfois incertaines. Repérez cette citation. Faites ressortir la signification de ce point de vue par rapport aux limites de la raison.

3. Dans le troisième paragraphe, Descartes affirme qu'il vient de découvrir un critère de vérité. Quel est ce critère ?

Texte 2 : *De l'indignité du corps à sa purification technique* (extrait)

Le Breton (1999), p. 162-165

Ce texte dégage certaines des implications de la séparation radicale entre le corps et l'esprit.

[...] Les imaginaires scientifiques ou culturels à l'œuvre aujourd'hui [...] dissocient souvent l'homme de son corps, fragmentent l'unité de la présence et du sentiment de soi. [...]

[...] Cet imaginaire technoscientifique est une pensée radicale du soupçon, il instruit le procès du corps à travers le constat de la précarité de la chair, de son manque d'endurance, de son imperfection [...] Il semble faire du corps un membre surnuméraire de l'homme et inciter à s'en débarrasser pour accéder à une meilleure condition. Ce discours du dénigrement reproche au corps son peu de prise sur le monde et sa vulnérabilité, la disparité trop nette avec une volonté de maîtrise sans cesse démentie par la condition éminemment précaire de l'homme. [...]

[...] La lutte contre le corps dévoile toujours plus l'imaginaire qui la soutient : la peur de la mort. Corriger le corps, en faire une mécanique, l'associer à l'idée de la machine ou le coupler avec elle, c'est échapper à cette échéance. Le corps, lieu de la mort en l'homme : n'est-ce pas ce qui échappe à Descartes à la manière d'un lapsus quand, dans ses *Méditations*, l'image d'un cadavre s'impose à son raisonnement pour nommer sa condition corporelle : « [J]e me considérais premièrement comme ayant un visage, des mains, des bras, et toute cette machine composée d'os, et de chair, telle qu'elle paraît en un cadavre, laquelle je désignais par le nom de corps » ? [...]

[...]

La méfiance à l'égard du corps, ou plutôt de soi, amène au recours de la molécule censée produire l'état moral souhaité. On prend des produits pour dormir, se réveiller, être en forme, être énergique, accentuer la mémoire, supprimer l'anxiété, le stress, etc., autant de prothèses chimiques à un corps perçu comme défaillant dans les exigences requises par le monde contemporain.

Repérez les idées et analysez le texte.

1. Que veut dire l'auteur lorsqu'il parle de pensée du soupçon ? Comment le monde contemporain réagit-il devant la vulnérabilité du corps ?

2. Selon l'auteur, la volonté de corriger le corps reflète le refus d'accepter notre condition de mortels. Analysez cette affirmation.

Texte 3 : *Contre le dualisme du corps et de l'âme, de la chair et de l'esprit* (extrait)
Feuerbach (1997), p. 162-167

Jamais je n'ai pensé sans tête, jamais je n'ai senti sans cœur ; c'est seulement dans la réflexion sur moi que je sépare les pensées de la tête, les sentiments du cœur et que je les rends autosubsistants pour eux-mêmes en un sujet ou en un être voulant, sentant, pensant, différencié du corps. Le Je duquel le psychologue tire l'existence d'une âme immatérielle n'est donc aucunement notre être vrai, objectif, ce n'est qu'un *être de raison,* qu'une copie que le psychologue prend pour l'original, qu'une *interprétation* de notre être qu'il importe dans le texte. [...]

[...]

Si l'on réduit le corps organique à des déterminations matérialistes abstraites – comme ici la détermination d'une chose composée, divisible – il est alors évidemment nécessaire d'expliquer les phénomènes du corps organique contredisant cette détermination et cette représentation en ayant recours à un être à part, à un être fictif ayant les qualités opposées. Mais ces qualités, le corps organique les possède déjà, en tant que corps, en lui. Il est, malgré la multiplicité de ses parties, « une chose », une unité individuelle, organique. Cette *unité organique* est le principe de la représentation et de la sensation. Elle peut, certes, être démembrée, mais si démembrement il y a, le corps cesse d'être un corps organique, un corps vivant. Il n'est plus ce qu'il était. Ce n'est qu'avec la mort que le corps sombre dans la catégorie d'une chose composée, divisible. [...]

[...]

Tu peux, après la mort, connaître l'œil en tant qu'outil physique mais l'acte nerveux de l'œil, la vision, est un acte de la vie dont tu ne saurais en tant que tel, du moins immédiatement, faire un objet de la physiologie, pas plus que tu ne saurais savourer le goût d'un autre. « La physiologie ne peut connaître que des phénomènes, jamais l'essence de la vie. » Tout à fait ! Car la vie est, essentiellement, seulement comme se rapportant à elle-même, seulement subjective, aussi est-ce en contradiction avec elle d'être objet pour un autre.

Ludwig Feuerbach (1804-1872)
Philosophe allemand qui, après avoir été disciple de Hegel, s'orienta vers l'athéisme. Pour lui, Dieu et ses attributs (Raison, Amour, Volonté) sont une aliénation de l'essence de l'homme. Il considérait l'aliénation religieuse comme un moment de l'histoire humaine nécessaire, mais qui doit être dépassé, affirmant que l'anthropologie est « le secret de la théologie ». Plus tard, sa pensée s'est infléchie vers un naturalisme matérialiste, vers une éthique fondée sur les besoins de l'homme. L'humanisme athée et matérialiste de Feuerbach contribua au renouvellement de la théologie protestante.

Repérez les idées et analysez le texte.

1. Que veut dire l'auteur lorsqu'il affirme que nous en arrivons à considérer les idées comme des êtres autosubsistants ?

2. Selon Feuerbach, le corps ne peut se réduire à un assemblage de parties juxtaposées. Résumez son argumentation et comparez-la à la position de Descartes.

LECTURES SUGGÉRÉES

Bertrand, P. (1993). «Critique de la raison. Pour la philosophie.» *Philosopher, 14*, p. 155-169.

Damasio, A. R. (1997). *L'erreur de Descartes. La raison des émotions*. Paris : Odile Jacob.

(1996). «Descartes» (dossier spécial). *Magazine littéraire, 342.*

Descartes, R. (1963 [1637]). *Discours de la méthode, suivi des Méditations*. Paris : Union générale d'éditions (Coll. «Le Monde en 10/18 »).

Descartes, R. (1953 [1649]). *Les passions de l'âme*. Paris : Gallimard (Coll. «Idées»).

Fraisse, G. (1996). *La différence des sexes*. Paris : PUF.

Platon (1965). *Apologie de Socrate, Criton, Phédon*. Paris : Flammarion.

CHAPITRE 4

L'individu possessif de la théorie libérale : j'accumule donc j'existe

I'll get you anything my friend if it makes you feel alright
Cause I don't care too much for money, money can't buy me love

The Beatles

Quand le dernier arbre aura été abattu, quand
la dernière rivière aura été empoisonnée, quand le
dernier poisson aura été pêché,
alors on saura que
l'argent ne se mange pas.

Geronimo

Introduction

Le développement du capitalisme sculpte le nouveau visage de l'être humain, celui de l'homme soucieux de ses intérêts, se définissant en premier lieu par l'accumulation des biens et dont la **fin principale** est la « conservation de sa propriété », pour citer John Locke (1632-1704).

Dans ce chapitre, nous tenterons de cerner la figure de ce nouveau personnage tel qu'il se dessine principalement à travers la philosophie politique de John Locke. Cette vision de l'être humain est toujours actuelle et continue de marquer à une profondeur insoupçonnée nos sociétés contemporaines.

Avec Adam Smith (1723-1790), Locke, dont l'influence est perceptible chez plusieurs théoriciens contemporains, est l'un des fondateurs et l'une des figures dominantes du libéralisme. Il faudrait d'ailleurs parler de libéralismes au pluriel tant cette idéologie s'est transformée et a pris différentes directions (*voir l'encadré 4.3, p. 75-76*).

L'un des adeptes du libéralisme en France, Pierre-Paul Le Mercier de la Rivière (1720-1794), membre de l'école des physiocrates, poussant cette philosophie à sa logique ultime, affirme que la principale motivation de l'être humain consiste à **tout sacrifier à la soif de l'or** :

> Partout où les richesses seront la mesure de cette considération publique [...] il faut nécessairement que les hommes soient avides de l'or, qu'ils sacrifient tout à l'or, qu'ils se vendent eux-mêmes pour de l'or[1].

Prise au pied de la lettre, cette citation ne fixerait aucune limite à la cupidité. Remarquons que l'avidité pour l'or noir, dont les autorités américaines ont fait preuve en Irak, répond parfaitement à cette injonction.

Physiocratie
Le terme vient du grec *phusis*, qui signifie littéralement « nature ». Cette école de pensée ne concevait pas l'économie comme une création humaine et historique, mais comme un organisme vivant obéissant aux mêmes lois physiques que la nature.

Notes biographiques

John Locke naît 36 ans après Descartes, à Wrington, dans une famille aisée du Somerset, en Angleterre, et meurt à Oates en 1704. Il est élevé dans une famille puritaine qui affiche le plus grand respect pour la rigueur et les principes

---

1. Cité dans Denis (1971), p. 183.

moraux. C'est ainsi qu'il opte pour une carrière cléricale et qu'il s'inscrit en théologie, qu'il finira par abandonner pour la médecine.

Locke est le premier grand empiriste britannique. Il s'oppose à Descartes en niant l'existence des idées innées. Il pense que la connaissance est fondée sur les sens et l'expérience, et il conçoit le cerveau comme une table rase (*voir le chapitre 1*).

À cette époque, l'Angleterre traverse une série de bouleversements majeurs. La nouvelle société capitaliste est en pleine ascension et le philosophe anglais est pris dans le tourbillon de la *Glorious Revolution* de 1688, qui se solde par la déposition du roi catholique Jacques II. Cette révolution consolide le nouveau régime et donne naissance à la Charte des droits (le *Bill of Rights*), qui limite le pouvoir du souverain au profit du Parlement. Parallèlement, la révolution enlève aux catholiques le droit de voter et celui de siéger au Parlement, exclusion qui durera plus de 100 ans.

En 1666, Locke publie son *Essai sur la tolérance*. Les tensions entre confessions religieuses sont monnaie courante, notamment parce qu'en 1530 le roi d'Angleterre, Henri VIII, rompt avec l'Église catholique, qui refusait d'annuler son mariage. L'anglicanisme devient la nouvelle religion d'État et le roi en est le chef suprême. Les tensions entre ceux qui sont restés fidèles au pape et les partisans de l'anglicanisme, entre confessions protestantes et catholiques, se terminent souvent dans des bains de sang. L'anglicanisme diffère du catholicisme principalement dans la mesure où il refuse l'autorité du pape. À cette époque, les anglicans se considèrent comme des catholiques opposés à l'Église de Rome et non comme des protestants.

Dans cet essai, Locke soutient que les gouvernants doivent faire preuve de tolérance envers les non-conformistes et les adeptes des autres religions. Cependant, les athées et les catholiques n'en sont pas dignes. La tolérance a ses limites…

C'est aussi en 1666 que Locke rencontre Lord Ashley (1621-1683), qui deviendra comte de Shaftesbury et chancelier de Jacques II, poste équivalant à celui de ministre. Locke sera son médecin, son ami et son secrétaire particulier. En 1675, le roi congédie Shaftesbury parce qu'il le soupçonne de comploter contre lui et de vouloir remplacer la monarchie par la république. Shaftesbury s'exile en France et Locke le suit. Celui-ci y demeure jusqu'en 1679. Il rentre par la suite à Londres, mais doit s'exiler de nouveau aux Pays-Bas jusqu'en 1689.

En 1690, Locke publie son œuvre majeure, *Essai sur l'entendement humain*, qui fonde la connaissance sur les sens et l'expérience. La même année, il publie ses *Deux traités du gouvernement civil*, textes fondateurs du libéralisme classique qu'il a conçus en exil.

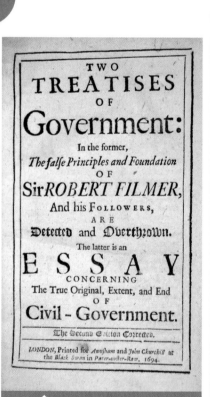

Page titre d'un ouvrage de Locke publié en 1694.

Idéologie
Système d'idées, vision du monde. Parfois employé pour désigner une théorie non scientifique. Chez Marx, l'idéologie exprime les intérêts d'une classe.

Aux origines du libéralisme

Nous vivons dans ce qu'il est convenu d'appeler des sociétés libérales. Le libéralisme constitue l'**idéologie** dominante des sociétés capitalistes, particulièrement celles d'Europe et d'Amérique du Nord.

C'est au XVIIe siècle que les premières grandes théories libérales voient le jour au Royaume-Uni sous la plume de John Locke. D'aucuns font remonter les origines du libéralisme à **Thomas Hobbes**.

C'est au XVIIIe siècle que le libéralisme prend son essor avec Adam Smith en Angleterre et le docteur François Quesnay (1694-1774), qui fonde l'école physiocratique en France.

Le capitalisme est en gestation au sein de la société **féodale** depuis le XIIe siècle. Très progressivement, la ville remplace la campagne en tant que centre névralgique, le commerce et l'industrie prennent le relais de l'agriculture. Les anciennes classes sociales, serfs et seigneurs, cèdent lentement leur place aux travailleurs salariés et aux capitalistes. À cette époque, la liberté d'échange est limitée : il existe des droits de douane entre les villes, des métiers réservés (les corporations) et quantité d'obstacles à la libre circulation des capitaux, des travailleurs et des marchandises. Les libéraux veulent faire sauter ces barrières qui entravent le développement économique, d'où la devise du libéralisme, que l'on doit à Vincent de Gournay (1712-1759) : « Laissez-faire, laissez-passer. » Autrement dit, les gouvernements doivent cesser d'intervenir dans l'économie et laisser faire le marché.

Dans l'ancienne société, le but principal de l'existence se trouvait dans l'au-delà. Mais à mesure que le capitalisme prend son essor, on commence à proclamer que le but de la vie est aussi d'accumuler des biens sur terre et d'en jouir. Les valeurs archaïques associées à la noblesse (honneur, bravoure, service et dépenses somptuaires) sont remplacées par des valeurs telles que l'accumulation, le travail, la frugalité et l'épargne.

Le capitalisme naissant s'accompagne de la dissolution de la monarchie absolue, fondée sur le pouvoir exclusif du souverain. Louis XIV résume bien les choses quand il proclame : « L'État, c'est moi. » Il s'agit d'un État despotique qui écrase l'individu. La justice dépend du bon vouloir du souverain, qui n'est soumis à aucun contrôle. C'est le règne de la corruption, des privilèges et des abus. Sur ce dernier point, les cyniques diront : « Plus ça change… »

Cet État absolutiste est dans la mire des libéraux, qui visent à libérer l'humain des contraintes des sociétés traditionnelles et rigidement hiérarchisées. Ils revendiquent des valeurs telles que la liberté, la sûreté, l'égalité et la vie, et affirment l'indépendance de l'individu.

La lutte des premiers libéraux pour la liberté de pensée affranchit les esprits des superstitions médiévales et favorise le développement des sciences (*voir le chapitre 3*), lesquelles prennent leur essor au XVIIe siècle. Les physiocrates combattent l'esclavage et le servage, et réclament l'abolition des colonies. C'est ce que Marx appelait le « pouvoir civilisateur du capital ». À l'exception des États-Unis, premiers à s'affranchir des griffes du colonisateur britannique en 1776, et de Haïti, qui se libère de la domination française en 1804 et met fin à l'esclavage, il faudra pratiquement attendre

Féodal

Qui appartient à un système social dominant en Europe du Ve au XVe siècle de notre ère. En simplifiant, on peut dire que le féodalisme est caractérisé par l'existence de deux grandes classes sociales : seigneurs et paysans attachés à la terre. Ces derniers possèdent de modestes moyens de production et, en échange de la protection du seigneur, travaillent gratuitement pour lui.

Thomas Hobbes (1588-1679)

Hobbes tente d'appliquer les principes de la physique mécanique à l'étude des sociétés. Contrairement à Rousseau, qui pense que l'être humain n'est pas naturellement mauvais (*voir le chapitre 5*), Hobbes croit que « l'homme est un loup pour l'homme ».

D'après Hobbes, à l'état de nature, avant le développement de la vie en société, l'humain est en conflit perpétuel avec ses semblables. Chacun tente d'imposer sa volonté et ses désirs à l'autre. Pour que cesse cet état de guerre permanent et afin de préserver leur vie, les citoyens s'entendent sur une forme d'association. Par une espèce de pacte, ils renoncent à leurs droits naturels (satisfaire leurs désirs par tous les moyens) et cèdent leur pouvoir à un souverain (un roi ou une assemblée). Le souverain détient le pouvoir **absolu et incontesté** et n'est pas soumis au pacte social, comme le préconise Rousseau.

Comme Hobbes prône un gouvernement autoritaire, d'aucuns refusent de le considérer comme l'un des pères du libéralisme. Il expose ses thèses dans son principal ouvrage, *Le Léviathan* (1651).

Portrait de Thomas Hobbes, 1650.

Toile de Hyacinthe Rigaud représentant Louis XIV, roi de France de 1643 à 1715.

la fin de la Seconde Guerre mondiale pour que cette revendication commence à se réaliser.

Historiquement, le libéralisme a joué un rôle révolutionnaire et donné naissance aux sociétés de droits et aux libertés formelles (*voir la section intitulée « Le caractère formel des droits et des libertés » du chapitre 8, p. 140*). Mais, dans bien des cas, les grandes valeurs associées au libéralisme sont restées lettre morte. À mesure que le capitalisme se consolide, et à l'exception d'une période (en gros de 1930 à 1980) qui voit la naissance et le développement des droits sociaux, le libéralisme devient une force conservatrice. Herbert Spencer (1820-1903), père de l'évolutionnisme philosophique, qui avait une conception particulière de la démocratie, affirmait que :

> La fonction du libéralisme dans le passé a été de mettre une limite au pouvoir des rois. La fonction du vrai libéralisme dans l'avenir sera de limiter le pouvoir des parlements[2].

Les droits naturels

C'est dans son *Traité du gouvernement civil* que Locke entreprend d'examiner dans quel « état se trouvent naturellement les hommes », c'est-à-dire l'état de nature.

À l'état de nature (*voir l'encadré 4.1*), les hommes sont libres et égaux, possèdent les mêmes capacités et jouissent des droits que la nature leur confère, dont celui de punir les excès. Mais la sécurité des biens et des personnes n'est pas garantie, car il n'existe aucune autorité supérieure pour arbitrer les conflits et faire régner l'ordre. Pour éviter l'état de guerre, les hommes auraient « formé

ENCADRÉ 4.1   L'état de nature

Locke décrit parfois l'état de nature comme rempli de dangers et de terreurs ; d'autres fois, il affirme que peu d'individus ne respectent pas la loi naturelle. Il dit que les hommes sont égaux, mais que certains sont plus égaux que d'autres, car « il ne faut pas pourtant entendre qu'ils soient égaux à tous égards[3] ». En projetant certains traits de sa société sur l'état de nature, la description de Locke contient plusieurs contresens historiques. C'est ainsi que l'on trouve un marché généralisé de la main-d'œuvre, caractéristique des sociétés capitalistes.

Ce concept a fait l'objet de nombreux débats. S'agit-il d'une hypothèse purement méthodologique ou d'une description fidèle de ce

qui existait avant l'apparition de la vie en société ? Contrairement à Rousseau, comme nous le verrons au prochain chapitre, Locke semble opter pour la seconde hypothèse.

Le philosophe américain Robert Nozik (1938-2002), qui reprend à son compte la théorie des droits naturels de Locke, affirme de façon déconcertante que les explications qui ont recours au concept d'« état de nature » sont des « explications potentielles fondamentales de ce monde et associent vigueur de l'explication et éclaircissement, même si elles sont incorrectes[4] ». On peut se demander à quoi sert un concept fondamental et clair s'il est incorrect…

---

2. Cité dans St-Onge (2000), p. 181.
3. Locke (1992a), p. 183.
4. Cité dans St-Onge (2000), p. 81.

des sociétés[5] » et consenti volontairement à se soumettre à un gouvernement pour leur conservation, leur sûreté mutuelle et pour jouir paisiblement de leurs biens.

Quels sont les droits que la loi de la nature, qui est la **loi de la raison,** confère à l'être humain ? Ces droits sont la conservation de sa vie, de sa liberté et de ses biens, « choses que j'appelle, d'un nom général, *propriétés*[6] ».

Locke fait donc dériver l'existence de trois **lois naturelles,** trois valeurs que l'on retrouve abondamment dans la tradition libérale et qui ont fait leur chemin jusque dans les chartes modernes des droits et libertés, soit les droits à la **propriété, à la vie et à la liberté.** En passant à l'état social, les hommes conservent ces droits.

De l'appropriation limitée à l'appropriation illimitée

Locke part de l'idée toute simple qu'au départ, à l'état de nature, Dieu a attribué la terre et les fruits qu'elle donne en partage à tous les humains. Personne n'est propriétaire de la terre, des cours d'eau, des bêtes sauvages et des fruits : ils appartiennent à tout le monde.

Mais, grâce à mon travail, les fruits que je cueille et la terre que je cultive deviennent ma **propriété exclusive** et personne ne peut prétendre avoir droit sur ces choses. Je peux m'approprier ce dont j'ai besoin pour ma survie et celle de ma famille à condition d'en laisser suffisamment pour les autres. Bref, à l'état de nature, **l'appropriation est limitée** et les autres ne doivent pas être lésés par ce que je m'approprie. C'est la clause lockéenne.

Cependant, l'apparition de l'or et de l'argent ouvre la porte à l'appropriation **illimitée** des richesses. En effet, l'or et l'argent, autrement dit la monnaie, permettent d'accumuler de grandes quantités de richesses sans qu'il y ait gaspillage. Avant l'apparition de la monnaie, l'appropriation par un individu de plus de terres et de biens qu'il ne peut en consommer mène au gaspillage. Avec l'or ou l'argent, qui ne pourrissent pas comme la nourriture, l'homme « agrandit, étend, augmente *ses possessions,* autant qu'il lui plaît[7] ».

Locke définit une autre condition à l'appropriation illimitée des richesses. Comme je suis seul propriétaire de ma propre personne et de mon travail, je peux en faire ce que je veux : « Le travail de son corps et l'ouvrage de ses mains, nous pouvons le dire, sont son bien propre[8]. » Je peux donc aliéner ma force de travail, la vendre à un tiers et la richesse que mon travail produit lui est ainsi transférée et lui appartient en propre.

Pour Locke, le travail est pratiquement seul créateur de valeur : « Nous verrions dans la plupart des revenus, que 99 centièmes doivent être attribués au travail[9] », le reste provenant de la nature.

Bien que mon travail soit pratiquement seul créateur de valeur, comme je suis libre de faire ce que je veux de ma force de travail, lorsque je la vends, je vends également mon **droit à la possession de ce que mon travail peut tirer de la nature.**

---

5. Locke (1992a), p. 159.
6. *Ibid.,* p. 237. (Les italiques sont de Locke.)
7. *Ibid.,* p. 180. (Les italiques sont de Locke.)
8. *Ibid.,* p. 162.
9. *Ibid.,* p. 174.

Paradoxalement, c'est en concevant l'être humain comme seul possesseur de son travail que Locke justifie « le transfert du profit qui était la récompense du travail d'un homme dans la poche de l'autre[10] ».

Paul Boesnier de l'Orme (1724-1793), représentant de l'école physiocratique, ne s'enfarge pas dans les fleurs du tapis :

> Le travail de celui qui ne possède rien n'est point à lui : il appartient à celui qui peut l'employer en échange d'un salaire[11].

L'individualisme possessif : liberté, propriété et vie

L'individu, chez Locke, étant propriétaire de son corps et de ce que ses mains produisent, possède « en soi le grand fondement de la *propriété* ». La propriété de soi est une caractéristique inhérente de l'individu qui **n'est nullement redevable à la société de sa personne ou de ses capacités dont il est le propriétaire exclusif**[12]. Tout ce qu'il touche lui appartient en propre et personne n'a de droit sur ce qui lui revient. Autrement dit, et contrairement au point de vue de Marx, la **richesse n'a aucun caractère social.**

Comment ces trois lois naturelles s'articulent-elles ? À première vue, et comme la plupart des libéraux, Locke affirme que « LA LIBERTÉ est le fondement de tout le reste[13] ».

Cependant, c'est dans la mesure où il **est propriétaire de lui-même que l'être humain est libre,** c'est-à-dire indépendant de la volonté des autres. C'est ainsi que, des trois valeurs naturelles définies par Locke, la propriété est **la valeur primordiale,** la base de tout le reste. Lorsqu'un homme menace mes biens ou ma vie, j'ai le droit de prendre la sienne. « Je puis tuer un voleur qui se jette sur moi [...] ; *je ne puis pas pourtant* [...] *lui ôter son argent*[14] [...] »

De plus, la victime peut mettre son agresseur en esclavage. Bref, la propriété est plus importante que la liberté et la vie. Le rôle déterminant de la propriété ressort de tout le *Traité* de Locke :

> C'est pourquoi, la plus grande et principale fin que se proposent les hommes, lorsqu'ils s'unissent en communauté et se soumettent à un gouvernement, c'est de *conserver leurs propriétés*[15] [...]

C'est en vertu du principe selon lequel l'individu est l'unique propriétaire de sa personne que les néolibéraux, qui reprennent essentiellement les grands principes mis de l'avant par Locke et Smith (*voir l'encadré 4.3, p. 75-76*), s'opposent à toute forme de **redistribution des revenus,** notamment au moyen de l'impôt. C'est ainsi qu'il serait injuste de taxer les revenus de Tiger Woods, car ce qu'il a gagné lui appartient en propre. C'est en s'appuyant sur ce principe que Robert Nozik affirme que l'impôt est une forme d'exploitation. Friedrich Hayek (1899-1992), chef de file du néolibéralisme, pense que toute redistribution des revenus est injuste, car elle « viole le droit de propriété[16] ».

---

10. Locke, cité dans Vachet (1970), p. 488.
11. Cité dans Vachet (1970), p. 300.
12. Macpherson (2004), p. 18.
13. Locke (1992a), p. 155. (En majuscules dans le texte.)
14. *Ibid.*, p. 280. (Les italiques sont de Locke.)
15. *Ibid.*, p. 237. (Les italiques sont de Locke.)
16. Voir St-Onge (2000), p. 80-85. Nozik considère que les impôts sont légitimes dans la mesure où l'État met en place un système de justice (prisons, juges, police) pour protéger la vie, la liberté et la propriété.

D'après Hayek, la redistribution des revenus, à laquelle on assiste dans ce qu'on appelle l'État-providence (*voir l'encadré 4.2*), est la preuve que la société est « devenue totalitaire au sens le plus complet du mot[17] ».

Ces questions relatives à la redistribution des revenus et à la justice sociale sont abordées dans le troisième cours de philosophie, *Éthique et politique*.

La mise en tutelle de la liberté par la propriété

La mise en tutelle de la liberté par la propriété est encore plus évidente chez les physiocrates : « La liberté et la sûreté, écrit Mirabeau (1749-1791), sont des annexes inséparables de la propriété. » Pour Le Mercier de la Rivière, « la liberté sociale se trouve naturellement renfermée dans le droit de propriété[18] ».

Friedrich Hayek se situe dans le droit fil de Locke quand il écrit : « Nous avons peu à peu abandonné cette liberté économique sans laquelle la liberté personnelle et politique n'a jamais existé[19]. » Pour Hayek et pour la plupart des libéraux, toute intervention de l'État dans l'économie impose une limite à la liberté personnelle. La liberté consiste à disposer d'un domaine protégé où personne ne peut intervenir. Ce domaine protégé comprend, comme Locke l'a défini, « la vie, la liberté, le patrimoine de chaque individu[20] ». En d'autres termes, tant que je ne nuis pas aux autres, l'État n'a pas à s'ingérer dans mes affaires.

L'économiste Michel Mussolino, auteur de *L'imposture économique : bêtises et illusions d'une science au pouvoir* (1997), écrira ainsi que la propriété est la « seule vraie passion libérale[21] ».

ENCADRÉ 4.2   L'État-providence

Après l'Allemagne de la fin du XIXe siècle qui ébauche bien timidement les traits de l'État-providence, ses premiers véritables contours apparaissent aux États-Unis sous la présidence de Franklin Delano Roosevelt, qui a gouverné de 1932 à 1945. Pour répondre à la Grande Crise de 1929, Roosevelt met en place un programme d'aide aux chômeurs, à l'industrie et à l'agriculture. Il veut plafonner les revenus à 25 000 $ et imposer à 100 % tout revenu excédant ce montant. L'ensemble de ces mesures sont connues sous le nom de *New Deal*.

Après la Seconde Guerre mondiale, l'État-providence prend son envol et s'implante dans la plupart des pays industrialisés.

L'État-providence se distingue de l'État libéral pur, ou État minimal, par son interventionnisme, lequel se traduit par la mise en place d'un filet de sécurité sociale : allocations familiales, loi sur le salaire minimum, caisses de retraite, assurance maladie, garderies subventionnées, etc. Ces mesures visent la redistribution des revenus afin d'assurer un minimum de justice sociale.

Camp de travail en Californie durant la Grande Crise des années 1930. Plusieurs camps semblables ont vu le jour au Canada et aux États-Unis par crainte que les jeunes chômeurs ne se révoltent. Les conditions de vie y étaient difficiles, pour ne pas dire inhumaines.

---

17. *Ibid.*, p. 80.
18. Cités dans Vachet (1970), p. 314 et 316.
19. Hayek (1944), p. 47.
20. Hayek (1980), t. I, p. 129.
21. Mussolino (1997).

L'égoïsme et la main invisible d'Adam Smith

Avec le libéralisme, l'individualisme possessif et l'égoïsme qui marquent ce courant de pensée acquièrent, si l'on peut dire, leur droit de cité.

Portrait d'Adam Smith.

Dans la logique de Locke, Adam Smith considère que la société est fondée sur l'égoïsme, moteur de l'économie. Chaque individu est mû par son intérêt et l'égoïsme pousse les gens à se surpasser et à innover dans l'espoir de s'enrichir.

> Ce n'est pas de la bienveillance du boucher, du marchand de bière ou du boulanger, que nous attendons notre dîner, mais bien du soin qu'ils apportent à leurs intérêts. Nous ne nous adressons pas à leur humanité, mais à leur égoïsme[22].

Cependant, l'égoïsme a des conclusions heureuses pour tout le monde. « Tout en cherchant son intérêt personnel, il [l'individu] travaille souvent de manière plus efficace pour l'intérêt de la société, que s'il avait réellement pour but d'y travailler[23]. » C'est la théorie de la main invisible. Par une espèce de ruse, la main invisible se sert du mal (l'égoïsme) pour créer le bien (l'intérêt général). Pour Smith, en général et dans la plupart des cas, les intérêts des producteurs et des consommateurs, des capitalistes et des travailleurs, des pays riches et des pays pauvres finissent par se rejoindre. C'est la théorie de **l'harmonie des intérêts.** Comme le disait un président de General Motors (GM) : « Ce qui est bon pour GM est bon pour les États-Unis. »

En poursuivant son propre gain, l'individu « est conduit par une main invisible à remplir une fin qui n'entre nullement dans ses intentions ». Le monde ne résulte pas d'un plan d'ensemble « délibérément exécuté par une société intelligente, mais de l'accumulation de traits sans nombre, dessinés par une foule d'individus obéissant à une force instinctive et inconsciente[24] ».

Si l'individu, chez Smith, obéit à des forces inconscientes, ses successeurs soutiennent que les décisions de l'individu sont parfaitement rationnelles : c'est l'*Homo œconomicus*.

L'*Homo œconomicus* : l'homme du froid calcul rationnel

Les origines de l'expression « homme économique » sont nébuleuses. L' « *Homo œconomicus* » est néanmoins le produit de l'école néoclassique, liée aux noms de l'économiste suisse Léon Walras (1834-1910) et du sociologue et économiste italien Vilfredo Pareto (1848-1923). Ces penseurs ont introduit la formalisation mathématique en économie et mettent l'accent sur la notion d'efficacité économique.

Selon l'école néoclassique, l'être humain tente de maximiser ses satisfactions par l'utilisation rationnelle des ressources dont il dispose. En être parfaitement rationnel, il ordonne et hiérarchise ses choix à partir de ses préférences. Si je préfère le vin à la bière et la bière aux boissons gazeuses, je préfère le vin aux boissons gazeuses.

---

22. Smith (1859), t. I, p. 105.
23. Smith (1859), t. II, p. 209.
24. Cité dans St-Onge (2000).

Toute action est faite en fonction des bénéfices qu'elle procure et des coûts qu'elle implique. C'est par un calcul savant que l'être humain maximise son bien-être et minimise les efforts qu'il fait pour optimiser ses satisfactions. Bref, c'est l'individu qui fait ses choix à partir d'un calcul froid et rationnel. Cette théorie est aussi appelée «théorie du choix rationnel».

Locke a sur ce point un avis différent. Contrairement à Descartes, qui pense que la raison est la chose la mieux partagée du monde, Locke croit que certains humains (ceux qui ont su accumuler des propriétés) sont plus rationnels que d'autres. En effet, dans son *Essai sur l'entendement humain,* il écrit que la classe laborieuse, la «plus grande partie de l'humanité n'a pas de temps à consacrer à l'étude, à la logique». «On devrait s'estimer heureux si les hommes de ce rang (pour ne rien dire de l'autre sexe) arrivent à comprendre des propositions simples[25] […] »

Comme tant d'autres penseurs de son époque, Locke prétend que les travailleurs et les femmes manquent de raison. La «nature» a donné au mari le droit de gouverner et de décider «comme au plus capable et au plus fort[26] ». Pour faire obéir la classe laborieuse, il propose d'invoquer les récompenses et les châtiments divins. Locke a une vision hiérarchisée de l'humanité, thème que nous abordons au chapitre 6.

Quelques remarques critiques

Premièrement, l'une des failles de la théorie de Locke consiste à voir la propriété comme un droit naturel. Il est certes naturel pour l'être humain de manger, de boire, de s'abriter, et par conséquent de s'approprier les choses que la nature met à sa disposition. Cependant, la nature est muette quant à la forme que doit prendre cette appropriation, qui peut être privée, comme c'est le cas aujourd'hui, ou collective. Autrement dit, la propriété privée n'est pas une institution naturelle mais une réalité historique. Cette méprise est un autre exemple de ce que Dewey appelait l'«illusion naturaliste» (*voir le chapitre 7*).

Pendant environ 99 % de leur histoire, les humains ont vécu dans des sociétés de chasseurs-cueilleurs (*pour une définition, voir le chapitre 5, p. 86*) qui ne connaissaient pas la propriété privée des moyens de production (terres, cours d'eau, plantes et animaux sauvages appartenaient à tous). En arrivant en Australie, les colons européens ont demandé aux autochtones «"À qui appartient cette terre?" Ils sont restés sans réponse. Ce concept ne voulait rien dire pour eux[27]. »

Les premiers utilitaristes (*voir l'encadré 4.3, p. 76*) souligneront que les droits «naturels» n'ont rien à voir avec la nature. Ce sont des réalités que les humains ont collectivement décidé de se donner.

Deuxièmement, tout comme Descartes, Locke transforme le corps en objet. Je suis propriétaire de mon corps comme je suis propriétaire de mon chalet, de mon usine ou de ma voiture.

Même si ce raisonnement a toutes les apparences de l'évidence, l'idée selon laquelle nous serions propriétaires de nous-mêmes est sans fondement. Identifier mon être et mon identité à la notion de propriété est injustifiable, car je ne peux

---

25. Locke, cité dans Macpherson (2004), p. 373.
26. *Ibid.*, p. 203.
27. Clottes et autres (1998), p. 176.

me séparer de moi-même. Si je peux me défaire de mon chalet, bazarder mon usine ou vendre ma voiture, je ne peux me défaire de moi-même. L'objet que je possède n'est pas une qualité, une détermination de mon être. Je ne suis pas ce chalet, cette voiture. Poser l'identité de l'individualité et de la propriété, c'est dire que ceux qui ne possèdent rien n'existent tout simplement pas, comme le constatait Marx. Pour le dire autrement, il serait erroné de croire que « j'ai un corps ». Il faudrait plutôt dire **« je suis mon corps »**. Mon corps fait partie de mon identité.

Troisièmement, quand Locke fait dériver l'accumulation illimitée du droit de propriété et de la monnaie, il omet de distinguer la propriété fondée sur le travail personnel de la propriété fondée sur le travail d'autrui. Peu d'auteurs, y compris Marx, ont contesté la légitimité de la propriété privée personnelle. Cependant, historiquement, l'accumulation de fortunes colossales par l'appropriation de vastes quantités de moyens de production n'est possible que grâce au travail d'autrui. Ce résultat n'est pas un fait de nature, mais le produit d'organisations sociales déterminées. Tant que les peuples ont vécu dans des sociétés de chasseurs-cueilleurs et que les surplus économiques ont été inexistants, la différentiation sociale et la constitution de fortunes gigantesques étaient impossibles (*voir le chapitre 7*).

Quelques mots sur l'optimisme débridé de Smith et de sa théorie de l'harmonie des intérêts. Généralement, comme il le souligne, les intérêts de la grande entreprise sont les mêmes que ceux des travailleurs, ceux des pays pauvres les mêmes que ceux des pays riches, etc. Mais les intérêts des travailleurs de Nortel étaient-ils les mêmes que ceux de leurs patrons ? Ce géant qui faisait l'orgueil du Canada a fait faillite et était, en 2010, en liquidation. Les travailleurs ont perdu leur emploi et leurs prestations de retraite ont été coupées sévèrement pendant que les grands patrons de l'entreprise sont partis avec des primes se chiffrant en dizaines de millions de dollars.

C'est en invoquant la théorie de l'harmonie des intérêts que Thomas d'Aquin justifiait l'esclavage. Celui-ci était bon et pour les maîtres et pour les esclaves. Les maîtres s'enrichissaient grâce au travail des esclaves, et ceux-ci, généralement des prisonniers de guerre, voyaient leur vie épargnée. Bref, tout le monde y gagnait.

On pourrait avancer des arguments semblables à l'égard du patriarcat en soutenant que les intérêts des femmes et des hommes convergent dans une société où les femmes sont dominées et confinées à des tâches précises, puisqu'elles profitent du soutien économique et matériel de leurs maris. Lorsque ceux-ci s'enrichissent, celles-là en bénéficient également.

John Maynard Keynes (1883-1946), qui a dominé la pensée économique du XXe siècle (*voir l'encadré 4.3, p. 76*), écrivait : « Le monde n'est nullement gouverné par la Providence de manière à faire toujours coïncider l'intérêt particulier avec l'intérêt général[28]. »

Finalement, l'idée selon laquelle l'être humain est un décideur éclairé, dont chaque geste est posé après mûre réflexion et à partir d'un calcul froid et rationnel, a fait l'objet de nombreuses critiques, notamment de la part de Hayek et de Keynes. Elle repose sur une série d'hypothèses invraisemblables, puisqu'elle suppose une information complète à partir de laquelle chaque décision est prise.

---

28. Keynes (1971), p. 117.

Dans la vaste majorité des cas, il est impossible de tout prévoir, de tout calculer et de connaître tous les tenants et aboutissants d'une décision donnée, que ce soit un investissement en Bourse, l'achat d'un ordinateur, d'un téléphone portable ou le meilleur traitement à suivre en matière de soins de santé. Si les décideurs disposaient d'une information complète, les krachs boursiers, comme celui auquel nous avons assisté en 2008-2009, seraient impossibles.

L'information est souvent incomplète, ce qui est particulièrement vrai des soins de santé. Le patient est-il en possession de toute l'information nécessaire pour décider s'il doit utiliser tel antihypertenseur plutôt que tel autre? La personne chez qui l'on soupçonne l'existence d'un cancer de la prostate est-elle en mesure de décider si son cancer est mortel ou s'il évoluera si lentement qu'elle a toutes les chances de mourir d'autre chose bien avant qu'elle ne soit emportée par lui? En effet, certains cancers n'évoluent pas et d'autres régressent. Dans bien des cas, les médecins eux-mêmes sont incapables de poser un diagnostic incontestable. Deux pathologistes vont examiner un échantillon de prostate prélevé par biopsie : l'un dira que c'est un cancer, l'autre affirmera le contraire dans 20 % des cas. Pour le cancer du sein, l'incertitude atteint 25 %[29]. De plus, dans le cas du cancer de la prostate, lequel évolue lentement, faut-il traiter la maladie ou opter pour une surveillance attentive? Et si un cancer est diagnostiqué, comment savoir quel sera le meilleur traitement : une opération qui consiste à enlever la prostate, un traitement de radiothérapie ou de chimiothérapie, ou une combinaison de tous ces traitements?

ENCADRÉ 4.3   Les libéralismes : une tradition variée et multiforme

Le libéralisme n'est pas une théorie unique et indivisible. On peut le diviser en quatre grands courants. Soulignons que ce découpage n'est pas le seul envisageable. Il est possible de distinguer différents courants essentiellement par la façon de définir et de hiérarchiser les **valeurs de propriété, de liberté et de vie ou par les fonctions et les limites assignées à l'État.**

1. Le libéralisme classique

Le premier courant est celui du libéralisme classique, dont les fondateurs sont Locke et Smith en Grande-Bretagne, et les physiocrates en France. Locke et les physiocrates sont partisans des **droits naturels** et de l'État **minimal.**

Smith partage le point de vue des premiers libéraux au sujet de l'État, dont les fonctions sont : 1. Protéger les citoyens contre l'agression étrangère ; 2. Créer un climat favorable aux affaires en érigeant et en entretenant des ouvrages publics (ponts, routes, etc.) ; 3. Former la main-d'œuvre en construisant des écoles de village où les salaires des maîtres seraient payés en grande partie par les parents ; 4. Protéger la propriété[30].

Smith est on ne peut plus clair sur ce dernier point :

> Le gouvernement civil en tant qu'il a pour objet la sûreté des propriétés est, dans la réalité, institué pour défendre les riches contre les pauvres ou bien ceux qui ont quelque propriété contre ceux qui n'en ont point[31].

L'homme politique américain Thomas Paine (1739-1809) est l'un des seuls parmi les premiers libéraux à considérer que la protection de la vie est plus importante que la protection de la propriété et à conclure que les **droits naturels débouchent sur la propriété publique** des ressources naturelles. Cela constitue une hérésie pour un «vrai» libéral.

Le **néolibéralisme** est la version contemporaine du libéralisme classique. C'est la **réactualisation** des grandes idées des classiques, accompagnées de quelques nouveautés intéressantes, mais qui ne changent rien au fond de l'affaire. L'économiste autrichien Friedrich Hayek, chef de file de l'école néolibérale, en a donné une formulation originale et a fourni à cette auguste théorie de nouveaux habits. Le philosophe Robert Nozik reprend les idées de Locke en fondant

---

29. À ce sujet, voir Hadler (2008) et Welch (2005), p. 122.
30. Smith (1859), t. III, p. 30, 74, 165 et 134, 128 et 134.
31. *Ibid.*, p. 57.

ENCADRÉ 4.3   Les libéralismes : une tradition variée et multiforme (*suite*)

sa philosophie sur les droits naturels. Le néolibéralisme a inspiré les politiques conservatrices de Margaret Thatcher, première ministre du Royaume-Uni (1979-1990), et de Ronald Reagan, président des États-Unis (1981-1989).

2. Le libéralisme néoclassique

Un deuxième courant est constitué par le libéralisme néoclassique. Il se démarque des classiques en ce qu'il renonce à la théorie selon laquelle la valeur des marchandises est le produit du travail humain, théorie reprise et élaborée par Marx (*voir le chapitre 8*). C'est à partir de cette théorie que Marx conclut à l'exploitation des travailleurs par la bourgeoisie.

Les néoclassiques insistent plus que leurs prédécesseurs sur l'idée selon laquelle le marché serait **autorégulateur,** ce qui signifie que le mécanisme de l'offre et de la demande permet l'utilisation maximale des ressources, garantit le plein emploi et la croissance économique ininterrompue. L'économie se corrige d'elle-même et n'a pas besoin de compter sur l'État pour apporter la prospérité générale. Autrement dit, les crises sont impossibles. Les crises de 1929 et de 2008-2009, entre autres, devaient infliger un démenti cinglant aux théories des classiques et des néoclassiques. Ces derniers ont donné naissance à ce qu'on appelle l'*Homo œconomicus.*

3. Le libéralisme étatiste, ou social-libéralisme

Au tournant du XXe siècle, le libéralisme connaît une cassure importante avec le développement du libéralisme étatiste, ou social-libéralisme. T. H. Green (1836-1882) et L. T. Hobhouse (1864-1929), véritables précurseurs de l'État-providence, en sont parmi les premiers porte-parole. Au XXe siècle, John Maynard Keynes en est le représentant le plus illustre. Bien après Marx, il remet en question le rôle autorégulateur du marché et l'optimisme de la théorie économique traditionnelle, laquelle enseigne que « tout est pour le mieux dans le meilleur des mondes possibles pourvu qu'on le laisse aller tout seul ». Le marché ne s'autocorrige pas et ne peut assurer à lui seul la croissance et la prospérité, d'où la nécessité d'une intervention de l'État.

Keynes fournit les justifications théoriques de ce qu'on appelle l'« État-providence ». Ses véritables fondateurs sont les travailleurs qui, par leurs luttes, ont forcé la bourgeoisie à concéder des réformes

importantes : limitation de la journée de travail, assurance chômage, salaire minimum, congés payés, assurance maladie, etc.

Ce troisième courant préconise une certaine dose d'intervention de l'État dans l'économie, qui varie selon les auteurs. Hobhouse est sans doute le plus radical. À l'encontre de la plupart des libéraux, il considère que la richesse a un **caractère social** et doit être redistribuée, ce que les néolibéraux contestent. Il propose notamment la taxation des héritages et de la spéculation, et le plafonnement des revenus des riches.

Les premiers utilitaristes, Jeremy Bentham (1748-1832) et John Stuart Mill (1806-1873), peuvent vraisemblablement être associés à ce courant, particulièrement le Mill de la maturité. Ces deux auteurs contestent la philosophie des droits naturels de Locke et considèrent que l'intervention de l'État peut être justifiée dans la mesure où elle augmente la quantité totale de bonheur, principe fondamental de la philosophie utilitariste.

4. Le libéralisme anti-étatiste

Finalement, il existe un quatrième courant, le libéralisme anti-étatiste, qu'on appelle également **libertarisme, ou ultralibéralisme.** Ce courant de pensée est associé au nom de l'économiste et philosophe Murray Rothbard (1926-1995) et à celui de David Friedman (1945-), auteur de *Vers une société sans État.*

Les ultralibéraux poussent les thèses des classiques à leur extrême limite. La propriété n'est pas seulement une valeur qui **prime** sur les autres, c'est la valeur **absolue,** au point de reléguer les droits et libertés qui forment la colonne vertébrale du libéralisme dans les limbes. C'est ainsi que Rothbard écrit qu'il « n'existe aucun Droit particulier à la liberté d'expression, il n'y a que le droit général de *propriété*[32] ». L'enfant est la propriété de sa mère. Si les parents ne peuvent l'agresser, ils ont le « droit de ne pas nourrir leur enfant, de le laisser mourir[33] ». Bref, les « droits de la personne » se résument au droit de propriété. Les ultralibéraux militent en faveur de l'abolition de l'État et préconisent son remplacement par des agences de protection et des armées privées. C'est pourquoi ce courant de pensée est aussi connu sous le nom d'anarcho-capitalisme, du terme « anarchie », qui veut dire « sans État ».

---

32. Rothbard (1991), p. VI. (Souligné dans le texte original.)
33. *Ibid.*, p. 134.

Conclusion

Historiquement, le libéralisme a contribué à nous sortir des brumes des sociétés traditionnelles et joué un rôle positif dans l'histoire.

De nos jours, les idées essentielles des fondateurs du libéralisme sont remises à l'ordre du jour par toute une cohorte de penseurs et de philosophes, les « néolibéraux ». Leur discours est très influent et occupe une place à ce point dominante dans le paysage médiatique qu'on parle du néolibéralisme comme de la « pensée unique », pratiquement la seule à avoir droit de cité.

Le néolibéralisme remet en question l'État-providence et le filet de sécurité sociale qui protège les plus faibles et fournit un **minimum** plus ou moins décent à la plupart des citoyens, sous prétexte que l'État interventionniste serait un fossoyeur de libertés, serait inefficace et volerait aux plus fortunés ce qui leur appartient en propre. D'où les appels à réduire la taille de l'État et à diminuer les impôts des riches. Au sens propre du terme, les néolibéraux préconisent un retour à l'État libéral pur, un État tout « petit pour que le capital soit libre et grand ». Or, cette forme de libéralisme, qui préconise de tenir l'État à distance, a de nouveau fait la preuve, en 2008-2009, qu'elle est un échec. Le capitalisme n'a pu sortir de la crise – et cela de peine et de misère – que grâce à l'intervention massive des États.

En prenant l'État-providence pour cible, les néolibéraux ne confondent-ils pas l'État despotique de la monarchie absolue et l'État-providence ? Comment l'assurance maladie et l'éducation gratuite peuvent-elles être des fossoyeurs de libertés ? N'en sont-elles pas plutôt des conditions ?

La plupart des grands courants du libéralisme soutiennent que le but, la fin ultime de l'être humain est l'accumulation de biens, que celui-ci est naturellement tourné vers la recherche du profit, que ses comportements sont intéressés au sens purement économique du terme et que sa principale motivation est la maximisation de son propre bien-être. En se comportant de façon purement égoïste et individualiste, il rend service à l'humanité. Cet argument ne sert-il pas plutôt à justifier les inégalités flagrantes et les injustices ? Ne serait-ce pas une façon pour les plus fortunés de faire accepter leur sort aux classes défavorisées et pour les riches de se déculpabiliser ?

L'apologie de l'accumulation illimitée de richesses est aujourd'hui devenue intenable. Si nous généralisions le modèle de consommation des pays industrialisés à l'ensemble de la planète, ce qui est en train de se produire, cela prendrait trois ou quatre planètes pour le soutenir. Sans compter que l'accumulation débridée détruit progressivement l'environnement et sonne le glas de nombreuses espèces.

En affirmant que tout ce que l'individu touche lui appartient en propre et qu'il ne doit rien à personne, le libéralisme nie le caractère social de la richesse. Si un terrain vague au centre d'une grande ville a de la valeur, c'est précisément parce que cette ville a une histoire et qu'il existe une vie sociale et artistique qui lui donne sa valeur.

Cette conception de l'être humain aboutit à l'isolement de l'individu, conçu comme un atome sans lien avec les autres, si ce n'est un lien économique. Pour Smith : «Chaque homme subsiste d'échanges ou devient une espèce de marchand, et la société elle-même est proprement une société commerçante[34].» Bref, le ciment social est le commerce, et tous nos comportements sont intéressés.

La plupart des grands courants du libéralisme mettent de l'avant une conception étriquée de l'être humain, qui serait motivé par son seul intérêt égoïste. Que notre société fasse la promotion de cette idéologie et l'encourage ne fait aucun doute, mais l'histoire abonde en contre-exemples. Le médecin et biologiste Jonas Salk (1914-1995) a inventé le vaccin contre la poliomyélite, mais refusé de prendre un brevet sur son invention, ce qui aurait fait de lui un homme immensément riche. Le physicien allemand Wilhelm Röntgen (1845-1923) a refusé de prendre un brevet sur son invention, les rayons X, afin d'en faire bénéficier l'humanité. Expulsé de l'école technique d'Utrech et refusé en physique à l'université de la même ville, il a été admis à l'école polytechnique de Zurich. Il fut le lauréat du premier prix Nobel de physique en 1901.

Le libéralisme traditionnel n'ayant pas rempli ses promesses de liberté, d'égalité et de fraternité, le syndicalisme, les mouvements socialiste et communiste ainsi que les libéraux étatistes ont pris le relais et tenté de mettre en œuvre certaines des revendications que les fondateurs du libéralisme ont laissé tomber en cours de route. Ils ont étendu les droits inscrits dans les chartes aux droits économiques et sociaux, tels que le droit au travail, aux soins de santé, etc.

---

34. Smith (1859), t. I, p. 112-113.

LES IDÉES ESSENTIELLES

▶ **John Locke : aux origines du libéralisme**

Le développement du capitalisme trace la figure de l'homme nouveau, celui dont la fin principale est la conservation – et l'accumulation – de biens.

▶ **Les droits conférés par l'état de nature**

À l'état de nature, les humains ont le devoir de s'autoconserver ; ils sont libres et égaux. La nature leur confère le droit à la propriété, à la vie et à la liberté. Ce sont des droits naturels. Mais comme leur sécurité n'est pas assurée, ils passent de l'état de nature à l'état social, ou état civil, en se munissant d'un gouvernement qui leur garantira ces droits.

▶ **De l'appropriation limitée à l'appropriation illimitée**

À l'état de nature, la terre appartient à tous. Mais comme je suis propriétaire de mon propre corps, mon travail me donne le droit de m'approprier ce dont j'ai besoin à condition d'en laisser assez aux autres. L'appropriation est limitée. L'apparition de l'or et de l'argent, qui se conservent mieux que la nourriture, ouvre la porte à l'appropriation illimitée des choses.

▶ **Le droit de propriété est fondamental**

Je ne suis nullement redevable aux autres de ce que j'acquiers par mon travail. Le droit le plus fondamental est le droit de propriété, dont les autres découlent. Ma vie et ma liberté en dépendent. En vertu de ce droit, je peux vendre mon travail à qui je veux. Ce faisant, ma production appartient à l'autre.

▶ **La théorie de l'harmonie des intérêts et l'égoïsme**

Adam Smith soutient que l'égoïsme est le moteur de la société. Ce qu'on peut considérer comme un vice est en réalité une vertu, puisque c'est en veillant à ses propres intérêts qu'on travaille pour le bien-être de l'ensemble de la société.

▶ **L'*Homo œconomicus***

La tradition libérale a donné naissance au concept d'*Homo œconomicus.* L'être humain est un décideur éclairé qui cherche à maximiser son bien-être en fonction de décisions purement rationnelles.

▶ **Quelques remarques critiques**

La théorie des droits naturels, celle de l'harmonie des intérêts et la vision de l'être humain en tant que décideur rationnel ont fait l'objet de nombreuses remises en question.

▶ **Les différents courants du libéralisme** (*voir l'encadré 4.3, p. 75-76*)

On peut diviser le libéralisme en quatre grands courants : 1. Le libéralisme classique, dont le néolibéralisme est l'expression la plus contemporaine ; 2. Le libéralisme néoclassique ; 3. Le social-libéralisme ; 4. Le libéralisme anti-étatiste.

EXERCICES

Vérifiez vos connaissances : vrai ou faux ?

1. Le libéralisme a donné naissance aux sociétés de droit.

2. Dans un premier temps, Locke affirme qu'à l'état de nature tous les humains sont égaux.

3. Pour Locke, je suis seul propriétaire de ce que mon corps et mes mains produisent.

4. L'appropriation illimitée des ressources naturelles est rendue possible par l'apparition de la monnaie.

5. Selon la théorie de l'harmonie des intérêts, l'égoïsme est une vertu.

6. La théorie du choix rationnel suppose que toute prise de décision doit être fondée sur une information complète.

Synthétisez vos connaissances et développez une argumentation.

1. Comment Locke justifie-t-il le passage de l'appropriation limitée à l'appropriation illimitée ?

2. Hayek soutient que la redistribution des revenus est source d'injustice. Résumez son argumentation.

3. Qu'est-ce que la théorie de l'harmonie des intérêts ? Soulevez deux objections à l'égard de cette théorie.

TEXTES À L'ÉTUDE

Texte 1 : *Traité du gouvernement civil* (extrait)

Locke (1992a), p. 163

Cet extrait pose une limite à l'appropriation. C'est ce qu'on appelle la « clause lockéenne ».

Encore que la terre et toutes les créatures inférieures soient communes et appartiennent en général à tous les hommes, chacun pourtant a un droit particulier sur sa propre personne, sur laquelle nul autre ne peut avoir aucune prétention. Le travail de son corps et l'ouvrage de ses mains, nous le pouvons dire, sont son bien propre. Tout ce qu'il a tiré de l'*état de nature,* par sa peine et son industrie, appartient à lui seul : car cette peine et cette industrie étant sa peine et son industrie *propre* et *seule,* personne ne saurait avoir droit sur ce qui a été acquis par cette peine et cette industrie, surtout, s'il reste aux autres assez de semblables et d'aussi bonnes choses communes.

Texte 2 : *Traité du gouvernement civil* (extrait)

Locke (1992a), p. 279-280

Dans cet extrait, la vie et la liberté sont subordonnées à la propriété.

[...] Or, jusqu'à quel point s'étend ce droit sur les possessions des subjugués ? c'est ce que nous verrons dans l'instant. Concluons seulement ici, qu'un vainqueur, qui par ses conquêtes a droit sur la vie de ses ennemis et peut la leur ôter, quand il lui plaît, n'a point droit sur leurs biens, pour en jouir et les posséder. Car, c'est la violence brutale dont un agresseur a usé, qui a donné à celui à qui il a fait la guerre, le droit de lui ôter la vie et de le détruire, s'il le trouve à propos, comme une créature nuisible et dangereuse ; mais c'est seulement le dommage souffert qui peut donner quelque droit sur les biens des vaincus. Je puis tuer un voleur qui se jette sur moi dans un grand chemin ; *je ne puis pas pourtant,* ce qui semble être quelque chose de moins, *lui ôter son argent, en épargnant sa vie et le laisser aller ;* si je le faisais, je commettrais, sans doute, un larcin. La violence de ce voleur, et l'*état de guerre* dans lequel il s'est mis, lui ont fait perdre le droit qu'il avait sur sa vie, mais ils n'ont point donné droit sur ses biens. De même, le droit des *conquêtes* s'étend seulement sur la vie de ceux qui se sont joints dans une guerre, mais non sur leur biens, sinon autant qu'il est juste de se dédommager, et de réparer les pertes et les frais qu'on a faits dans la guerre ; avec cette restriction et cette considération, que les droits des femmes et des enfants innocents soient conservés.

Établissez des liens entre les idées.

Comparez le point de vue de Locke et des néolibéraux à celui du social-libéralisme.

LECTURES SUGGÉRÉES

Hayek, F. A. (1980, 1982, 1983). *Droit, législation et liberté,* t. I, t. II, t. III. Paris : Presses Universitaires de France.

Locke, J. (1992a). *Traité du gouvernement civil*. Paris : GF-Flammarion.

Locke, J. (1992b). *Lettre sur la tolérance et autres textes*. Paris : GF-Flammarion.

Macpherson, C. B. (2004). *La théorie politique de l'individualisme possessif. De Hobbes à Locke*. Paris : Gallimard (Coll. « Folio/Essais »).

St-Onge, J.-C. (2000). *L'imposture néolibérale. Marché, liberté et justice sociale*. Montréal : Éditions Écosociété.

CHAPITRE 5

Jean-Jacques Rousseau : liberté et perfectibilité

Le premier qui ayant enclos un terrain s'avisa de dire : « Ceci est à moi » et trouva des gens assez simples pour le croire, fut le vrai fondateur de la société civile. Que de crimes, de guerres, de meurtres, que de misères et d'horreurs n'eût point épargnés au genre humain celui qui, arrachant les pieux ou comblant le fossé, eût crié à ses semblables : « Gardez-vous d'écouter cet imposteur : vous êtes perdus si vous oubliez que les fruits sont à tous et que la terre n'est à personne. »

Jean-Jacques Rousseau

Préambule

Le XVIIIe siècle marque un tournant. On fait de moins en moins appel à Dieu pour définir l'être humain, et les vieux repères identitaires commencent à se dissoudre. C'est au Siècle des Lumières que se constituent les bases d'une véritable «science de l'homme». Les influences des philosophes, des naturalistes (biologistes) et des ethnologues (spécialistes de l'étude des civilisations) contribuent à la nouvelle définition de l'être humain. Malgré ses professions de foi, Jean-Jacques Rousseau est un digne représentant de cette tendance. Son travail constitue une charnière entre les conceptions traditionnelles de l'être humain et celles qui suivent.

Introduction

La découverte des civilisations du Nouveau Monde fascine les Européens, notamment Jean-Jacques Rousseau. Plusieurs d'entre eux pensent avoir découvert une clé pour comprendre l'homme à l'état de nature, tel qu'il existait avant l'apparition de la vie en société[1] (*voir l'encadré 5.1, p. 85*). Cette passion pour retrouver l'homme originel donne lieu à des expériences parfois cruelles, comme celle de Frédéric II, dont nous avons parlé au chapitre 1 (*voir p. 20*). L'homme à l'état pur, débarrassé des influences de la civilisation, serait-il un fantasme?

Certains pensent que ces découvertes fourniront des indices pour répondre à une question fondamentale: L'être humain est-il naturellement bon ou mauvais? Si celui-ci est naturellement mauvais, les humains s'entre-déchireront et, pour faire régner la paix, ils auront besoin d'un gouvernement autoritaire et dictatorial. Au contraire, si les qualités naturelles et originelles de l'être humain sont bonnes, il y aura là une assise pour refonder la société. La conclusion de Rousseau est que le mal n'est pas en l'homme. Celui-ci a été dénaturé par la vie en société, transformé et corrompu par la technique, les arts et les sciences, qui ont perverti la nature humaine. Pour remédier aux maux de la civilisation, Rousseau propose une entente, le contrat social, qui apportera la liberté civile aux hommes, et mise sur l'éducation pour retrouver les qualités originelles de l'être humain. Il se situe ainsi aux antipodes de Freud, qui croit que la méchanceté est ancrée en nous, et de Sartre, qui rejette la notion même de nature humaine.

Notes biographiques

Jean-Jacques Rousseau n'a pas fréquenté les «bonnes» écoles: c'est un autodidacte. D'origine modeste, il est né dans une famille **calviniste** à Genève (Suisse) en 1712. Il terminera sa vie mouvementée à Ermenonville (France) en 1778. À 15 ans, il s'enfuit de sa ville natale, se convertit au catholicisme, sillonna la Suisse, exerça divers métiers et donna des leçons de musique. À 19 ans, il

Calvinisme
Doctrine du théologien français Jean Calvin (1509-1564), mort en Suisse. Branche du protestantisme qui prit naissance au XVIe siècle en réaction contre l'Église de Rome. Selon cette doctrine, certaines personnes seraient destinées au salut et d'autres, à la damnation.

---

1. À ce sujet, voir l'excellent dossier «À la recherche de la nature humaine», *Sciences humaines* (1996).

parcourut le sud de la France et devint précepteur (donnant des leçons privées). Il s'installa à Paris vers 1741. Il y fit la rencontre de **Denis Diderot** (1713-1784), collabora à l'*Encyclopédie* et écrivit un opéra. Il connut la célébrité en 1750 grâce à son *Discours sur les sciences et les arts*. En 1754, il revint à sa foi d'origine et, à la fin de sa vie, opta pour le déisme, religion naturelle sans prêtres ni dogmes.

Véritable paradoxe, Rousseau se méfie des philosophes et ne se prive pas d'éreinter la raison parce qu'elle dénature l'être humain. Lui qui avoue son « invincible dégoût » pour toute forme de commerce social écrira *Du contrat social* en 1762. La même année, il publiera un volumineux traité sur l'éducation des enfants, *Émile ou De l'éducation*. Pourtant, il a confié ses cinq enfants à l'assistance publique.

Denis Diderot (1713-1784)
Romancier, dramaturge et philosophe français. Fondateur, avec d'Alembert, de l'*Encyclopédie*. Diderot élabore une philosophie matérialiste et athée. Chez lui, la morale ne se fonde plus sur l'autorité divine, mais sur la raison et les sentiments naturels.

Rousseau pose les bases d'une anthropologie laïque en rejetant le dogme du péché originel et en fondant la légitimité de l'État sur la volonté du peuple plutôt que sur la volonté divine.

La société est à l'origine du mal

Comme plusieurs de ses contemporains, Rousseau a contribué à poser les bases d'une anthropologie laïque. Il a rejeté le dogme du péché originel et la thèse de la volonté divine en tant que fondement du pouvoir politique et décrit l'être humain comme le résultat de l'interaction de la nature avec l'environnement.

S'il est une chose que l'histoire a retenue de Rousseau, c'est la célèbre phrase tirée du *Discours sur l'origine de l'inégalité parmi les hommes*: « L'homme est naturellement bon[2]. » Soulignons qu'elle est reléguée dans une note présentée à la fin du *Discours*. En effet, ce que dit Rousseau est plus complexe: à l'origine, les hommes « ne pouvaient être ni bons ni méchants, et n'avaient ni vices ni vertus[3] »; ils étaient amoraux. Rousseau n'est pas l'homme naïf qu'on a souvent dépeint. « Les hommes sont méchants, une triste et continuelle expérience dispense de la preuve[4]. » Cependant, il accuse la société d'avoir dénaturé l'homme et s'oppose à ceux qui, comme Hobbes, pensent qu'il est naturellement méchant. Rousseau croit plutôt qu'il a été dépravé par la vie en société, laquelle engendre le pouvoir de l'argent, la domination et la servitude, l'hypocrisie et l'injustice.

Pour montrer que **le mal n'est pas inné,** Rousseau retrace l'histoire de l'humanité, à partir de l'état de nature jusqu'à l'état social. Il précise que son récit n'est pas fondé sur des vérités historiques, mais constitue une hypothèse. À travers cette fiction, il se propose de tracer le portrait fidèle de la nature humaine, en départageant ce qu'il convient d'attribuer à la nature et ce qui revient à la société ou à la culture. Cette analyse lui permettra de suggérer des remèdes aux problèmes sociaux dans *Du contrat social* et l'*Émile*.

---

2. Rousseau (1962), p. 100. Cette phrase se trouve dans une note que Rousseau avoue avoir « rejetée » à la fin du texte, car ces notes « s'écartent quelquefois assez du sujet pour n'être pas bonnes à lire avec le texte ».
3. *Ibid.*, p. 57.
4. *Ibid.*, p. 100.

ENCADRÉ 5.1   La fascination pour l'être humain

Au XVIIIe siècle, on assiste à une véritable explosion de l'intérêt pour l'être humain. En 1738, le philosophe écossais David Hume (1711-1776) publie son *Traité de la nature humaine*. En France, plusieurs philosophes proposent une définition matérialiste (rejetant toute explication surnaturelle) de l'être humain. Sous l'influence de Descartes, La Mettrie (1709-1751) publie *L'homme-machine* en 1748. L'être humain y est réduit à une mécanique et l'auteur, faisant une lecture très personnelle de Descartes, en déduit la matérialité de l'âme. Helvétius (1715-1771) et Holbach (1723-1789) insistent quant à eux sur l'importance de l'éducation dans la formation de l'être humain. Selon Helvétius : « Il n'est rien d'impossible à l'éducation : elle fait danser l'ours[5]. » Kant (1724-1804), qui pense que toute la philosophie peut se ramener à la question « Qu'est-ce que l'homme ? », publie son *Anthropologie du point de vue pragmatique* en 1798.

Les naturalistes comme Buffon (1707-1788) croient que l'être humain se distingue des autres animaux par la pensée, la parole, la technique, le pouvoir d'invention et la vie en société. Ces critères établiraient une distance infinie entre « l'humain le plus fruste » et le plus évolué des animaux[6].

Vers la fin du XVIIIe siècle, on abandonne l'idée selon laquelle il existerait des créatures étranges, comme ces géants de Patagonie qui auraient deux fois la taille d'un Anglais, ou encore des êtres mi-hommes, mi-bêtes. En 1799, la Société pour l'observation de l'homme voit le jour à Paris. Elle éclatera en 1805.

L'état de nature

La première étape : l'animal présociable

À l'origine, l'être humain est un animal présociable. Il est animé par l'**amour de soi,** sorte d'instinct de conservation qui exclut toute forme d'agressivité. Il ne connaît pas le langage, vit en solitaire et n'entretient presque aucune relation avec les autres. Sans domicile fixe, il a des besoins limités : manger, boire, s'abriter, copuler. Les rencontres sexuelles sont fortuites et, la chose faite, chacun part de son côté. Très tôt, les enfants quittent leur mère ; les parents ne reconnaissent pas leur progéniture.

Les inégalités sont **naturelles** et à peine perceptibles : différences de santé, de forces, de talents. Comme les humains ne possèdent rien, il ne peut s'établir de liens de dépendance entre eux. La servitude ne pouvant naître « que de la dépendance mutuelle[7] », l'exploitation n'existe pas. L'être humain jouit d'une grande **liberté naturelle**.

Liberté naturelle
À l'état de nature, l'être humain est libre et ne dépend de personne. Il va et vient à sa guise et n'a aucune obligation. Il n'est pas esclave des désirs insatiables et des besoins artificiels créés par la vie en société.

La deuxième étape : vers l'état social

De ce premier état émerge une étape située entre le pur état de nature et l'état social. L'être humain acquiert un langage et les techniques évoluent. Il construit des cabanes et apprend que la coopération est avantageuse ; la famille voit le jour. Tant que les humains restèrent dans cet état, « ils vécurent libres, sains, bons et heureux[8] ». Mais, déjà, l'observation de la nature permet à l'être humain de développer sa faculté de comparer. Celle-ci se déploie du fait qu'il vit en compagnie. Il se compare aux autres : certains sont plus beaux, plus rapides, plus éloquents, meilleurs danseurs, etc. L'être humain commence à dépendre du regard des autres. La **reconnaissance** devient une valeur importante et des rivalités se créent. C'est une première rupture avec le pur état de nature.

---

5. Cité dans Weinberg (1996).
6. *Ibid.*
7. Rousseau (1962), p. 65.
8. *Ibid.*, p. 73.

Chasseurs-cueilleurs
Pendant environ 99 % de son histoire, l'humanité a vécu de la chasse faite par les hommes et de la cueillette réservée aux femmes, laquelle était, de loin, la principale source de nourriture. Il existe encore un certain nombre de sociétés de chasseurs-cueilleurs (les Pygmées et les Bochimans d'Afrique, les Cuivas d'Amérique latine). Ce sont des sociétés relativement égalitaires, sans castes, où le chef dispose d'une autorité morale sans privilèges matériels significatifs. La propriété privée des moyens de production est inconnue et le travail repose sur la collaboration. Les territoires de chasse et de cueillette, les cours d'eau, etc., sont détenus collectivement et les produits du travail sont répartis plus ou moins équitablement.

Rapine
Action de piller, de prendre par la violence.

Bien que Rousseau se défende de faire de l'histoire, son inventaire de la deuxième étape de l'état de nature n'en constitue pas moins, par de nombreux aspects, une description vraisemblable des sociétés de **chasseurs-cueilleurs**.

L'état social

L'invention de la métallurgie et de l'agriculture entraîne le partage des terres, et l'introduction de la propriété marque une autre rupture.

> [L'inégalité,] étant presque nulle dans l'état de nature, tire sa force et son accroissement du développement de nos facultés et des progrès de l'esprit humain, et devient enfin stable et légitime par l'établissement de la propriété et des lois[9].

La société du paraître

La vie en société fait qu'être et paraître deviennent deux choses. Les progrès donnent à chacun un certain rang en vertu de sa beauté, de sa fortune ou de ses talents. Il faut bientôt avoir toutes ces qualités ou **faire semblant** de les posséder. « Il fallut, pour son avantage, se montrer autre que ce qu'on était en fait[10]. » Cela engendre l'hypocrisie, la ruse, les vices, les faux besoins. Puis les calamités s'enchaînent : exploitation et servitude, violence et **rapine**. L'être humain devient avare, méchant, ambitieux et la guerre s'institutionnalise. Les hommes, naturellement libres, une fois habitués à la servitude l'acceptent sans murmurer. Du coup, l'être humain est coupé de sa nature originelle. Ce sont les débuts de l'aliénation, thème que reprendra Marx une centaine d'années plus tard. La figure 5.1 présente la thèse de Rousseau au sujet de l'évolution de l'être humain.

L'anthropologie de Rousseau

La liberté

Rousseau se démarque de Descartes. Pour lui, ce qui distingue l'être humain de la bête n'est pas la raison mais la liberté. Les animaux sont soumis aux instincts, la bête obéit aux lois de la nature. « [Elle] ne peut s'écarter de la règle qui lui est prescrite, [elle] choisit ou rejette par instinct[11]. »

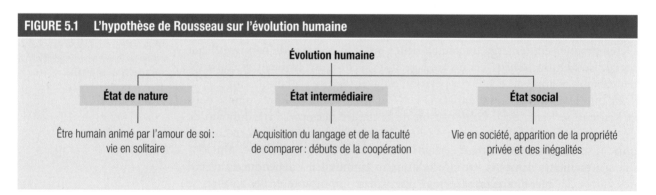

FIGURE 5.1   L'hypothèse de Rousseau sur l'évolution humaine

Évolution humaine

État de nature	État intermédiaire	État social
Être humain animé par l'amour de soi : vie en solitaire	Acquisition du langage et de la faculté de comparer : débuts de la coopération	Vie en société, apparition de la propriété privée et des inégalités

9. *Ibid.*, p. 92.
10. *Ibid.*, p. 76.
11. *Ibid.*, p. 47.

L'être humain, lui, choisit et rejette par un **acte de liberté,** car il possède la « puissance de vouloir ou plutôt de choisir » (*voir le* Texte à l'étude 1, *p. 95*). Son comportement n'est pas rigoureusement déterminé, comme nous l'avons vu au chapitre 1.

La perfectibilité

La qualité la plus fondamentale du genre humain est la faculté de se perfectionner, car **elle permet de développer toutes les autres.** Cette qualité se nomme la « perfectibilité » (terme inventé par Rousseau). Elle distingue radicalement les humains des bêtes, car, au bout de quelques mois, la bête est ce qu'elle « sera toute sa vie, et son espèce, au bout de mille ans, ce qu'elle était la première année de ces mille ans[12] ». Contrairement au comportement de l'humain, celui de l'animal est relativement stable, prévisible et semblable chez tous les membres de l'espèce. C'est ainsi que les abeilles d'aujourd'hui ne savent rien faire de plus que celles qui existaient à l'époque du Christ.

L'être humain a la capacité d'évoluer, d'acquérir de nouvelles qualités qui sont contenues en germe chez l'homme naturel. C'est à cause de ce potentiel d'évolution que la nature humaine n'est pas figée mais **plastique.** La perfectibilité fait que l'être humain a une **histoire.** Il a la capacité de se transformer en modifiant son univers, et sa constitution est influencée par les nouvelles circonstances qu'il a créées. Les progrès de la pensée, les nouvelles techniques et les institutions qu'il invente (la famille, la propriété privée, etc.) contribuent à le modeler. Cette idée sera reprise et développée par Marx.

Cependant, si l'être humain est perfectible, c'est pour le meilleur et pour le pire. Rousseau penche en faveur du pire. En effet, cette faculté « est la source de tous les malheurs de l'homme ». C'est elle qui le tire de sa condition d'origine. Elle fait éclore « ses erreurs, ses vices et ses vertus[13] » (*voir le* Texte à l'étude 1, *p. 95*).

Les qualités originelles : amour de soi et pitié

À l'origine, l'être humain se caractérise par des qualités qui sont antérieures au développement de la raison. Il y a tout d'abord l'**amour de soi,** que Rousseau distingue de l'**amour-propre,** ou égoïsme.

La deuxième qualité naturelle est la **pitié.** C'est la capacité de s'identifier à l'autre, la « répugnance à voir souffrir tout être sensible, et principalement nos semblables[14] ». Ces qualités appartiennent à tous les êtres sensibles, y compris les bêtes. Dans le monde animal, les mères bravent les dangers pour sauver leurs petits, les chevaux ne foulent pas aux pieds un corps vivant.

Portrait de Jean-Jacques Rousseau par Maurice Quentin de la Tour (1704-1788).

---

12. *Ibid.,* p. 48.
13. *Ibid.,* p. 47.
14. *Ibid.,* p. 37.

La dualité raison-passion

Contrairement aux rationalistes, Rousseau n'érige pas un mur entre la raison et la passion : elles se nourrissent mutuellement et les passions perfectionnent la raison. Si l'être humain cherche à connaître, c'est parce qu'il désire jouir du désir de savoir. Celui qui n'a aucun désir ni aucune crainte ne se donne même pas la peine de raisonner. Rousseau exprime ses réticences quant à la toute-puissance et aux vertus qu'on attribue à la raison : « [...] j'ose presque assurer que l'état de réflexion est un état contre nature et que l'homme qui médite est un animal dépravé[15]. »

La notion de progrès devient une valeur centrale à partir du XVIIIᵉ siècle. Le concept est élaboré dans le sillage des développements de la science et de la raison. Le progrès doit donner naissance à des sociétés plus justes et civilisées. Rousseau sera l'un des seuls penseurs du siècle à faire preuve de pessimisme quant à ces possibilités.

C'est la raison qui stimule l'amour-propre. Elle fait se replier l'être humain sur lui-même et le coupe de sa **sensibilité.** Elle l'empêche d'intervenir quand quelqu'un se fait égorger sous sa fenêtre. Bien en sécurité dans sa chambre, il n'a qu'à « se mettre ses mains sur ses oreilles, et s'argumenter un peu, pour empêcher la nature qui se révolte en lui de l'identifier avec celui qu'on assassine[16] ». C'est ainsi que Rousseau doute des professionnels de l'argumentation, les philosophes.

> Chacun sait bien que son système n'est pas mieux fondé que les autres [...] Il n'y en a pas un seul qui, venant à connaître le vrai et le faux, ne préférât le mensonge qu'il a trouvé à la vérité découverte par un autre. Où est le philosophe qui, pour sa gloire, ne tromperait pas volontiers le genre humain ? [...] L'essentiel est de penser autrement que les autres[17].

Les solutions de Rousseau

Le passage à l'état social a fait perdre au genre humain ses qualités d'origine. Que faire pour les retrouver, ne serait-ce que partiellement ? Voltaire suggérait, non sans mauvaise foi, qu'il fallait régresser vers l'état originel. Rousseau propose plutôt des modifications : d'une part, édifier une société fondée sur la justice et le droit – c'est le contrat social ; d'autre part, donner aux jeunes une éducation qui fortifiera les qualités originelles de l'être humain.

Du contrat social est une tentative pour fonder la légitimité de l'État. La plupart des théories politiques attribuaient cette légitimité à trois sources : l'autorité paternelle, la force et l'autorité divine (les rois, supérieurs à leurs peuples, auraient été placés dans cette fonction directement par Dieu). Rousseau veut ancrer la légitimité du pouvoir politique dans la volonté générale, la souveraineté du peuple.

Le contrat social

Du contrat social s'ouvre sur cette note : « L'homme est né libre, et partout il est dans les fers. » C'est la triste réalité des sociétés humaines, à laquelle Rousseau propose un remède : le pacte social. Il s'agit d'une entente entre les membres de la société pour garantir le maximum de liberté à chaque citoyen. Cette nouvelle liberté sera réalisée dans une société où l'auteur des lois sera le peuple, **seul souverain légitime.** C'est par une décision rationnelle que le pacte verra le jour.

---

15. *Ibid.,* p. 45.
16. *Ibid.,* p. 60.
17. Rousseau (1964), p. 323.

La liberté sous l'empire des lois

Dans le pacte imaginé par Rousseau, chaque membre **cède sa liberté naturelle** et son pouvoir au profit de la communauté. En retour, il obtient la liberté civile et la protection de ses biens.

> Ce que l'homme perd par le contrat social c'est sa liberté naturelle […] ; ce qu'il gagne c'est la liberté civile et la propriété de tout ce qu'il possède[18].

Si chaque signataire du contrat sacrifie certains avantages, il en gagne de plus grands. Selon Rousseau, la liberté civile rend l'homme maître de lui-même, car « l'impulsion du seul appétit [les désirs] est esclavage, et l'obéissance à la loi qu'on s'est prescrite est liberté[19] ». Nous y reviendrons plus loin.

Les lois doivent exprimer la volonté générale et trouver leur source dans « l'intérêt commun [qui] unit[20] » les membres de la collectivité. Rousseau soulève la possibilité de contradictions entre l'État et le citoyen, la volonté générale et les volontés particulières. Il admet qu'il existe de puissants groupes d'intérêts qui pourraient imposer leurs propres décisions au détriment de la collectivité. Dès lors, qu'est-ce qui garantit que la volonté générale s'imposera ? D'une part, Rousseau pense que les volontés particulières ont tendance à s'annuler et que, par une sorte de miracle, la volonté générale triomphera. D'autre part, la volonté générale est celle de chaque citoyen : en effet, chaque homme qui obéit « au souverain, n'obéit qu'à lui-même ». Il s'ensuit que « la volonté générale est toujours droite et tend toujours à l'utilité publique[21] ». Dans le livre IV du *Contrat social*, Rousseau dit que le citoyen consent à toutes les lois, « même à celles qu'on passe malgré lui ».

> La liberté civile garantit celle du citoyen au moyen de lois, le protège de l'arbitraire et lui assure la sécurité. C'est une forme de liberté morale, fondée sur le devoir, l'obligation et la raison.

L'égalité civile

Après qu'il eut critiqué les inégalités, on se serait attendu à ce que Rousseau propose, dans *Du contrat social,* de les éliminer. Mais il constate que l'État ne peut empêcher les citoyens d'être inégaux « en force et en génie », ni en puissance et en richesses. Il se contente de préciser qu'il ne faudrait pas qu'un citoyen soit assez riche pour « en acheter un autre, et nul assez pauvre pour être contraint de se vendre[22] ». Rousseau opte pour une égalité devant la loi : chaque citoyen doit avoir les mêmes droits et les mêmes obligations.

> La Révolution française de 1789 s'est munie de la *Déclaration des droits de l'homme et du citoyen,* qui affirme : « La loi est l'expression de la volonté générale. » Les révolutionnaires de 1789 reconnaîtront Rousseau comme un précurseur.

L'éducation

Si *Du contrat social* propose une vision rationnelle de la liberté fondée sur le droit, l'*Émile* opte pour une pédagogie fondée sur le **cœur** et les **sentiments.** L'éducation doit cultiver les qualités originelles d'Émile, préserver sa liberté naturelle, le soustraire aux influences néfastes de la société et en faire un homme honnête plutôt que savant.

Émile est orphelin. D'intelligence normale, il est issu d'une famille noble et sera élevé à la campagne. Il prendra ses leçons de la nature et non des hommes, qui pervertissent

---

18. Rousseau (1996), p. 30.
19. *Ibid.,* p. 30-31.
20. *Ibid.,* p. 47.
21. *Ibid.,* p. 42.
22. *Ibid.,* p. 72.

L'*Émile* de Rousseau marque une rupture dans la façon d'aborder l'enfance.

tout ce qu'ils touchent. Son éducation sera progressive. On ne commencera pas par développer ses facultés intellectuelles, car «c'est commencer par la fin[23] ». On cultivera successivement le corps, les sens et, à partir de 13 ans, l'esprit et le raisonnement. Émile n'apprendra jamais rien par cœur. Paradoxalement, Rousseau dira ceci : «La première idée qu'il faut lui donner est donc moins celle de la liberté que de la propriété[24]. »

L'éducation d'Émile sera donc basée sur l'expérience, et non sur les connaissances livresques. Rousseau exclut la punition, car «les premiers mouvements de la nature sont toujours droits[25] » : il n'y a pas de perversité originelle dans le cœur humain. C'est pourquoi on lui révélera Dieu à l'âge de 18 ans et l'on commencera à développer son sens moral à l'âge de 20 ans. Son éducateur ne lui rendra pas la vie facile pour autant, car il n'est pas question qu'il obtienne tout ce qu'il demande : ses besoins de fantaisie doivent être réprimés.

Ce que Rousseau apporte de nouveau, et qui marque toute sa pédagogie, c'est l'importance de traiter Émile comme un enfant et non comme un adulte. Jusque-là, on considérait les enfants comme des adultes en miniature. Rousseau fait de l'enfance une période à part, avec ses nécessités et ses besoins particuliers.

Ce livre a fortement déplu aux autorités ecclésiastiques. Menacé d'arrestation, Rousseau devra s'exiler et l'*Émile* sera brûlé sur la place publique.

Sophie ou la fée du logis

L'homme n'est pas fait pour rester seul. Émile a besoin d'une femme : c'est Sophie. Si la plupart des philosophes ont été remarquablement discrets sur la différence des sexes, Rousseau a consacré tout un livre de l'*Émile* au sujet. D'entrée de jeu, il annonce ses couleurs :

> Soutenir vaguement que les deux sexes sont égaux et que leurs devoirs sont les mêmes c'est se perdre en déclarations vaines[26] [...]

Rousseau trace le portrait de Sophie. Elle est d'un naturel bon, sensible et faite «spécialement pour plaire à l'homme». Ce qu'elle préfère, ce sont «les travaux de son sexe» : tailler, coudre et broder. Sophie, c'est la fée du logis : «[...] elle n'y trouve jamais assez de propreté[27]. » Elle est capricieuse, inconstante et change souvent d'idée. C'est pourquoi il ne faut pas lui laisser trop de liberté.

Elle n'aura pas la même éducation qu'Émile, car sa «destination propre c'est de faire des enfants». Son «esprit est agréable sans être brillant et solide sans être profond[28] ».

---

23. Rousseau (1964), p. 76.
24. *Ibid.*, p. 89.
25. *Ibid.*, p. 81.
26. *Ibid.*, p. 451.
27. *Ibid.*, p. 500.
28. *Ibid.*, p. 501.

Elle sera d'une fidélité exemplaire : si l'infidélité de l'homme est « injuste et barbare », la femme « infidèle fait plus, elle dissout la famille ». En « donnant à l'homme des enfants qui ne sont pas à lui, elle trahit les uns et les autres, elle joint la perfidie à l'infidélité[29] ». Bref, Sophie est passive et faible ; Émile est actif et fort. C'est une « loi de la nature ». Bien d'autres philosophes du XVIIIe siècle afficheront des idées semblables.

Le sociologue américain Broverman a montré que ces stéréotypes étaient toujours vivants en 1970. Il a demandé à 1 000 personnes de décrire les qualités masculines et

Illustration figurant dans l'*Émile*. Gravure en couleur de l'École française du XVIIIe siècle.

féminines « saines ». Il en est ressorti que les hommes étaient logiques, objectifs et autonomes, toutes qualités liées à la raison. Les femmes étaient émotives, subjectives, passives et soucieuses de leur apparence, bref esclaves du corps et des passions. Ces stéréotypes, qui ont cantonné chacun des deux sexes dans des territoires et des rôles précis pendant des millénaires, ont servi de repères identitaires aux hommes et aux femmes. Depuis une quarantaine d'années, ce modèle traditionnel est en pleine crise.

Des éléments de critique

L'état de nature décrit par Rousseau, particulièrement sa première étape, n'a jamais existé. Les données anthropologiques indiquent que même les ancêtres des premiers humains, les australopithèques, auraient vécu en groupe[30]. D'ailleurs, on imagine mal les humains vivant en solitaire, compte tenu des dangers qu'ils devaient affronter et du peu de défenses naturelles qu'ils possédaient. Et il est encore plus difficile de concevoir comment les enfants auraient pu se débrouiller seuls dans un monde aussi hostile.

Le premier humain, *Homo habilis,* ce qui signifie « homme habile », aurait environ 2,5 millions d'années. Son ancêtre immédiat est l'australopithèque, qui se situe entre le singe et l'humain. Il avait un crâne près de quatre fois plus petit que celui de l'être humain actuel. La fameuse Lucy, découverte en Afrique et mesurant 110 centimètres, est une australopithèque. On a estimé son âge à 3,2 millions d'années.

---

29. *Ibid.*, p. 450.
30. Campbell (1995), p. 605.

Aucune société ni aucune constitution n'a été édifiée à la suite de la signature d'un contrat du genre de celui que Rousseau et d'autres ont proposé. Ce pacte est une fiction qui permet de dégager les bases de la liberté civile.

Dans l'*Émile,* Rousseau est conscient des limites de la liberté civile. Il désavoue *Du contrat social* quand il affirme que les lois ne suffisent pas à garantir la liberté et que la volonté générale est une mystification :

> C'est en vain qu'on aspire à la liberté sous la sauvegarde des lois. Des lois ! où est-ce qu'il y en a, et où est-ce qu'elles sont respectées ? Partout tu n'as vu régner sous ce nom que l'intérêt particulier et les passions des hommes[31].

Comme l'écrit Blaise Bachofen, *Du contrat social* est « un texte isolé et singulier dans l'œuvre de Rousseau[32] ». Et bien que Rousseau y affirme que la liberté civile est supérieure à la liberté naturelle, il reste convaincu que la première est imparfaite, si jamais elle est réalisable.

Une autre conception de la liberté emporte la préférence de Rousseau : « l'homme vraiment libre ne veut que ce qu'il peut[33] » et il y a des choses qu'il ne peut pas. En effet, « il y a deux sortes de dépendance : celle des choses qui est de la nature ; celle des hommes qui est de la société[34] ». Or, la dépendance des choses n'est pas nuisible ; il suffit de se détacher des événements qu'on ne peut contrôler, tels que la mort et les guerres. L'être humain ne peut rien contre le sort. En fait, c'est aux lois de la nature « qu'il doit s'asservir pour être libre. [...] Elles sont écrites au fond de son cœur par la conscience et la raison. [...] La liberté n'est dans aucune forme de gouvernement, elle est dans le cœur de l'homme libre[35] ». Finalement, la liberté de l'homme n'est pas de faire ce qu'il veut, mais de ne pas faire ce qu'il ne veut pas, de ne pas être esclave des besoins artificiels ni de dépendre de qui que ce soit.

Conclusion

Rousseau ne se cachait pas d'être un homme paradoxal : « J'aime mieux être un homme à paradoxes qu'un homme à préjugés[36]. » Derrière une certaine candeur, qui peut faire illusion, son œuvre recèle quantité d'intuitions intéressantes.

Il fut un précurseur à maints égards. Ses thèses sur l'éducation ont influencé les formes contemporaines de pédagogie parallèle. Pour les uns, il est le véritable précurseur de la sociologie. Pour les autres, Rousseau, qui avait lu les récits des explorateurs, dessine les contours de cette nouvelle science humaine, l'ethnologie. Bien avant Freud, il insiste sur l'importance de l'enfance dans la formation de l'adulte. Sa théorie des fondements du pouvoir politique inspire les théoriciens de la Révolution française de 1789 et ses diatribes contre la propriété privée enthousiasment les premiers socialistes. La devise de Gracchus Babeuf, souvent présenté comme l'ancêtre du mouvement communiste, « la terre n'est à personne, les fruits sont à tout le monde », est reprise presque textuellement de Rousseau.

L'œuvre de Rousseau inspira Gracchus Babeuf (1760-1797), un révolutionnaire français que l'on présente comme l'ancêtre du mouvement communiste. Portrait par Philippe Auguste Jeanron (1809-1877).

31. Rousseau (1964), p. 605.
32. Bachofen (1996), p. 110.
33. Rousseau (1964), p. 69.
34. *Ibid.,* p. 70.
35. *Ibid.,* p. 605.
36. « Richard, François et Pierre », dans Rousseau (1964), p. XXXIV.

LES IDÉES ESSENTIELLES

▶ **Le XVIIIe siècle: naissance de la «science de l'homme»**

Le XVIIIe siècle marque un tournant dans la conception de l'être humain, que l'on définit de moins en moins en faisant appel à Dieu.

▶ **Le projet de Rousseau**

Rousseau est convaincu que l'être humain a été dénaturé et corrompu par les arts, les sciences et les techniques. Son ambition est de retrouver l'homme à l'état de nature, tel qu'il existait avant l'apparition de la société. L'enjeu est important: si l'on peut déterminer que l'être humain n'est pas naturellement mauvais, il sera possible de reconstruire la société sur ces bases.

▶ **L'état de nature**

À l'origine, l'être humain est amoral: il n'est ni bon ni méchant. C'est la vie en société qui le déprave. À l'état de nature, il vit en solitaire, ne connaît pas le langage et les inégalités sont à peine perceptibles. Par la suite, la pensée, le langage, les techniques et la famille se développent. La faculté de comparer engendre le besoin de reconnaissance sociale, ce qui marque une première rupture avec l'état de nature.

▶ **L'état social**

Les progrès de la pensée et des techniques engendrent la propriété privée. Être et paraître deviennent deux choses. Les inégalités et tous les vices caractéristiques de la vie en société apparaissent.

▶ **La liberté et la perfectibilité**

La liberté et la perfectibilité sont les qualités qui distinguent l'être humain des bêtes. La qualité la plus fondamentale du genre humain est la perfectibilité, c'est-à-dire la faculté d'acquérir de nouvelles qualités. La perfectibilité fait éclore les vertus comme les vices.

▶ **Les qualités originelles**

À l'origine, l'être humain est motivé par l'amour de soi, que Rousseau distingue de l'égoïsme, et par la pitié, capacité de s'identifier à autrui.

▶ **Les solutions de Rousseau**

Pour contrer l'effet dépravant de la civilisation, Rousseau propose une société fondée sur le pacte social et une pédagogie basée sur le sentiment.

▶ **Le contrat social**

Le contrat social garantit la liberté civile au citoyen quand les lois émanent de la volonté populaire, de la volonté générale. Par ce pacte, l'être humain sacrifie sa liberté naturelle, mais gagne l'égalité de droit, la sûreté et la propriété de tout ce qu'il possède. La volonté générale représente l'intérêt commun de tous les contractants. En obéissant à la volonté générale, le citoyen obéit à lui-même.

▶ **L'éducation**

La vraie planche de salut pour l'être humain est une éducation fondée sur le cœur et les sentiments. C'est une pédagogie progressive reposant sur les besoins particuliers de l'enfance.

▶ **Les limites de la liberté civile**

Dans l'*Émile,* Rousseau désavoue *Du contrat social*. Il affiche son scepticisme quant à la possibilité que la liberté puisse être sauvegardée par les lois et pense que la volonté générale ne peut s'imposer. La liberté ne se trouve dans aucune forme de gouvernement : elle réside dans le cœur de l'homme libre.

▶ **Des critiques et des contributions**

Les données anthropologiques montrent que l'état de nature n'a jamais existé. À bien des égards, Rousseau fut un visionnaire et un précurseur.

EXERCICES

Vérifiez vos connaissances : vrai ou faux ?

1. Au XVIIIe siècle, on fait de moins en moins appel à Dieu pour définir l'être humain.

2. Rousseau n'hésite pas à qualifier l'être humain de naturellement bon.

3. La faculté de comparer engendre le besoin de reconnaissance sociale.

4. Selon Rousseau, la propriété privée est la cause de tous les maux sociaux.

5. La perfectibilité est la qualité dont découlent toutes les autres.

6. Selon *Du contrat social*, l'obéissance aux lois est synonyme de liberté.

Synthétisez vos connaissances et développez une argumentation.

1. Expliquez brièvement ce que Rousseau entend par « état de nature ».

2. Rousseau attribue-t-il la dépravation de l'être humain à l'apparition de la propriété privée ? Argumentez.

3. Qu'est-ce que la volonté générale selon Rousseau ? Comment réussit-elle à s'imposer ?

Établissez des liens entre les idées.

1. Comparez l'anthropologie de Rousseau à celle du christianisme.

2. Comparez la façon dont Locke et Rousseau envisagent la propriété privée.

3. Comparez la conception de l'état de nature de Locke à celle de Rousseau.

4. Dégagez les principales différences existant entre l'anthropologie de Rousseau et celle de Descartes.

TEXTES À L'ÉTUDE

Texte 1 : *Discours sur l'origine de l'inégalité parmi les hommes* (extrait)

Rousseau (1996), p. 47-48

Je ne vois dans tout animal qu'une machine ingénieuse, à qui la nature a donné des sens pour se remonter elle-même, et pour se garantir, jusqu'à un certain point, de tout ce qui tend à la détruire ou à la déranger. J'aperçois précisément les mêmes choses dans la machine humaine, avec cette différence que la nature seule fait tout dans les opérations de la bête, au lieu que l'homme concourt aux siennes en qualité d'agent libre. L'une choisit ou rejette par instinct, et l'autre par un acte de liberté ; ce qui fait que la bête ne peut s'écarter de la règle qui lui est prescrite, même quand il lui serait avantageux de le faire, et que l'homme s'en écarte souvent à son préjudice. [...]

[...] La nature commande à tout animal, et la bête obéit. L'homme éprouve la même impression, mais il se reconnaît libre d'acquiescer ou de résister : et c'est surtout dans la conscience de cette liberté que se montre la spiritualité de son âme. [...]

Mais, quand les difficultés qui environnent toutes ces questions laisseraient quelque lieu de disputer sur cette différence de l'homme et de l'animal, il y a une autre qualité très spécifique qui les distingue, et sur laquelle il ne peut y avoir de contestation : c'est la faculté de se perfectionner, faculté qui, à l'aide des circonstances, développe successivement toutes les autres, et réside parmi nous tant dans l'espèce que dans l'individu ; au lieu qu'un animal est au bout de quelques mois ce qu'il sera toute sa vie, et son espèce, au bout de mille ans, ce qu'elle était la première année de ces mille ans. Pourquoi l'homme seul est-il sujet à devenir imbécile ? N'est-ce point qu'il retourne ainsi dans son état primitif, et que, tandis que la bête, qui n'a rien acquis et qui n'a rien non plus à perdre, reste toujours avec son instinct, l'homme, reperdant par la vieillesse ou d'autres accidents tout ce que sa *perfectibilité* lui avait fait acquérir, retombe ainsi plus bas que la bête même ? Il serait triste pour nous d'être forcés de convenir que cette faculté distinctive et presque illimitée est la source de tous les malheurs de l'homme : que c'est elle qui le tire à force de temps de cette condition originaire dans laquelle il coulerait des jours tranquilles et innocents, que c'est elle qui, faisant éclore avec les siècles ses lumières et ses erreurs, ses vices et ses vertus, le rend à la longue le tyran de lui-même et de la nature.

Repérez les idées et analysez le texte.

1. Rousseau souligne que l'instinct est pratiquement infaillible et que les bêtes se nuisent rarement à elles-mêmes. Or, ce n'est pas le cas de l'être humain. Pourquoi celui-ci est-il susceptible de se nuire à lui-même ?

2. Que veut dire Rousseau par « perfectibilité » ? Pourquoi cette qualité est-elle la plus fondamentale de l'être humain ?

Texte 2 : *Du contrat social* (extrait)

Rousseau (1996), p. 30-31

Ce passage de l'état de nature à l'état civil produit dans l'homme un changement très remarquable, en substituant dans sa conduite la justice à l'instinct, et donnant à ses actions la moralité qui leur manquait auparavant. C'est alors seulement que la voix du devoir succédant à l'impulsion physique et le droit à l'appétit [besoin, désir], l'homme, qui jusque-là n'avait regardé que lui-même, se voit forcé d'agir sur d'autres principes, et de consulter sa raison avant d'écouter ses penchants. Quoiqu'il se prive dans cet état de plusieurs avantages qu'il tient de la nature, il en regagne de si grands, ses facultés s'exercent et se développent, ses idées s'étendent, ses sentiments s'ennoblissent, son âme tout entière s'élève […]

[…] Ce que l'homme perd par le contrat social, c'est sa liberté naturelle et un droit illimité à tout ce qui le tente et qu'il peut atteindre ; ce qu'il gagne, c'est la liberté civile et la propriété de tout ce qu'il possède. Pour ne pas se tromper dans ces compensations, il faut bien distinguer la liberté naturelle qui n'a pour bornes que les forces de l'individu, de la liberté civile qui est limitée par la volonté générale, et la possession qui n'est que l'effet de la force ou le droit du premier occupant, de la propriété qui ne peut être fondée que sur un titre positif [titre établi juridiquement, reconnu et admis].

On pourrait sur ce qui précède ajouter à l'acquis de l'état civil la liberté morale, qui seule rend l'homme vraiment maître de lui ; car l'impulsion du seul appétit est esclavage, et l'obéissance à la loi qu'on s'est prescrite est liberté.

Repérez les idées et analysez le texte.

1. Quels sont les changements que le contrat social apporte chez l'être humain ?

2. Qu'est-ce que le citoyen perd et gagne dans le pacte social ?

LECTURES SUGGÉRÉES

Bachofen, B. (1996). *Le* Discours sur l'inégalité *de J.-J. Rousseau*. Paris : PUF.

Nguyen, V. (1991). *Le problème de l'homme chez Jean-Jacques Rousseau*. Québec : Presses de l'Université du Québec.

Rousseau, J.-J. (1968). *Les confessions*. Paris : Garnier-Flammarion.

Rousseau, J.-J. (1964). *Émile ou De l'éducation*. Paris : Garnier Frères.

Rousseau, J.-J. (1962). *Du contrat social, suivi du Discours sur les sciences et les arts, du Discours sur l'origine de l'inégalité parmi les hommes, de la Lettre à d'Alembert*. Paris : Garnier Frères.

Weinberg, A. (1996). « Origine de l'anthropologie et anthropologie des origines. » *Sciences humaines, 64*.

CHAPITRE 6

Charles Darwin :
l'humain, produit de la matière

Si importante que la lutte pour l'existence ait été et soit encore, d'autres influences sont intervenues en ce qui concerne la partie la plus importante de la nature humaine.

Charles Darwin

Introduction

Les découvertes des XVIᵉ et XVIIᵉ siècles transforment la conception de l'être humain en le reléguant aux confins de l'Univers, sur une planète minuscule perdue dans l'immensité de l'espace infini. Au XVIIIᵉ siècle, on pose les fondements d'une science laïque de l'humain. À peine sommes-nous remis de ces chocs que Darwin, au XIXᵉ siècle, enfonce le clou. À la question « Qui suis-je ? », la réponse tombe brutalement. L'être humain n'est pas une créature à part, radicalement différente des animaux et choisie par Dieu pour dominer la création : il est le cousin du singe et du crapaud. Il en est même issu, puisqu'il est le produit d'une longue évolution de la **matière**.

Des bouleversements en profondeur

Au XIXᵉ siècle, les bouleversements se succèdent à un rythme accéléré dans tous les domaines de la vie sociale et intellectuelle. Avec la révolution industrielle qui amène la grande industrie mécanisée, on assiste à la consolidation du capitalisme en Europe et en Amérique du Nord, qui crée à la fois richesse et misère. Et, dans son sillage, se développent les mouvements ouvrier et socialiste qui, par leur action et leur idéologie, préparent les grands changements sociaux du XXᵉ siècle.

Le XIXᵉ siècle marque, en effet, une rupture radicale dans la conception de l'être humain, avec les découvertes de Darwin en biologie, de Marx en philosophie et en sciences humaines, de Freud en psychologie et de Mendel en génétique. Nous montrerons plus loin comment les trois premiers font culbuter les vieux repères qui constituent, jusque-là, autant de certitudes quant à l'identité de l'être humain. Leur anthropologie philosophique porte un dur coup aux positions soutenues par le christianisme et le rationalisme.

Dans ce chapitre, il sera d'abord question de la **théorie de l'évolution** de Darwin, selon laquelle les humains sont faits de la même **matière** que les animaux. Par la suite, nous verrons le sort que certains partisans de Darwin ont réservé à ses théories. Ils ont élaboré une philosophie de l'être humain qui n'est pas celle de Darwin et qu'on appelle, à tort, le **darwinisme social**. Selon cette anthropologie philosophique, il existe une hiérarchie parmi les humains : ceux-ci seraient **naturellement** divisés en forts et en faibles. C'est ainsi que les inégalités entre les individus, les sexes, les races et les nations seraient un pur produit de la nature.

Matière
Au début, le terme désignait les objets « grossiers » de l'expérience quotidienne : une roche, une table, un chou-fleur. Il s'opposait au terme prétendument plus noble d'« idée ». Aujourd'hui, la matière est conçue comme une forme d'énergie dont sont munies des particules telles que les protons, les électrons, les quarks. Dans la célèbre formule d'Einstein, $E = mc^2$, la masse est considérée comme une forme d'énergie. Chez Marx, la matière est constituée des rapports sociaux (rapports économiques, politiques et idéologiques). La vieille querelle entre matière et esprit ne se pose plus dans les mêmes termes.

Darwinisme
Théorie scientifique élaborée par Charles Darwin montrant que la vie sous toutes ses formes a une origine commune et qu'elle a évolué graduellement par une accumulation de modifications successives.

Darwinisme social
À distinguer du darwinisme. Se fonde sur une lecture particulière de Darwin. On y conçoit la vie comme une lutte à outrance. Vision selon laquelle on classe l'être humain sur une échelle biologique qui va de l'inférieur au supérieur.

Notes biographiques

Le naturaliste anglais Charles Darwin (1809-1882) est fils et petit-fils de médecins fortunés. De santé fragile, il entame des études de médecine qu'il ne terminera jamais. Il n'est pas apte à exercer un métier qui s'accorde mal avec sa grande sensibilité. À la suggestion de son père, il opte pour la théologie et s'inscrit à la prestigieuse université de Cambridge, où il est un étudiant plutôt médiocre. Mais il s'intéresse à la botanique et sa vie change quand on lui offre de prendre part, à titre de naturaliste, à une expédition scientifique qui durera cinq ans. Au cours des années passées à bord du *Beagle,* qui sillonne le Pacifique, il fera quantité d'observations sur la flore et la faune, qui seront précieuses pour sa théorie de l'évolution.

Une révolution dans la conception de l'être humain

L'être humain et l'animal : une même matière

La publication de l'ouvrage *De l'origine des espèces au moyen de la sélection naturelle,* en 1859, a eu l'effet d'une bombe. Darwin – prudence oblige – ne se prononce jamais sur les «origines de l'Homme» dans cet ouvrage. Rien n'empêche que celui-ci contient en creux une redéfinition radicale de l'être humain. Darwin y développe des arguments abondamment documentés pour démontrer que l'être humain est fait de la **même matière** que toutes les autres créatures vivantes. Jusque-là, on croyait que l'humain était en tous points différent des autres espèces ; or, Darwin affirme que les êtres vivants ont une origine commune.

Avec Darwin, l'être humain perd le **statut privilégié** que lui accordaient les religions et les philosophies. Non seulement l'être humain n'est plus, au mieux, qu'un animal rationnel mais sa présence sur terre est le fruit du hasard.

La présence humaine sur terre est le fruit du hasard

Les religions, les mythologies et la plupart des philosophies ont fait appel, jusque-là, à une forme d'intelligence pour expliquer les phénomènes vivants dans toute leur complexité. On pense que la vie doit avoir une cause ultime et qu'elle ne peut se résumer à un assemblage de matière grossière. Elle dépasse et transcende cette réalité. La vie a un but, elle reflète un ordre, une intelligence supérieure. Avec Darwin, on peut maintenant faire l'économie de cette hypothèse pour expliquer l'existence de la vie sur terre, même s'il est possible de réconcilier l'évolutionnisme avec l'idée d'une création divine. D'ailleurs, en 1996, l'Église catholique a réhabilité Darwin et admis que sa théorie constitue plus qu'une hypothèse.

De plus, la théorie de Darwin enlève toute finalité et signification à la nature. La nature, la vie, ne sont pas le résultat d'un plan divin, et la présence humaine

Espèce
En biologie, les individus d'aspect semblable, capables d'engendrer ; se définit par l'interfécondité.

Mythologie
Récit racontant les origines de l'Univers. Exemple : la Genèse.

La théorie de l'évolution fait perdre à l'être humain sa place privilégiée. Il est fait de la même matière que les autres créatures vivantes et son apparition sur terre est le fruit du hasard.

sur terre **s'explique par le hasard et le jeu de forces anonymes**: la sélection naturelle[1]. *Homo sapiens* est un accident de l'évolution, et l'espèce humaine a une histoire. Comme le dit Jacques Ruffié: «La vie a commencé, la vie continue, la vie finira. Et notre espèce, comme tant d'autres, disparaîtra un jour[2].»

C'est pourquoi la réponse de Darwin choque profondément l'opinion publique à son époque. Encore aujourd'hui, les avis sont partagés. En 2007, 26 % des Canadiens sont des créationnistes stricts; ils croient que Dieu seul a créé les humains il y a 10 000 ans; 34 % pensent que les humains sont le fruit d'une évolution guidée par Dieu et ayant duré des milliers d'années. Enfin, 29 % pensent que l'évolution s'est faite sans intervention divine. Aux États-Unis, 45 % des Américains sont des créationnistes stricts[3].

Si l'on peut se passer de Dieu pour expliquer les merveilles de la création, que fait l'homme sur terre? Y a-t-il une vie après la mort? Quel est le sens de l'existence? Se pourrait-il que la vie sur terre n'ait d'autre finalité qu'elle-même? À partir de ce moment, l'être humain commence à s'interroger plus que jamais sur le sens de la vie; **il doute,** non comme Descartes le faisait, car il ne s'agit plus ici de doute méthodologique. Il se met à douter du sens de la vie. Nietzsche proclame la mort de Dieu, et dans son roman *Les frères Karamazov* l'écrivain russe Fedor Dostoïevski (1821-1881) fait dire à l'un de ses personnages: «Si Dieu est mort, tout est permis.» Une nouvelle dimension s'ouvre, celle de l'absurde, thème qui sera traité abondamment en littérature, au théâtre et en philosophie. Certains répondront, comme Sartre, que la vie a un sens, mais qu'il n'est pas donné d'avance: il faut le créer.

L'idée d'évolution

Darwin n'est pas le premier à parler d'évolution. Au VIᵉ siècle avant notre ère, des philosophes grecs comme Anaximandre (v. 610-546 avant notre ère) avaient émis cette hypothèse, bien vite tombée dans l'oubli. Ce n'est qu'au XVIIIᵉ siècle que l'idée recommence à faire son chemin.

Comment en arrive-t-on à considérer que l'être humain provient des organismes les plus simples? L'idée est loin d'être évidente. Et surtout, comment expliquer la **transformation** d'une espèce en une autre? Jusque-là, on pense que les espèces sont fixes, que chacune a fait l'objet d'une création spéciale de la part de Dieu, comme l'affirme la théorie **fixiste**. En effet, on n'a jamais vu une espèce donner naissance à une autre: les cochons donnent naissance à des cochons, les cigales, à

Sélection naturelle
Processus par lequel les nouvelles espèces sont créées. Les variations avantageuses sont sélectionnées par la nature et transmises aux descendants. Les organismes qui en héritent se multiplient. Ceux qui héritent des variations désavantageuses périssent.

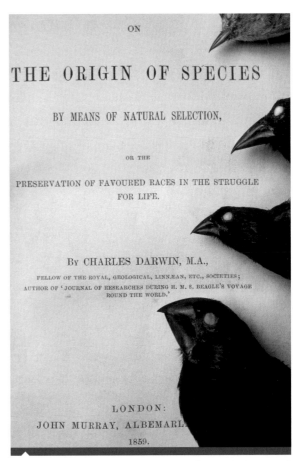

Cette illustration, dans laquelle figurent différents spécimens de pinsons, ornait la page couverture de la première édition (1859) de *L'origine des espèces*.

Fixisme
Théorie selon laquelle les espèces ont été créées telles qu'elles sont. S'oppose à l'évolutionnisme et au transformisme.

---

1. Pour plus de détails, voir l'excellent article de Brie (1994).
2. Ruffié (1982), p. 744-745.
3. Sondage Décima-La presse canadienne (2007).

des cigales. Comment les vers peuvent-ils engendrer les poissons, puis les batraciens, qui se transforment en reptiles, puis en oiseaux et en mammifères, pour éventuellement donner naissance à l'être humain ?

Les fossiles et les embryons

L'évolutionnisme commence à faire son chemin bien avant Darwin, notamment grâce à l'étude des objets découverts dans les roches : les fossiles. Ce sont des os, des dents, bref des vestiges d'êtres vivants ayant existé il y a longtemps. Ces objets montrent que les formes de vie qui remontent loin dans la préhistoire diffèrent de celles qui existent maintenant, mais leur sont apparentées. Par exemple, l'ancêtre du cheval, *Eohippus,* était un petit animal ayant quatre doigts à chaque patte. Au cours de l'évolution, il s'est graduellement débarrassé de ces doigts, qui se sont transformés en sabots, et sa taille a considérablement augmenté. Ces découvertes indiquent que la vie évolue et que le cheval n'a pas été créé cheval, contrairement à toutes les idées reçues à l'époque.

> L'idée d'évolution était dans l'air bien avant Darwin. Les fossiles et les embryons indiquaient déjà des liens de parenté troublants entre espèces vivantes, d'où l'idée d'une origine commune à tous les êtres vivants.

En outre, l'**embryologie,** science qui s'affine de plus en plus, montre l'extraordinaire ressemblance entre les êtres vivants. On n'a qu'à comparer des embryons de tortues, de poissons, de chiens et d'humains pour constater l'étrange **ressemblance entre ces espèces.**

D'autres phénomènes accréditent l'hypothèse évolutionniste. L'embryon humain, au début de sa croissance, ébauche les organes nécessaires à la respiration des poissons, les fentes pharyngiennes. Ces organes apparaissent au cours des premières semaines puis régressent. Il arrive parfois que la nature « se trompe » et que ces organes continuent d'évoluer : des individus naissent avec des fentes pharyngiennes à la hauteur du cou.

En observateur attentif, Darwin, à l'instar de nombreux éleveurs, avait remarqué qu'une race de chiens ou une variété de plantes, lorsqu'elle est croisée avec une autre, donne en l'espace de quelques années des spécimens parfois très différents des sujets originaux, par exemple un chien issu du croisement entre un bouledogue et un berger allemand. Ce processus, qu'on appelle **sélection artificielle,** a cours, selon toute vraisemblance, depuis l'invention de l'élevage il y a environ 10 000 ans et est utilisé pour engendrer des spécimens reconnus pour les qualités que les éleveurs recherchent. Ainsi, le pitbull est convoité pour son agressivité et l'imposant danois a été sélectionné comme chien de travail. Si la sélection artificielle peut donner assez rapidement des spécimens aussi différents à partir de la même espèce, on imagine les changements qui ont pu se produire depuis l'apparition du vivant, laquelle remonte à 3,5 milliards d'années. Il devient alors compréhensible que l'évolution ait pu produire des organes aussi complexes que le cerveau humain.

Poisson Salamandre Poulet Lapin Homme

Les ressemblances, particulièrement au début de leur développement, entre les embryons d'espèces aussi différentes que le poisson, la salamandre, le poulet, le lapin et l'être humain mettent les scientifiques sur la piste de l'évolution. Ces ressemblances accréditent l'idée d'une origine commune à tous les êtres vivants.

De nos jours, la biologie démontre que ces liens de parenté sont encore plus évidents. Le **code génétique** de toutes les espèces est le même. Le chimpanzé et l'être humain ont environ 98 % de matériel génétique en commun. Sur le plan génétique, le chimpanzé est plus proche de l'être humain que du gorille.

Une réponse possible : celle de Darwin

C'est au XIXe siècle qu'on commence à fournir des explications sur la façon dont la vie se transforme pour créer de nouvelles espèces. C'est le **transformisme.**

Lamarck : les transformations selon l'usage

Le naturaliste français Jean-Baptiste Lamarck (1744-1829) est l'un des premiers transformistes. Il suggère que les transformations sont fonction de l'**usage.** Si les girafes ont de longs cous, c'est qu'elles ont dû s'étirer le cou pour brouter aux arbres les plus hauts. Ce caractère **acquis** se transmettrait aux générations suivantes. Pour vérifier cette hypothèse, des biologistes coupent la queue de certaines souris (caractère acquis) ; ils constatent que les rejetons de celles-ci viennent au monde avec des queues normales : on rejette donc l'explication de Lamarck.

C'est Darwin qui propose l'explication qui aura le plus d'influence.

Les variations

C'est l'étude d'un économiste anglais, Thomas Robert Malthus (1766-1834), qui aurait mis Darwin sur la piste de la sélection naturelle. Selon Malthus, l'accroissement de la population suit une progression géométrique (1, 2, 4, 8, 16, 32…). Mais les ressources disponibles augmentent suivant une progression arithmétique (1, 2, 3, 4, 5…). Survient alors un décalage entre les naissances trop nombreuses et les ressources disponibles[4]. Seule une proportion très faible des êtres procréés réussit à survivre.

De plus, Darwin remarque que les descendants présentent de légères variations (différences) par rapport à leurs parents. Par exemple, les jeunes souris sont plus claires ou plus foncées que leurs parents. Ces variations peuvent nuire à leurs chances de survie, les plus claires courant davantage de risques de se faire dévorer dans un milieu où elles cohabitent avec des hiboux.

La théorie de Darwin admet l'existence d'autres mécanismes que la sélection naturelle dans l'évolution : l'usage et le non-usage, la sélection sexuelle et l'action directe des conditions.
Dans la pampa argentine, il avait observé des différences entre certains types d'autruches, pourtant semblables. Sous l'influence de la séparation géographique, elles avaient évolué en espèces différentes, au point de ne plus pouvoir s'accoupler.

---

4. Le modèle de Malthus est statique. Il ne tient pas compte d'une chose capitale : le progrès technique, qui a bouleversé toutes les données.

La patte palmée des canards constitue un autre exemple. Ce trait se serait développé graduellement au cours des millénaires par accumulation de modifications successives. Les individus nés avec des bouts de membranes auraient eu un **avantage** sur les autres, puisque cette caractéristique leur permettait de se déplacer dans l'eau plus rapidement pour attraper leur nourriture.

La sélection naturelle

Les variations avantageuses par rapport au milieu sont retenues, sélectionnées. Inversement, les individus ayant hérité des variations désavantageuses finissent par disparaître. C'est la sélection naturelle. Seul le hasard décide des variations ; la sélection naturelle maintient les individus qui sont privilégiés en vertu des conditions dans lesquelles ils vivent. Ce processus n'a aucune finalité.

> Les descendants présentent de légères différences par rapport aux parents. Lorsque ces variations augmentent les chances de survie, elles sont retenues par la nature : c'est la sélection naturelle. Elles sont transmises aux descendants et engendrent de nouvelles espèces.

C'est par ce mécanisme que les nouvelles espèces se forment. La nature fait son tri : elle choisit les individus qui portent les variations les plus favorables. Ceux-ci ont plus de chances de se reproduire et transmettent leurs caractéristiques aux générations futures. Ce principe est celui de **la survie du plus apte.** Les transformations qui expliquent le développement de nouvelles espèces se font donc sur de très longues périodes par accumulation de petites différences d'une génération à l'autre.

La théorie synthétique ou le néodarwinisme

La génétique, que Darwin ne connaissait pas et que l'on redécouvre au début du XXe siècle (35 ans après Mendel), permet de moderniser la théorie de l'évolution : c'est une théorie synthétique de l'évolution. Les variations, dont on a du mal à rendre compte, s'expliqueraient par l'existence de mutations génétiques. En effet, lorsqu'ils se reproduisent, les gènes connaissent parfois des changements, des mutations (*voir l'encadré 1.2, p. 12*). Ces mutations seraient à la base des différences entre individus et expliqueraient l'apparition de nouvelles espèces.

Paléontologiste
Spécialiste de l'étude des êtres vivants à partir des fossiles.

De nombreux biologistes et **paléontologistes**, dont S. J. Gould, remettent en question divers aspects du darwinisme, par exemple l'idée d'une évolution lente et graduelle par accumulation de petites variations. On pense plutôt que l'apparition de nouvelles espèces se ferait par des modifications brusques touchant les chromosomes, filaments sur lesquels se trouvent les gènes. C'est ce qui expliquerait la difficulté de trouver les chaînons manquants, formes intermédiaires entre espèces différentes, dont le dipneuste serait un exemple. Cet animal, pouvant constituer le chaînon manquant entre animaux marins et animaux terrestres, respire à l'aide de branchies et de poumons.

D'autres biologistes pensent qu'il existe des mécanismes d'évolution plus importants que la sélection naturelle. Ils soulignent que les mutations ne sont pas suffisantes pour rendre compte de l'évolution. Les organismes qui mutent le plus ne sont pas ceux qui évoluent le plus. Par exemple, les bactéries (2 milliards d'années) et les blattes (270 millions d'années) n'ont connu à peu près aucune évolution[5].

---

5. Ruffié (1983), chap. 7 et 8.

L'évolution et le progrès

Le terme « évolution » suggère l'idée d'une marche en avant, d'une progression. On pense donc que les organismes de plus en plus complexes qui jalonnent l'évolution, depuis la bactérie jusqu'à l'humain, sont des espèces supérieures à celles dont elles proviennent. Ils constitueraient une sorte d'apogée, de finalité de l'histoire de la vie. En outre, cette supériorité des organismes les plus complexes serait assortie d'une domination naturelle sur le monde vivant.

Précisons que le terme « évolution » vient d'un contemporain de Darwin, Herbert Spencer (1820-1903), père de l'évolutionnisme philosophique. Celui-ci croyait que l'évolution dégage des structures supérieures et plus complexes à mesure qu'elle avance. Darwin n'aimait pas ce terme, préférant parler de « descendance avec modifications ». Aussi le mot « évolution » n'apparaît-il nulle part dans la première édition de l'ouvrage *De l'origine des espèces*, et ce n'est qu'en 1871 que Darwin l'utilise pour la première fois, dans *La descendance de l'homme*, tout simplement parce que le terme de Spencer s'était imposé[6]. Pour Spencer, l'évolution est orientée dans un sens et possède une finalité : l'amélioration et le progrès des espèces.

S. J. Gould soutient que cette représentation de l'évolution n'est pas celle de Darwin. Il observe que les bactéries sont les organismes qui, de loin, dominent le monde vivant, alors que les chauves-souris, les rats et les antilopes dominent celui des mammifères. Selon Gould, *Homo sapiens* n'est qu'une ramille toute récente – de 100 000 à 200 000 ans – sur un arbre de vie luxuriant « qui ne redonnerait jamais les mêmes branches si on replantait la graine dont il est issu[7] ». La domination que l'être humain exerce ne pourrait être identifiée à une « supériorité intrinsèque ou à un gage de survie indéfinie[8] ». Rappelons que les dinosaures ont dominé la terre pendant 100 millions d'années avant de disparaître. Le « règne » de l'être humain durera-t-il aussi longtemps que celui des dinosaures ? De plus, nous l'avons vu, les modifications qui donnent naissance aux différentes espèces se font au hasard ; il n'y a pas de but. Darwin s'est expliqué à ce sujet. Dans une lettre datée de 1872, il écrit : « Après mûre réflexion, j'ai la ferme conviction qu'il n'existe aucune tendance naturelle au développement progressif[9]. »

Le darwinisme social

La théorie de Darwin a été propagée par nombre d'admirateurs du naturaliste anglais, dont certains ont déformé sa pensée. Rappelons que Darwin n'est pas le fondateur de cette philosophie de l'être humain connue sous le nom de darwinisme social. Celle-ci, liée notamment aux noms de Herbert Spencer et de Sir Francis Galton (1822-1911), a fait de nombreux adeptes et connaît un certain regain de popularité depuis quelques années, particulièrement dans les pays anglo-saxons.

> Les tenants du darwinisme social proposent une vision hiérarchique de l'être humain ; selon eux, certains individus sont biologiquement supérieurs aux autres. Ils préconisent l'eugénisme pour améliorer la race humaine.

6. Gould (1997), p. 171.
7. *Ibid.*
8. *Ibid.*
9. Cité dans Gould (1997), p. 171.

Que le meilleur gagne ?

Dans l'imaginaire collectif, la sélection naturelle, la lutte pour l'existence – *the struggle for life –*, est perçue comme un combat impitoyable et sanguinaire pour la survie. Seuls les plus forts, les plus doués, les plus intelligents, les plus rusés, en sortent vainqueurs. Quant aux inadaptés, aux faibles, ils sont éliminés sans pitié ou pâtissent au service des forts. Par exemple, il serait normal que les hommes puissent disposer des femmes, puisqu'ils possèdent, en moyenne, une plus grande force physique, et que les riches dominent les pauvres parce qu'ils seraient plus intelligents. On en tire la conclusion que, pour réussir dans la vie, il faut jouer du coude, marcher sur le corps du voisin, être impitoyable, intraitable. Cette réalité inéluctable serait voulue par la nature et s'appuierait sur une théorie scientifique, celle de Darwin. C'est précisément le point de vue du dictateur nazi Adolf Hitler, qui écrit, dans *Mein Kampf* :

> L'idée du combat est aussi vieille que la vie elle-même, car la vie se perpétue grâce à la mort en combat d'autres êtres vivants. Dans ce combat les plus forts et les plus adroits l'emportent sur les plus faibles et les moins adroits[10].

Une hiérarchie biologique

Les points suivants résument les principales idées de cette anthropologie philosophique qu'est le darwinisme social :

- Dans la nature, il y aurait **des êtres biologiquement supérieurs et inférieurs** ; on pourrait donc parler d'une hiérarchie biologique.
- La hiérarchie sociale – la division entre riches et pauvres, dominants et dominés, hommes et femmes – serait un reflet de cette hiérarchie biologique.
- Tous les caractères d'un individu (les traits physiques et psychologiques) dépendent de la biologie. L'être humain n'est qu'une espèce d'automate biologique.

La société serait donc divisée entre, d'une part, l'élite, les forts, les doués, les dominants et, d'autre part, les crétins, les faibles, les dominés. Le lauréat du prix Nobel de médecine de 1912, Alexis Carrel, se fait l'écho de ce point de vue :

> Ceux qui sont aujourd'hui des prolétaires [travailleurs salariés] doivent leur situation à des défauts héréditaires de leur corps et de leur esprit[11].

L'un des crédos du darwinisme social est que les « inférieurs » se propagent plus rapidement que les prétendus supérieurs. La race humaine est en péril et sera bientôt inondée par un flot de crétins. C'est ce que note un autre lauréat du prix Nobel de médecine (1960), l'Australien Frank Macfarlane Burnet. Il déplore qu'il n'y ait même plus 5 % d'enfants qui périssent dans les sociétés occidentales, car la sélection naturelle ne joue plus son rôle. Auparavant, 80 % des enfants mouraient avant d'atteindre l'âge de procréer. Il remarque qu'il « est probablement devenu impossible d'utiliser un moyen légal de les tuer pour protéger la société[12] ». Par ailleurs, l'eugénisme est trop compliqué. Macfarlane Burnet propose donc d'interner, d'emprisonner, de castrer, de lobotomiser, de traiter aux électrochocs et aux tranquillisants ceux qu'il appelle les « inférieurs » : les prostituées, les schizophrènes, les maniacodépressifs, les malades mentaux, les criminels, etc. On imagine le sort que Burnet eût réservé à Van Gogh

---

10. Citation tirée de « Le fascisme et le nazisme » dans Guévremont (1992), p. 580.
11. Carrel (1953), p. 361.
12. Cité dans Thuillier (1981a), p. 139.

qui, en proie au désespoir, s'est suicidé à l'âge de 37 ans, ou aux parents de Beethoven, dont la mère était alcoolique et le père, névrosé.

La tentation de l'eugénisme

Sir Francis Galton, cousin de Darwin et inventeur du QI, s'était donné pour mission d'endiguer cette tendance à la multiplication des « inférieurs ». Il a fondé l'**eugénisme**, une pseudo-science destinée à améliorer la race humaine. Il a ressuscité ce vieux fantasme, comme l'appelle Jacques Testart, qui remonte à la nuit des temps et que l'on retrouve chez Platon. L'eugénisme est simple : il s'agit de sélectionner les meilleurs sujets pour obtenir les êtres les plus parfaits, tout comme on le fait avec les chiens et les roses pour avoir les sujets les plus beaux et les plus productifs.

Eugénisme
Pseudo-science fondée par Sir Francis Galton au XIXe siècle. En croisant les « meilleurs » sujets, on croyait obtenir la « race supérieure ». L'Allemagne nazie donna naissance aux *Lebensborn* (où l'on « croisa » officiers SS et jeunes Allemandes) et pratiqua l'élimination systématique des gens réputés débiles et des prétendues races inférieures.

Ces fantasmes ont inspiré Hitler dans sa tentative démente de créer la race supérieure et ont abouti à l'Holocauste, qui s'est soldé par le génocide de six millions de Juifs, d'un demi-million de Tsiganes et de quelques millions de Slaves. De plus, les nazis ont exterminé 70 000 malades mentaux dans des cliniques spéciales. Deux médecins accusés d'avoir pris part directement à l'extermination de 20 000 d'entre eux ont été condamnés à des peines de 4 ans de prison en 1987 !

Le biologiste Jacques Testart, « père » du premier bébé éprouvette français, souligne que la tentation de l'eugénisme a sévi dans les démocraties occidentales. De 1909 à 1929, on a stérilisé 6 000 personnes réputées débiles aux États-Unis. En 1924, ce pays a adopté une législation pour réduire l'entrée des « races inférieures » (Polonais, Italiens, Russes, Québécois, etc.). Au Canada, la Colombie-Britannique et l'Alberta avaient voté des lois pour améliorer la race. De 1928 à 1972, l'Alberta a stérilisé 2 844 personnes en vertu de sa loi sur l'eugénisme.

Testart rappelle qu'après les horreurs des camps nazis, on aurait cru l'eugénisme enterré. Or, de 1941 à 1975, 13 000 personnes ont été stérilisées en Suède en raison d'une loi sur l'eugénisme. En 1948, le Japon a adopté une loi pour prévenir l'accroissement du nombre des êtres « inférieurs », parmi lesquels on range les schizophrènes, les épileptiques, les idiots, les débiles, les sujets qui présentent des tendances criminelles, des désordres sexuels, des malformations. Une telle pratique aurait enlevé le droit d'exister à l'écrivain russe Dostoïevski, qui souffrait d'épilepsie, et au peintre français Toulouse-Lautrec, affligé de malformations. Trois cent mille personnes ont ainsi été stérilisées jusqu'en 1955, presque toutes des femmes.

Avec les techniques de procréation médicalement assistée, la tentation de l'eugénisme est plus présente que jamais. Ces techniques rendent possible la sélection des embryons au moyen de l'analyse génétique des œufs âgés de trois jours. Depuis 1992, on peut choisir un embryon exempt de certaines maladies comme l'hémophilie ou la fibrose kystique. Cela ouvre la voie à la pratique d'une forme d'eugénisme plus radicale consistant à choisir un embryon sur mesure, possédant les caractéristiques souhaitées par les géniteurs.

Une critique du darwinisme social

Les affirmations des darwinistes sociaux selon lesquelles leur point de vue est scientifique et fondé sur la théorie de Darwin sont prétentieuses et reposent sur une interprétation inexacte.

Le «plus apte» ou le «plus fort»?

Dans l'œuvre de Darwin, il n'est pas question de hiérarchie biologique ni d'organismes biologiquement supérieurs et inférieurs. Si Darwin reconnaît que certains individus sont plus aptes que d'autres, il exprime clairement sa répugnance à considérer l'existence d'une hiérarchie entre espèces : «On doit toujours éviter les qualificatifs "supérieur" et "inférieur" lorsqu'on parle des espèces[13].»

> Darwin ne prétend pas que l'organisme le plus apte est l'organisme supérieur, le plus fort. Il pense que la culture marque la fin du règne exclusif de la sélection naturelle, de la lutte à outrance pour l'existence. La sélection naturelle favorise l'apparition de forces contraires, comme le sentiment de sympathie et l'altruisme.

«Le plus apte», expression que Darwin a reprise du philosophe britannique Herbert Spencer, ne veut pas dire le plus fort, le plus intelligent, le plus rusé ou le meilleur. C'est l'organisme qui possède les caractères qui lui permettent de survivre et de se propager dans un milieu donné.

Reprenons l'exemple des souris foncées. Dans un environnement où les hiboux abondent, les souris claires ont toutes les chances d'être éliminées. Elles ne sont pas adaptées à leur environnement. Est-ce que cela signifie qu'elles sont inférieures aux souris foncées? Prenons un autre exemple, celui de la phalène, sorte de papillon qui se tient sur l'écorce des bouleaux et qui est répandue en Angleterre. Avant l'industrialisation, les bouleaux n'étaient pas encore noircis par la pollution et la phalène blanche était la plus répandue. En effet, les phalènes blanches se confondaient avec la couleur des bouleaux et les oiseaux friands de ces papillons ne les remarquaient pas. Il existait quelques phalènes brunes. Étant facilement repérables, elles se faisaient dévorer par les oiseaux. Après l'industrialisation, qui causa le noircissement de l'écorce des bouleaux, le contraire se produisit : la phalène blanche disparut pratiquement, alors que la brune se répandit rapidement. Le nouvel environnement procura un avantage à cette variété. Peut-on dire que la phalène blanche est supérieure à la phalène brune, ou inversement? La question n'a aucun sens, d'autant plus que, depuis que l'Angleterre a entrepris un programme de dépollution, la variété blanche recommence à proliférer.

Le plus prolifique?

Si l'animal le plus apte est celui qui survit, procrée et engendre une nombreuse descendance, il s'ensuit logiquement que l'animal supérieur devrait se définir par sa **capacité de reproduction,** comme l'affirme Thuillier[14]. L'animal supérieur serait alors celui qui procrée le plus. Mais une telle interprétation mènerait à des conclusions absurdes : la prolifique blatte serait supérieure au lion en voie d'extinction, et le non moins prolifique moustique serait supérieur au dinosaure!

La théorie de l'évolution : transposable aux sociétés humaines?

Dans *La descendance de l'homme* (publié la première fois en 1871), Darwin fournit des arguments contre le darwinisme social. Il admet explicitement qu'on ne peut transposer le principe de la lutte pour l'existence aux sociétés humaines. D'autres facteurs interviennent en ce qui touche la partie la plus importante de la nature humaine :

---

13. Darwin et Seward (1903), p. 114. Cela n'empêchera pas Darwin d'employer ces qualificatifs dans certains de ses ouvrages, notamment dans *La descendance de l'homme.*
14. Thuillier (1981b).

Si importante que la lutte pour l'existence ait été et soit encore, d'autres influences sont intervenues en ce qui concerne la partie la plus importante de la nature humaine. Les qualités morales progressent en effet directement ou indirectement, bien plus par les effets de l'habitude, par le raisonnement, par l'instruction, par la religion, etc., que par l'action de la sélection naturelle, bien qu'on puisse avec certitude attribuer à l'action de cette dernière les instincts sociaux, qui sont la base du développement du sens moral[15].

La sélection naturelle ou la lutte pour l'existence – quelle que soit l'importance réelle de ce processus dans l'évolution – n'est pas un processus sanguinaire, une lutte sans merci où seule la volonté de puissance triomphe. Tout d'abord, la culture marque la fin du règne exclusif de la sélection naturelle (*voir la figure 6.1, p. 110*), et celle-ci a des effets contradictoires. Comme le fait remarquer Patrick Tort, elle sélectionne ce que Darwin nomme les «instincts sociaux» (altruisme, sentiment de sympathie, entraide, etc.): l'**effet réversif** des **instincts sociaux** favorise les comportements d'aide et d'assistance au lieu de la lutte sans merci et la solidarité plutôt que l'égoïsme[16].

Dessin couleur de Darwin vers la fin de sa vie. Son influence en biologie sera énorme et ses thèses contribueront à redéfinir les représentations de l'être humain.

Dans ce passage de *La descendance de l'homme*, et dans plusieurs autres, Darwin affirme que l'être humain se définit aussi par une dimension culturelle qui lui permettrait d'échapper, au moins partiellement, à l'action des forces brutes de la nature. La théorie de Darwin, qui invoque des liens de parenté entre les hommes et les bêtes, ne dit pas que les hommes ne sont que des bêtes. Elle ne se limite pas à la vision d'un être humain appesanti par son héritage naturel, à une nature aux dents et aux griffes rougies de sang. Pour le darwinisme social, la nature est une force irrépressible, capable de tous les débordements, de toutes les démences, comme celles qui se sont déchaînées pendant la Seconde Guerre mondiale. Les conditions économiques, sociales et politiques qui ont entraîné ces horreurs ont d'ailleurs été longuement analysées.

Mais les guerres, l'agressivité, ont-elles également un fondement biologique? Seraient-elles liées à un «instinct guerrier» ou à ce que le biologiste François Jacob appelle le «bricolage de l'évolution»? L'être humain serait caractérisé par une organisation anatomique comprenant un néocortex comparable à un ordinateur rapide et innovateur, mais monté sur une charrette à cheval, c'est-à-dire le cerveau primitif hérité des reptiles. Le cerveau reptilien serait confiné à des tâches comme boire, manger ou procréer et serait responsable de ce qu'il y a de moins reluisant dans la nature humaine. Le cerveau limbique serait lié au plaisir et à la souffrance, pendant que le néocortex penserait, calculerait et agirait. Cette représentation

15. Darwin (1981), p. 677. Cette citation, tout comme l'ensemble de cet ouvrage, relativise le rôle de la sélection naturelle dans l'évolution. Cependant, d'autres passages la réaffirment, notamment un extrait qui précède immédiatement celui que nous citons. Bref, l'affaire n'est pas simple. Mais disons que Darwin n'était pas exempt des préjugés de son époque et que son ouvrage se prête à diverses interprétations. Comme le remarque Thuillier dans sa préface à *La descendance de l'homme*, Darwin était convaincu de la «supériorité de sa "nation"». De plus, il donne des arguments aux partisans du sexisme et du racisme et prépare le terrain au darwinisme social. Toutefois, il ne va jamais jusqu'au bout de ses raisonnements. Comme d'autres scientifiques, il construit une image de l'homme qui «reflète toujours certains choix extra-scientifiques» (p. 16). Le darwinisme social, et tout ce qui en découle, peut donc trouver certains appuis dans les écrits de Darwin. Mais cette vision de l'être humain n'est pas une conséquence nécessaire de la théorie de Darwin. Pour en savoir plus à propos de cette question, voir le débat entre Patrick Tort et Pascal Acot dans *Misère de la sociobiologie* (1985), ainsi que les ouvrages cités de Thuillier.

16. Tort et Acot (1985), p. 137.

d'un cerveau qui serait composé de trois étages superposés n'a plus cours aujourd'hui. Selon les neurologues, ces trois parties sont tissées ensemble et, comme nous l'avons vu, il est impossible de séparer l'affectif de la mémoire et de l'intellect[17]. Au chapitre 7, nous verrons comment Dewey remet en question l'attribution de l'agressivité et des guerres à des forces innées.

FIGURE 6.1   Le darwinisme social et Darwin

Deux visions différentes

Le darwinisme social		Darwin	
Le plus apte égale le plus fort.	La sélection naturelle est le principal fondement des sociétés humaines.	Le plus apte est l'organisme qui possède des caractéristiques lui permettant de survivre dans un milieu donné.	La culture marque la fin du règne exclusif de la sélection naturelle.

Conclusion

La théorie de Darwin s'est répandue rapidement, même si ses conceptions étaient en contradiction avec celles de l'Église et avec l'idéologie dominante sur les origines de l'être humain. Il faut dire qu'elle tombait à point, comme le fait remarquer Jacques Ruffié[18]. En 1859, l'Angleterre étend son empire **colonial** en Asie et en Afrique et domine une grande partie du monde. On a utilisé Darwin pour justifier l'idée d'un monde divisé en races supérieures et inférieures, en nations dominantes et dominées.

Le darwinisme social n'est pas une science. C'est une tentative idéologique visant à défendre l'existence des **privilèges** ainsi que des **élites,** qu'elles soient économiques, politiques ou culturelles, et à justifier la division d'un monde entre riches et pauvres, dominants et dominés. Cette philosophie sert à justifier un ordre social et économique fondé sur la concurrence et la lutte pour la survie dont seuls les « meilleurs » sortiraient vainqueurs. C'est une philosophie qui fait l'apologie de l'exploitation, de la violence, du meurtre et de la guerre. Elle transmet l'idée selon laquelle l'ordre social basé sur la concurrence est le meilleur, car il correspond aux **lois de la nature** : il est donc parfait et éternel. Ceux qui veulent le changer ou le critiquer sont des révoltés, des êtres dangereux qui vont à l'encontre des lois de la nature.

La théorie de Darwin a posé avec une acuité plus grande que jamais la question du sens de la vie. L'aventure humaine a-t-elle un sens, une finalité, une direction ? Que fait l'homme sur la terre ? On sait comment la Bible répond à ces questions. Pour les rationalistes, le sens de la vie consiste à développer la connaissance afin de maîtriser les processus naturels et sociaux et de construire une société rationnelle et sans guerres. Nous présenterons plus loin la réponse que d'autres auteurs formulent à cette interrogation fondamentale.

Colonialisme
Annexion et conquête de territoires par une poignée de grandes puissances.

> Le darwinisme social ne présente pas une vision rationnellement justifiable de l'être humain. C'est une idéologie dont le but est de légitimer les inégalités prétendument naturelles entre humains.

---

17. Fottorino (1998), p. 31-32.
18. Ruffié (1983).

LES IDÉES ESSENTIELLES

▶ **Un point tournant**

Les découvertes du XIXᵉ siècle (Marx, Freud, Darwin et Mendel) achèveront de révolutionner la conception de l'être humain.

▶ **Une redéfinition de l'être humain**

Darwin propose une redéfinition complète de l'être humain en affirmant ses liens de parenté avec les autres espèces. L'être humain n'est plus une espèce à part ; on n'a plus à faire appel à une intelligence supérieure pour expliquer les origines de la vie. Il perd le statut privilégié que lui reconnaissaient les religions et la plupart des philosophies. La vie s'explique par le jeu anonyme des forces naturelles et *Homo sapiens* est le résultat du hasard, un accident de l'histoire.

▶ **Des indices que la vie évolue**

L'idée d'évolution est dans l'air bien avant Darwin. Les ressemblances existant entre des embryons d'espèces différentes, les fossiles montrant les liens entre des formes de vie différentes mais apparentées de même que la sélection artificielle sont des indices que la vie évolue.

▶ **La théorie de l'évolution**

D'après Darwin, tous les êtres vivants ont une origine commune. La vie a évolué à partir des organismes les plus simples. Le cheval n'a pas été créé cheval. Il s'est développé à partir d'espèces différentes mais apparentées. À la suite des transformations ou des variations graduelles, l'espèce primitive a donné naissance à une nouvelle espèce.

Selon Darwin, les variations avantageuses sont conservées, car elles donnent aux organismes de meilleures chances de survie. Quant aux organismes qui portent des variations désavantageuses, ils sont éliminés. C'est la sélection naturelle, ou la survie du plus apte.

▶ **La théorie synthétique**

La génétique fournit une explication des variations dont Darwin ne pouvait rendre compte, soit les mutations des gènes.

▶ **L'évolution et le progrès**

Pour Darwin, l'évolution n'est pas synonyme de progrès. Les variations ne sont pas orientées vers l'amélioration des espèces, car elles se font au hasard, en fonction des conditions du milieu, et sont purement locales. De plus, la domination temporaire d'une espèce, par exemple *Homo sapiens,* n'est pas un signe de supériorité.

▶ **Le darwinisme social : la conception hiérarchique de l'être humain**

Les théories de Darwin ont été interprétées de façon particulière par tout un groupe de penseurs qui ont créé le darwinisme social. La thèse fondamentale de cette idéologie est qu'il existe des organismes biologiquement supérieurs et inférieurs. Dans les sociétés humaines, la lutte pour l'existence pousse les organismes supérieurs à occuper les places de choix. La société serait naturellement divisée entre forts et faibles, dominants et dominés. Cette interprétation du darwinisme ne tient pas la route lorsqu'elle est confrontée avec les thèses de Darwin. Selon lui, le plus apte n'est pas l'organisme supérieur. De plus, l'apparition de la culture (éducation, morale, etc.) marque la fin du règne exclusif de la sélection naturelle, de la lutte pour l'existence. Par ailleurs, la sélection naturelle a donné naissance aux instincts sociaux, lesquels vont à l'encontre des tendances sanguinaires dont serait faite la lutte pour l'existence.

Le darwinisme social est une tentative idéologique, dépourvue de fondement scientifique, pour justifier les inégalités.

EXERCICES

Vérifiez vos connaissances : vrai ou faux ?

1. La théorie de l'évolution fait perdre à l'être humain la place privilégiée que lui accordaient les religions et la plupart des philosophies.

2. Selon Darwin, le plus apte est l'organisme le plus fort et le plus intelligent.

3. D'après Darwin, la sélection naturelle et la lutte pour l'existence sont transposables aux sociétés humaines.

4. D'après Darwin, l'évolution est synonyme de progrès.

5. Selon le darwinisme social, il existe une hiérarchie biologique.

6. Le darwinisme social est une idéologie servant à justifier les inégalités.

Synthétisez vos connaissances et développez une argumentation.

1. Comment Darwin transforme-t-il la vision de l'être humain qui avait cours jusque-là ? Pourquoi sa théorie a-t-elle choqué l'opinion publique ?

2. Darwin affirme que l'organisme le plus apte est celui qui survit. Pour lui, que veut dire « le plus apte » ? Comment le darwinisme social interprète-t-il cette thèse ?

3. Dans *La descendance de l'homme,* Darwin affirme que la culture (le développement de la pensée, l'éducation, etc.) signifie la fin du règne exclusif de la sélection naturelle ou de la lutte pour l'existence. Expliquez. En quoi cette opinion contredit-elle les thèses du darwinisme social ?

4. Les partisans du darwinisme social ont donné une interprétation particulière des thèses de Darwin. Comment ont-ils utilisé sa théorie pour justifier le colonialisme (ou les inégalités sociales) ?

Établissez des liens entre les idées.

Comparez l'anthropologie chrétienne à la vision de l'être humain qui se dégage de la théorie de Darwin.

TEXTES À L'ÉTUDE

Texte 1 : *La descendance de l'homme* (extrait)

Darwin (1981), p. 62, 65-66

On peut donc, avec certitude, attribuer aux résultats directs et indirects de la sélection naturelle une importance très grande bien que non définie ; mais, après avoir lu l'essai de Nägeli sur les plantes, et les observations faites par divers auteurs sur les animaux, plus particulièrement celles récemment énoncées par le professeur Broca, j'admets maintenant que, dans les premières éditions de l'*Origine des Espèces,* j'ai probablement attribué un rôle trop considérable à l'action de la sélection naturelle ou à la persistance du plus apte. […]

[…]

On a souvent objecté aux théories que nous venons d'exposer, que l'homme est une des créatures le plus hors d'état de pourvoir à ses besoins, le moins apte à se défendre, qu'il y ait dans le monde ; et que cette incapacité de subvenir à ses besoins devait être plus grande encore pendant la période primitive, alors qu'il était moins bien développé. Le duc d'Argyll, par exemple, insiste sur ce point que « la conformation humaine s'est éloignée de celle de la brute, dans le sens d'un plus grand affaiblissement physique et d'une plus grande impuissance. C'est-à-dire qu'il s'est produit une divergence que, moins que toute autre, on peut attribuer à la simple sélection naturelle ». Il invoque l'état nu du corps, l'absence de grandes dents ou de griffes propres à la défense, le peu de force qu'a l'homme, sa faible rapidité à la course, l'insuffisance de son odorat, insuffisance telle qu'il ne peut se servir de ce sens, ni pour trouver ses aliments ni pour éviter le danger. On pourrait encore ajouter à ces imperfections son inaptitude à grimper rapidement sur les arbres pour échapper à ses ennemis. […]

Quant à la force et à la taille, nous ne savons si l'homme descend de quelque petite espèce, comme le chimpanzé, ou d'une espèce aussi puissante que le gorille ; nous ne saurions donc dire si l'homme est devenu plus grand et plus fort, ou plus petit et plus faible que ne l'étaient ses ancêtres. Toutefois nous devons songer qu'il est peu probable qu'un animal de grande taille, fort et féroce, et pouvant, comme le gorille, se défendre contre tous ses ennemis, puisse devenir un animal sociable ; or ce défaut de sociabilité aurait certainement entravé chez l'homme le développement de ses qualités mentales d'ordre élevé, telles que la sympathie et l'affection pour ses semblables. Il y aurait donc eu, sous ce rapport, un immense avantage pour l'homme à devoir son origine à un être comparativement plus faible.

Le peu de force corporelle de l'homme, son peu de rapidité de locomotion, sa privation d'armes naturelles, etc., sont plus que compensés, premièrement, par ses facultés intellectuelles, qui lui ont permis, alors qu'il était à l'état barbare, de fabriquer des armes, des outils, etc. ; et, secondement, par ses qualités sociales, qui l'ont conduit à aider ses semblables et à en être aidé en retour.

Repérez les idées et analysez le texte.

Darwin souligne que les imperfections ou les inaptitudes de l'homme primitif ont été compensées par des qualités. Quelles sont ces qualités et quels avantages présentent-elles pour l'être humain ? Darwin affirme-t-il que la sélection naturelle est seule responsable du développement de ces qualités ? Expliquez.

Texte 2 : *Au péril de la science* (extrait)
Jacquard (1984), p. 34-36

Le piège de la hiérarchisation

La collection des nombres dits «naturels» comporte un ordre, celui correspondant à la question «plus grand ou plus petit?», et cet ordre sert de référence à tous ceux que nous pouvons imaginer. Quelle que soit la nature des objets que nous considérons, ils ne peuvent être ordonnés que si l'on définit une application de l'ensemble de ces objets sur l'ensemble des nombres (c'est-à-dire si, à chaque objet, nous faisons correspondre un nombre, *et un seul*). Mais une telle application ne peut être réalisée que si nous résumons la totalité de l'information que nous possédons sur chacun de ces objets au moyen d'un unique paramètre. Lorsque je peux me contenter d'un tel résumé pour caractériser les objets considérés, je peux poser avec pertinence la question : «L'objet A est-il supérieur, égal ou inférieur à l'objet B?» La réponse sera fonction des nombres X_A et X_B associés aux deux objets ; car, pour les nombres, la question «supérieur ou égal?» a un sens.

Si les objets considérés sont des hommes ou des groupes d'hommes, un rapport de supériorité peut donc être défini, à condition de préciser de quelle façon nous attribuons un nombre à chaque homme ou à chaque groupe. Naturellement, une infinité de procédures peuvent être imaginées pour procéder à cette attribution ; on peut, par exemple, avec des techniques bien définies, mesurer, pour chaque individu, son poids P, sa taille T, son revenu annuel R et son quotient intellectuel QI,

et lui affecter un nombre X calculé à partir de ces quatre paramètres, ce que le mathématicien écrit : $X = f(P, T, R, QI)$; A sera «supérieur» à B, si $X_A > X_B$.

Il est clair qu'une telle expression est extrêmement dangereuse, car elle risque d'induire un rapport de supériorité entre les objets, alors que ce rapport n'existe qu'entre les nombres que nous avons associés arbitrairement aux objets.

Lorsque notre connaissance de ces objets est suffisamment fine pour que nous admettions ne plus pouvoir les caractériser, sans les trahir, au moyen d'un unique paramètre, nous perdons totalement le pouvoir de les hiérarchiser. Dès que nous considérons deux paramètres supposés irréductibles, ne pouvant être condensés en un seul grâce au choix d'une fonction, la question de la supériorité perd tout sens ; si nous caractérisons, par exemple, chaque individu par son revenu et son QI, A par R_A et QI_A, B par R_B et QI_B, la seule opération que nous puissions faire pour les comparer est de rechercher s'ils sont «égaux» : on pourra ainsi écrire A = B si l'on constate que, simultanément, $R_A = R_B$ et $QI_A = QI_B$. Si l'une de ces égalités n'est pas vérifiée, A est «différent» de B, $A \neq B$, mais aucun rapport de supériorité ne peut être évoqué.

Lorsque nous comparons un nombre à un autre, la non-égalité implique la supériorité de l'un ; lorsque nous comparons des ensembles, elle n'implique que leur différence.

Repérez les idées et analysez le texte.

1. En quelques mots, dites pourquoi, selon Albert Jacquard, il n'est pas logiquement possible de hiérarchiser deux individus ou deux groupes humains.

2. En revanche, croyez-vous qu'il est possible de se demander lequel de deux individus est plus habile pour fabriquer une table? pour exécuter un concerto? Expliquez brièvement.

3. Dans ce texte, Jacquard montre qu'il est impossible de hiérarchiser les individus ou les groupes humains. Livrez-vous à une expérience très simple : choisissez des personnalités connues (par exemple, Céline Dion, Albert Einstein, Bill Clinton et vous-même). Évaluez approximativement trois de leurs caractéristiques, soit les revenus, la taille et le poids. (Elles en ont bien d'autres.) Attribuez une valeur à chacune de ces caractéristiques (par exemple, un point par tranche de 1 000 $ de revenus). Faites l'addition et demandez-vous qui est «supérieur».

LECTURES SUGGÉRÉES

Darwin, C. (1981). *La descendance de l'homme*. Bruxelles : Éditions Complexe.

Sondage Décima-La presse canadienne (2007). SRC – Société Radio-Canada, 5 septembre 2007, http://www.vigile.net/le-creationnisme-dans-le-debat.

Thuillier, P. (1981a). *Darwin & Co*. Bruxelles : Éditions Complexe.

Thuillier, P. (1981b). *Les biologistes vont-ils prendre le pouvoir ?* Bruxelles : Éditions Complexe.

CHAPITRE 7

John Dewey : nature humaine et culture

L'existence de presque tous les types imaginables d'institutions sociales, à travers les lieux et les époques, nous apporte la preuve de la plasticité de la nature humaine.

John Dewey

Introduction

Le déterminisme biologique condamne l'être humain à s'exprimer selon des lois contraignantes et incontournables. Celui-ci est pour ainsi dire enchaîné à la nature, ses qualités étant aussi fixes et invariables que peuvent l'être la couleur des yeux ou la taille. La nature humaine est figée et l'environnement ne joue aucun rôle, ou presque, dans les conduites humaines. Pour Dewey, l'être humain n'est pas coupé de sa constitution biologique, laquelle le définit de multiples manières. Cependant, l'expression de ses traits fondamentaux est soumise à l'action déterminante de la culture (institutions sociales, éducation, etc.). La nature humaine est plastique ; elle est le produit des influences combinées de la nature et de la culture. Et si Dewey reconnaît l'existence de forces qui influencent l'expression des conduites humaines, ces forces n'ont pas le statut de lois contraignantes supprimant toute possibilité de liberté. C'est ainsi que Dewey se situe entre le déterminisme universel, qui exclut toute possibilité de liberté, et Sartre, qui rejette toute forme de déterminisme et pour qui l'être humain est liberté absolue.

Notes biographiques

John Dewey naît à Burlington, au Vermont (États-Unis), en 1859, et meurt à New York en 1952. Il enseigne notamment à l'université de Chicago, où il dirige le Département de philosophie, de psychologie et d'éducation.

Dewey se situe dans la tradition **pragmatiste** américaine, celle-ci étant en droite ligne avec la théorie élaborée par Charles S. Peirce (1839-1914) et William James (1842-1910). Paradoxalement, cet homme pratique, partisan du « bon sens », subit l'influence du philosophe allemand Friedrich Hegel, qui est tout sauf un pragmatiste. Dewey doit aussi beaucoup à Darwin. Il considère l'esprit humain comme un instrument qui permet à l'individu de s'adapter à son milieu. Cet instrument a évolué et continuera de le faire.

Dewey est l'enfant d'un siècle où les idées d'évolution et de progrès de l'humanité sont devenues un crédo. Cette nouvelle religion du « progrès » est celle de la plupart de ses contemporains. Les influences combinées de Darwin et de la révolution

Pragmatisme
Théorie philosophique américaine fondée sur l'efficacité. Est vrai ce qui fonctionne, ce qui est efficace. Ses tenants rejettent la spéculation métaphysique.

industrielle, révolution censée apporter le bonheur à l'humanité, ont laissé leur empreinte sur Dewey. Notons qu'il naît l'année de la publication de l'ouvrage *De l'origine des espèces,* de Darwin.

La nature humaine et les besoins fondamentaux

Dans son article «La nature humaine peut-elle changer[1] ?», Dewey affirme que la nature humaine existe. Cependant, elle n'est pas figée et ne force pas l'individu à adopter des comportements rigides.

> L'être humain se définit par un ensemble de besoins fondamentaux liés à sa constitution biologique. Ces tendances ne changent pas. Mais la façon de les satisfaire dépend des influences culturelles et sociales.

L'être humain a des besoins qui sont liés aux exigences de sa constitution biologique, comme manger, boire, se déplacer, côtoyer des gens, déployer son énergie et combattre (*voir* le Texte à l'étude, *p. 125-126*). Ces besoins, Dewey les qualifie de **tendances** inhérentes à la nature humaine, laquelle cesserait d'être ce qu'elle est si ces tendances changeaient. Ce n'est qu'en ce sens qu'il affirme que la nature humaine ne change pas, qu'elle est immuable[2].

L'influence déterminante de la culture

Si certaines tendances font partie de la constitution de l'être humain, **la façon de les satisfaire est sous l'influence déterminante des institutions sociales,** c'est-à-dire de la culture. Dans *Liberté et culture,* Dewey élabore cette idée. Selon lui, les anthropologues ont démontré que :

> [...] la culture d'une période ou d'un groupe est l'influence déterminante dans l'arrangement de ces éléments [constitutifs de la nature humaine] ; c'est cet arrangement qui détermine les modèles de conduite qui marquent les activités de tout groupe, famille, clan, peuple, secte, faction, classe[3].

Il en donne pour preuve la grande diversité des sociétés humaines, en dépit du fait que tous les humains ont la même constitution de base : les enfants parlent la langue du lieu où ils sont nés, les préférences et les habitudes alimentaires sont **acquises.** Par exemple, les peuples qui mangeaient de la chair humaine tenaient cette activité pour tout à fait normale, alors que, dans la société occidentale, on la juge contre nature.

> L'influence des facteurs culturels et sociaux est déterminante.

La question fondamentale : comment canaliser les besoins ?

Pour Dewey, la question fondamentale n'est pas de savoir si tels ou tels traits sont constitutifs de la nature humaine. En effet, on pourrait se demander si le besoin de mener ou de combattre est inscrit dans chaque individu, comme l'est celui de manger. Il ne s'agit pas de savoir si l'être humain est naturellement bon ou naturellement mauvais, comme s'interroge Thomas Hobbes (1588-1679). La vraie question est de

---

1. Dewey, «La nature humaine peut-elle changer ?», dans Blackburn (1994).
2. *Ibid.,* p. 397.
3. Dewey (1955), p. 25.

savoir **comment les éléments constitutifs de la nature humaine sont stimulés ou inhibés, intensifiés ou affaiblis**[4]. Or, ce sont les facteurs culturels qui déterminent le destin que subiront ces besoins fondamentaux.

En effet, il s'agit de trouver des moyens de canaliser les besoins dans des avenues favorables à l'évolution de l'être humain. Par exemple, si le besoin de combattre fait partie de la nature humaine, il faut le canaliser dans la guerre contre la maladie, la pauvreté, l'insécurité, l'injustice, où les gens pourront exprimer leur combativité[5].

> La question de fond n'est pas tant de savoir si telle ou telle tendance est inscrite de façon indélébile dans la constitution biologique de l'être humain. Il s'agit plutôt de savoir comment ces tendances inhérentes sont stimulées ou inhibées, intensifiées ou affaiblies. C'est ici que les influences sociales et culturelles jouent leur rôle.

La nature guerrière de l'homme?

Dewey rejette la notion de Hobbes d'un instinct guerrier chez l'être humain. La guerre s'explique essentiellement par des motifs économiques et sociaux (concurrence, recherche de marchés et de matières premières, etc.). C'est une affaire de traditions, de coutumes, d'institutions. Elle existe parce que les conditions sociales ont «poussé, voire forcé, ces "instincts" dans cette voie[6]». Par exemple, la haine et la suspicion à l'endroit de l'ennemi sont entretenues par la propagande et les comptes rendus d'atrocités. Ces dimensions psychologiques interviennent dans les guerres pour inciter le peuple à combattre.

Pour d'autres raisons, l'explication de la guerre par les instincts est à rejeter. Si certains instincts poussent l'être humain à la guerre, d'autres l'en éloignent. En effet, si l'agressivité et la peur sont des traits innés de la nature humaine, il en est de même de la «pitié et [de] la compassion[7]», comme le pense Rousseau. Alors, comment expliquer que ceux-là plutôt que ceux-ci s'expriment?

> Pour Dewey, on ne peut expliquer la cruauté et la violence en invoquant la «nature guerrière» de l'être humain.

L'interprétation de Dewey met en lumière le comportement des soldats des deux camps adverses au cours de la Première Guerre mondiale. Les états-majors des deux armées ont paniqué en voyant les soldats fraterniser dans les tranchées à la Noël. Ce comportement remettait en question l'idée d'une agressivité naturelle entre Français et Allemands. La propagande patriotique des médias et des gouvernements belligérants ne suffisait plus à distiller la haine et la peur. Pour éviter ces manifestations de sympathie, on déplaçait les troupes à de courts intervalles pour empêcher que se créent des liens entre hommes d'armées rivales.

Dewey et l'archéologie

Les recherches archéologiques alimentent les thèses de Dewey. Jean-Paul Demoule, archéologue de l'Université de Paris, note qu'il y a environ 6 500 ans les villages croissaient en taille et commençaient à se fortifier, «témoignant, avec la multiplication des traumatismes osseux dans les tombes et des incendies massifs de villages, de l'émergence de la guerre comme phénomène "normal"[8]».

---

4. *Ibid.*, p. 35.
5. Dewey, «La nature humaine peut-elle changer?», dans Blackburn (1994), p. 399.
6. *Ibid.*
7. *Ibid.*
8. Demoule (1993).

Max Escalon de Fonton ébranle l'idée selon laquelle l'homme primitif était une brute sanguinaire. Il estime que l'être humain a vécu armé et paisible pendant des millénaires.

> Dans leur habitat, les restes des repas, leurs industries montrent d'innombrables ossements d'animaux tués de leurs armes efficaces, et ces mêmes armes recueillies par centaines, par milliers. Et cependant les tombes de ces chasseurs ne fournissent aucune trace de guerre. On rencontre des blessures accidentelles, telles que des fractures consolidées, mais jamais des blessures occasionnées par ces belles pointes de silex[9].

Par ailleurs, Demoule souligne que c'est à la même période qu'apparaissent les indices d'une différenciation sociale. On sait que les humains enterrent leurs morts depuis environ 100 000 ans. Or, ce n'est que depuis 6 500 ans que certaines tombes recèlent des parures et des sceptres d'or, alors que d'autres n'ont qu'un matériel très pauvre. Les tombes qui datent d'une époque antérieure ne présentent pas ces indices de différenciation sociale. Il en est ainsi des maisons d'un même village – il ne semble pas y avoir de palais pour les riches ni de bicoques pour les autres.

L'illusion naturaliste : des vessies pour des lanternes ?

Dewey souligne que l'on est porté à confondre les facteurs culturels (la propriété privée, l'esclavage, le crédit, l'intérêt, etc.) avec la nature. Or, ces facteurs sont des produits de l'histoire. La méprise découle de l'**illusion naturaliste.** On est tellement habitué à vivre avec ces institutions qu'elles paraissent « naturelles ». On commet alors la même erreur qu'Aristote quand il considérait l'esclavage comme un phénomène naturel. Il croyait que son abolition était utopique et inconcevable, car la condition d'esclave était une partie indélébile de la nature humaine[10].

> L'illusion naturaliste fait prendre des phénomènes culturels pour des phénomènes naturels.

Les différences individuelles

Dewey admet l'existence de différences individuelles qui seraient innées. Mais ces capacités différentes des individus prennent effet à l'intérieur d'une forme sociale donnée et sont modelées par celle-ci[11]. Dans « La nature humaine peut-elle changer ? », il conteste l'idée répandue selon laquelle l'être humain serait prisonnier de sa nature. Cette idée consiste à croire que si un individu naît criminel, ou cupide, il le restera toute sa vie.

> L'être humain n'est pas condamné à s'exprimer de façon rigide et à suivre une séquence de conduites qui seraient déterminées dès la naissance.

> Ce que je conteste, c'est l'idée que ces différences condamnent l'individu à s'exprimer d'une manière déterminée. Évidemment, on ne peut faire d'une buse un épervier. Mais la forme particulière que prendra un don naturel, pour la musique par exemple, dépend des influences sociales auxquelles une personne sera soumise. Dans une tribu sauvage Beethoven serait sans doute devenu un remarquable musicien, mais il n'aurait pas été le Beethoven des symphonies[12].

---

9. M. Escalon de Fonton, « La fin du monde des chasseurs et la naissance de la guerre », *Le Courrier du CNRS*, 25, juillet 1977, cité dans Michel (1986).
10. Dewey, « La nature humaine peut-elle changer ? », dans Blackburn (1994), p. 398.
11. Dewey (1955), p. 25.
12. Dewey, « La nature humaine peut-elle changer ? », dans Blackburn (1994), p. 403.

L'idée selon laquelle certaines différences individuelles seraient liées aux gènes est certes plausible. Cependant, on peut exprimer des réserves quant à l'existence des fameux «dons», surtout en ce qui a trait à la façon dont on utilise la douance à toutes les sauces[13]. D'une part, certains individus semblent en effet posséder de tels dons, comme l'oreille absolue (capacité de donner la note juste sans utiliser d'instrument), et ceux-ci dépendent peut-être d'un gène. Ce qu'on appelle oreille absolue est d'ailleurs assez répandu dans la population, mais peu de ceux qui en sont les heureux possesseurs deviennent musiciens. D'autre part, il arrive fréquemment que l'on confonde les influences sociales et le travail acharné avec les dons.

Photographie de John Dewey.

La nature humaine et le changement social

L'anthropologie philosophique de Dewey pose la question du changement social et des résistances à l'amélioration du sort des humains. Ces résistances proviennent de la force de l'habitude, de l'inertie des traditions et des façons de penser. Mais peu de changements sociaux sont contraires à la nature humaine :

> Une proposition qui viserait à ce qu'une société se passe de boire et de manger serait l'une des rares à se ranger dans cette catégorie[14].

En fin de compte, l'important n'est pas de savoir si la nature humaine interdit ou permet tel ou tel changement, mais si ce changement est souhaitable.

L'idée que l'on se fait de la nature humaine dépend des buts que l'on vise. Si l'on veut justifier l'exercice de l'autorité, on dira que l'être humain est une brute et l'on adoptera un point de vue pessimiste sur la nature humaine :

> Voici un champ où n'ont guère pénétré les explorateurs intellectuels ; l'histoire de la manière selon laquelle on a exposé des idées sur la structure de la nature humaine, idées supposées être le résultat d'une enquête psychologique, a été en fait seulement le reflet de mesures pratiques que différents groupes, classes, factions désiraient voir continuer d'exister ou faire adopter, si bien que ce qui passait pour être de la psychologie était une branche de la doctrine politique[15].

---

13. À ce sujet, voir Jacquard (1991), p. 139-141.
14. Dewey, «La nature humaine peut-elle changer?», dans Blackburn (1994), p. 403.
15. Dewey (1955), p. 35-36.

C'est ainsi qu'une philosophie pessimiste de la nature humaine pourrait servir à justifier les politiques néolibérales, notamment les compressions sévères effectuées par les gouvernements dans l'éducation. En effet, si la nature humaine n'est pas perfectible, il est inutile de chercher à acquérir des capacités inexistantes, et l'éducation est futile.

La liberté

Il découle de cette présentation une conception assez limpide de la liberté :

> Si nous voulons que les individus soient libres, nous devons veiller à ce qu'il existe des conditions convenables ; truisme qui tout au moins indique la direction où regarder et avancer[16].

Chez Dewey, la liberté n'est pas une propriété innée du sujet pensant, comme c'est le cas chez Descartes. Comme les Anciens, Dewey la situe plutôt dans le social. Pour les Grecs de l'Antiquité, l'« homme libre » est celui qui participe aux décisions collectives et qui a la possibilité de se faire élire à tous les postes politiques ; bref, c'est celui qui n'est pas maintenu en esclavage ou qui n'est pas de sexe féminin. Pour accéder à la liberté ou pour l'accroître, il faut transformer l'organisation sociale et créer les conditions qui en permettent l'expression. Pour Dewey, cette question est davantage pratique que théorique.

Conclusion

Dans son anthropologie pragmatiste, Dewey met en relation les aspects naturels et culturels de l'être humain et insiste sur l'importance des facteurs sociaux dans le développement des conduites humaines. Dans le prochain chapitre, nous verrons comment Marx en a fait la pierre d'assise de son anthropologie.

---

16. *Ibid.*, p. 41.

LES IDÉES ESSENTIELLES

▶ **Au carrefour des influences de la nature et de la culture**

Pour Dewey, l'être humain est au point de convergence des influences entre nature et culture. Cette dernière joue un rôle dominant dans les conduites des peuples, des classes et des familles.

▶ **Une même constitution biologique**

L'être humain a des besoins qui dépendent de sa constitution biologique : boire, manger, se déplacer, déployer son énergie, etc. C'est en ce sens que l'on peut dire que la nature humaine est immuable. Quant au reste, tout dépend de la culture et de l'organisation sociale : institutions, coutumes et mœurs. La grande diversité des sociétés démontre l'influence des facteurs culturels sur les conduites humaines.

▶ **La culture détermine le destin des besoins**

Selon Dewey, il est moins important de savoir si les besoins fondamentaux font, ou non, partie de la nature humaine que de savoir comment ils sont stimulés ou inhibés, intensifiés ou affaiblis. C'est l'organisation sociale qui est responsable du destin de ces éléments fondamentaux.

▶ **La guerre et la nature humaine**

Dewey rejette l'explication selon laquelle la guerre résulterait de la «nature guerrière de l'homme». Si le besoin de combattre fait partie de la nature humaine, la compassion en fait également partie, de sorte que l'une annule l'autre. La guerre s'explique plutôt par la façon dont l'organisation sociale pousse les prétendus «instincts guerriers» dans cette voie et comment elle les stimule et les intensifie.

Par ailleurs, si le besoin de combattre fait partie de la nature humaine, il faut canaliser ce besoin dans des avenues favorables à l'être humain. L'archéologie et l'anthropologie avancent des arguments qui tendent à démontrer que la guerre est un phénomène historique.

▶ **L'illusion naturaliste**

Dewey dénonce l'assimilation des phénomènes culturels aux phénomènes naturels, confusion qui résulte de l'habitude : c'est l'illusion naturaliste. Aristote, par exemple, croyait que l'esclavagisme était un système naturel et qu'il ne pouvait être aboli.

EXERCICES

Vérifiez vos connaissances : vrai ou faux ?

1. Selon Dewey, la nature humaine, dans toutes ses expressions, est immuable.

2. La façon de satisfaire les besoins humains tombe sous l'influence prépondérante de la culture.

3. Selon Dewey, la question fondamentale est de savoir comment les éléments constitutifs de la nature humaine sont intensifiés ou affaiblis.

4. D'après Dewey, la guerre existe parce que les conditions sociales ont forcé les « instincts » dans cette voie.

5. L'illusion naturaliste fait que l'on confond les facteurs culturels avec les phénomènes naturels.

6. Selon Dewey, si l'on naît criminel, on le restera toute sa vie.

Synthétisez vos connaissances et développez une argumentation.

1. Que veut dire Dewey quand il affirme que la nature humaine est immuable ? Donnez des exemples. Cela signifie-t-il que les êtres humains sont condamnés à s'exprimer d'une façon précise et rigide qui ne leur laisse aucun choix ?

2. Dewey affirme que la culture joue un rôle prépondérant dans les conduites humaines. Quelles preuves en donne-t-il ?

3. Selon Dewey, la question importante n'est pas de savoir si la nature humaine est naturellement bonne ou mauvaise. Quelle est la vraie question, selon lui ?

4. Pourquoi Dewey rejette-t-il l'explication d'un phénomène comme la guerre par les « instincts » ? Trouvez trois autres arguments qui remettent en question cette explication.

Établissez des liens entre les idées.

Exposez brièvement les thèses du déterminisme biologique et celles de Dewey. S'il y a lieu, faites ressortir les similitudes. Mettez en relief les principales différences existant entre ces deux conceptions de l'être humain. Soulignez les différences en ce qui a trait à la liberté.

TEXTE À L'ÉTUDE

La nature humaine peut-elle changer ? (extrait)

Dewey, dans Blackburn (1994), p. 397-404

J'en suis venu à la conclusion que ceux qui donnent différentes réponses à la question que je pose dans le titre de cet article parlent de choses différentes. Cette déclaration à elle seule permet cependant d'échapper trop facilement au problème pour être satisfaisante. Car il y a bien un problème et, pour autant qu'il s'agit d'une question pratique plutôt que théorique, je pense que la réponse appropriée à cette question consiste à dire que, *effectivement,* la nature humaine change.

Quand je parle du côté pratique de la question, cela signifie qu'il s'agit de savoir si les voies qui orientent les croyances et les actions humaines ont connu, et sont encore susceptibles de connaître, des changements importants, presque fondamentaux. Mais pour placer cette question dans sa juste perspective, on doit en premier lieu reconnaître qu'en un sens la nature humaine ne change pas. Je ne pense pas que l'on pourrait démontrer que les besoins innés de l'homme aient changé depuis que l'homme est devenu homme ni qu'il existe la moindre preuve qu'ils changeront aussi longtemps que l'homme sera sur terre.

Par «besoins», je veux parler de ces exigences inhérentes à l'homme du fait de sa constitution. Le besoin de manger, de boire ou de se déplacer est, par exemple, à ce point ancré dans notre être qu'il ne nous est pas possible d'imaginer une situation dans laquelle il pourrait cesser d'exister. Mais il y en a d'autres qui, s'ils ne sont pas aussi directement physiques, n'en sont pas moins à mes yeux tout aussi enracinés dans la nature humaine. J'en donnerai comme exemple le besoin d'une certaine forme de compagnie ; le besoin de déployer son énergie, d'exercer ses pouvoirs sur le milieu environnant ; le besoin de collaborer avec ses semblables et de rivaliser avec eux, de s'entraider et de combattre ; le besoin d'une certaine forme d'expression et de satisfaction esthétique ; le besoin de mener et de suivre, etc.

Que mes exemples soient bien choisis ou non importe moins que la reconnaissance du fait que certaines tendances font à ce point partie intégrante de la nature humaine que celle-ci cesserait d'être la nature humaine si elles changeaient. Ces tendances étaient habituellement désignées sous le nom d'instincts. Les psychologues sont maintenant bien plus circonspects dans l'usage de ce mot. Mais ce qui compte, ce n'est pas le terme qui nous sert à désigner ces tendances, mais bien le fait que la nature humaine possède sa propre constitution.

Là où nous risquons de faire fausse route, une fois que l'on a admis le fait qu'il existe quelque chose d'immuable dans la structure de la nature humaine, c'est dans les conclusions que nous en tirons. En effet, nous tenons pour acquis que la manifestation de ces besoins est elle aussi immuable. Nous supposons que les manifestations auxquelles nous sommes habitués sont aussi naturelles et immuables que les besoins dont elles émanent.

Le besoin de nourriture est tellement impérieux que nous taxons de démente toute personne qui persiste à refuser de s'alimenter. Mais nos préférences et nos habitudes alimentaires relèvent d'habitudes acquises qui ont été influencées par l'environnement physique et les coutumes sociales. [...]

Lorsqu'il affirmait que l'esclavage existe par nature, Aristote parlait au nom de tout un ordre social aussi bien qu'en son propre nom. Il aurait considéré tout effort visant à abolir l'esclavage comme une tentative aussi vaine qu'utopique de modifier la nature humaine dans un domaine où elle était immuable. Selon lui, en effet, le désir d'être dominant n'était pas le seul à être enraciné dans la nature humaine. Certains individus étaient nés dotés d'une nature si servile que c'eût été faire violence à la nature humaine que de leur donner la liberté.

L'idée voulant que la nature humaine ne peut être modifiée gagne des adeptes lorsque des changements sociaux sont exigés pour réformer et améliorer les conditions de vie existantes. [...]

[...]

Un problème plus brûlant encore apparaît lorsque sont proposés des changements fondamentaux dans les institutions et les relations économiques. Les propositions visant à de tels bouleversements sont de nos jours monnaie courante. Mais elles se heurtent au postulat voulant que ces changements sont impossibles car ils impliqueraient un impossible changement de la nature humaine. À cela, il est à craindre que les partisans du changement désiré ne se contentent de rétorquer que le système actuel est, en partie du moins, contraire à la nature humaine. Le débat s'engage alors dans la mauvaise voie.

En fait, de toutes les manifestations de la nature humaine, ce sont les institutions et les relations économiques qui sont les plus susceptibles de changer. L'histoire fournit la preuve vivante de l'étendue de ces changements. Aristote, par exemple, soutenait que le paiement d'intérêts était contre nature, et le Moyen Âge se fit l'écho de cette doctrine. On associait cette opération à de l'usure, et ce n'est qu'après une évolution des conditions économiques telle que le paiement d'intérêt devint chose courante et, en ce sens, «naturel», que l'usure prit sa signification actuelle.

Il y eut des temps et des lieux où l'on possédait la terre en commun et où toute idée de propriété privée aurait été considérée comme monstrueuse et contre nature. Il y eut d'autres temps et d'autres lieux où tous les biens se trouvaient aux mains d'un suzerain, et où la fortune de ses sujets, ou leur absence de fortune, dépendait de son bon plaisir. Tout le système du crédit, si fondamental dans les finances contemporaines et dans la vie industrielle, est une invention moderne. L'invention de la société par actions, à responsabilité limitée, a révolutionné la nature et l'idée de la propriété. Je pense que le besoin de posséder quelque chose est un trait inné de la nature humaine.

Mais il faut une grande ignorance ou une imagination extravagante pour supposer que le système de propriété qui existe aux États-Unis en 1946, avec toutes ses relations complexes et ses réseaux de soutiens juridiques et politiques, constitue le produit nécessaire et immuable d'une tendance naturelle à l'appropriation et à la possession.

[...]

L'existence de presque tous les types imaginables d'institutions sociales, à travers les lieux et les époques, nous apporte la preuve de la plasticité de la nature humaine.

Repérez les idées et analysez le texte.

1. Dewey affirme que l'on tire des conclusions erronées du fait que certains traits de la nature humaine ne changent pas. Quelles sont ces conclusions ? Illustrez-les par un exemple.

2. À quel moment la thèse de l'immuabilité de la nature humaine gagne-t-elle le plus d'adeptes ?

3. Dewey dénonce l'illusion naturaliste. En quoi consiste cette erreur ?

4. Dewey affirme que les relations et les institutions économiques sont celles qui sont les plus susceptibles de changer. Quels arguments avance-t-il et quels exemples donne-t-il ?

LECTURES SUGGÉRÉES

Demoule, J.-P. (1993). «Naissance du pouvoir et des inégalités.» *Sciences humaines, 31.*

Dewey, J. (1994). «La nature humaine peut-elle changer?», dans P. Blackburn, *Logique de l'argumentation* (2e éd.). Saint-Laurent: Éditions du Renouveau Pédagogique, p. 397-404.

Dewey, J. (1955). *Liberté et culture.* Paris: Aubier Montaigne.

CHAPITRE 8

Karl Marx :
réalisation de soi et sociabilité

Ce qui est sûr, c'est que je ne suis pas marxiste.

Karl Marx

Millions of workers, working for nothing,
you better give'em what they really own.

John Lennon

Introduction

Aucun philosophe n'a eu autant d'influence que Karl Marx. «Le moins lu, le plus cité», aucun n'a été aussi mal compris, tant par ses opposants que par les marxistes. Quand son gendre, Paul Lafargue, prétend résumer la pensée de Marx dans son livre *Le déterminisme économique de Karl Marx,* celui-ci ironise: «Ce qui est sûr, c'est que je ne suis pas marxiste [1].» Il n'est donc pas facile de cerner la pensée de Marx. On en a tellement parlé qu'on a peine à distinguer ce qui revient à Marx et ce qu'on doit attribuer à ses commentateurs, à ses détracteurs et même à son plus fidèle ami et collaborateur, Friedrich Engels, avec qui il a rédigé plusieurs ouvrages.

On peut mesurer la distance qui sépare Marx de nombre de ses disciples quand on considère qu'il était convaincu de la nécessité de renverser l'État pour réaliser la personnalité des travailleurs [2]. Cette idée est maintes fois réitérée à travers toute l'œuvre de Marx. Quand, au nom du marxisme, les dirigeants de l'ex-URSS prétendent emboîter le pas à Marx en édifiant un État omnipuissant et répressif, c'est en opposition à tout ce que l'auteur du *Capital* a toujours envisagé. Voir l'ex-URSS comme l'incarnation des idéaux de Marx équivaut à considérer les croisades et l'Inquisition comme la réalisation des idéaux de fraternité humaine des premiers chrétiens. Toute la philosophie de Marx étant placée sous le signe de la liberté, ce n'est pas la moindre des ironies qu'elle ait été transformée en son contraire. Le «marxisme» officiel a nui à la pensée de Marx, dont l'œuvre monumentale reste toujours vivante et nous interpelle encore en dépit du bruit ambiant.

Notes biographiques

Karl Marx est né à Trèves, en Allemagne, en 1818 et est mort à Londres en 1883. Son père, avocat de confession juive, se convertit au protestantisme pour continuer d'exercer son métier. Marx entreprit des études de droit. Il se fit une réputation d'étudiant turbulent et fut arrêté pour tapage nocturne et ivresse. Estimant que le droit n'était pas pour lui, il se mit à l'étude de la philosophie

---

1. Propos rapportés par Engels, lettre à Bernstein, 1882.
2. Marx et Engels (1966), p. 135.

et obtint son doctorat à l'âge de 23 ans. Il épousa Jenny von Westphalen, jeune fille de la petite noblesse. Il se destinait à l'enseignement, mais ses vues libérales l'empêchèrent d'obtenir un poste universitaire. Cette voie lui étant barrée par le régime prussien ultraconservateur, il se lança dans le journalisme. Plus tard, il se consacra à l'étude de l'économie et à l'action politique.

La richesse et la misère : le contexte

Marx a pratiquement traversé le XIXe siècle, période fertile en bouleversements économiques (la révolution industrielle) et politiques (l'Europe est secouée par de multiples révolutions ouvrières). Le XXe siècle fut ensuite le théâtre d'une longue bataille idéologique et politique entre les adeptes du libéralisme et les tenants du marxisme.

La pensée de Marx s'est nourrie aux sources du socialisme français (Saint-Simon, Fourier, etc.), de Rousseau, de l'économie politique anglaise (Smith, Ricardo, etc.) et de l'ultrarationalisme (Hegel). Elle prend également, et surtout, racine dans l'observation des conditions de vie et des luttes du mouvement ouvrier européen. En Europe, vers 1850, le capitalisme sauvage et l'inégalité triomphent :

- Au début du XIXe siècle, les conditions de travail se détériorent. On travaille de 14 à 16 heures par jour, sans congé, pas même le dimanche. Les fêtes religieuses sont supprimées, ce qui contribue à la déchristianisation[3].
- Les enfants travaillent dès l'âge de cinq ans. Conformément aux maximes du libéralisme, l'offre et la demande de main-d'œuvre ne doivent être entravées par aucune restriction, aucune loi.
- La retraite n'existe pas, et l'on meurt jeune. Une étude gouvernementale, *On the Sanitary Conditions of the Labouring Population of Great Britain in 1842*[4], souligne que l'espérance de vie des ouvriers de Manchester, ville industrielle type d'Angleterre, est de 17 ans. L'espérance de vie des travailleurs ruraux est de 38 ans.
- Le châtiment corporel est fréquent (les ouvriers sont battus, fouettés ou emprisonnés), et les travailleurs paient des amendes quand ils ratent une pièce.
- Les salaires sont minimes, notamment à cause du chômage élevé. Tout au long du XIXe siècle, le salaire réel demeure à peu près constant, et les famines sont courantes. À la fin du XIXe siècle, à Montréal, un journalier gagne de 6 à 9 dollars par semaine et une modiste, moins de 4 dollars ; les enfants âgés de 8 à 10 ans gagnent le quart du salaire d'un ouvrier[5].
- Les travailleurs logent dans des taudis, où ils s'entassent (jusqu'à 26 par appartement)[6].

La pensée de Marx s'est inspirée de l'implacable réalité vécue par les travailleurs durant la révolution industrielle. Émile Zola (1840-1902), lecteur de Marx, en a fait des descriptions saisissantes dans son roman *Germinal*, qui fut porté à l'écran.

C'est dans ce contexte où des millions de vies sont humiliées et saccagées que se développe le mouvement socialiste. Plusieurs parmi les esprits éclairés de l'époque considèrent

3. Rémond (1974), p. 121.
4. Citée dans Cuerrier (1994), p. 57.
5. Linteau (1992).
6. Engels (1960).

qu'une telle société est inacceptable et immorale. On remet en cause le capitalisme et son idéologie, le libéralisme. Le libéralisme, qui promet liberté et égalité, est perçu comme un échec, alors qu'on assiste au triomphe de l'esclavage et de l'inégalité.

L'activité vitale et le besoin de se réaliser

Pour Marx comme pour Dewey, l'être humain est d'abord un **produit de la nature**, un ensemble de **potentialités naturelles** que l'organisation sociale inhibe ou favorise.

Ce qui distingue l'être humain de l'animal, c'est **l'activité vitale, le besoin de se réaliser en produisant.** Contrairement à l'animal, qui «ne produit que sous l'empire du besoin physique immédiat [...], l'homme produit même libéré du besoin physique[7]».

L'être humain non seulement produit pour se nourrir, se vêtir et se loger mais il «façonne donc aussi d'après les lois de la beauté»; il produit pour «la joie de produire [et] la jouissance du produit[8]». C'est en exprimant ce besoin d'activité productive qu'il **se réalise, s'affirme et donne un sens à sa vie.** Par la mise en œuvre de ses capacités physiques et intellectuelles, le monde qu'il crée devient une expression de lui-même, «la nature apparaît comme son œuvre et sa réalité[9]».

> L'être humain a besoin de réaliser ses aptitudes en produisant des objets utiles et esthétiques.

L'activité et l'autotransformation

Par la mise en œuvre de cette énergie vitale et par la transformation de la nature, l'être humain se transforme lui-même. Sur ce point, on peut faire le rapprochement entre Marx et Rousseau.

> En même temps qu'il agit par ce mouvement sur la nature extérieure et la modifie, il modifie sa propre nature, et développe les facultés qui y sommeillent[10].

Par exemple, la découverte de l'élevage, de l'agriculture et des nouvelles énergies, il y a environ 10 000 ans, au cours de la révolution néolithique, bouleverse profondément les conditions de vie et les rapports humains. De nomades qu'ils étaient, les humains deviennent sédentaires. Ces nouvelles découvertes permettent la création de surplus économiques, l'apparition des villes, le développement des échanges, de l'astronomie, du système numérique et de l'écriture. On assiste à la première explosion démographique. Selon plusieurs auteurs, c'est durant cette période que les inégalités entre hommes et femmes, la division entre riches et pauvres, et les guerres en tant qu'activités systématiques ont fait leur apparition[11].

L'être social

L'être humain, c'est également «l'ensemble des rapports sociaux[12]». **Exister, c'est interagir avec les autres, c'est être avec...** Le caractère social de l'être humain se manifeste de multiples manières.

---

7. Marx (1969), p. 63-64.
8. *Ibid.*, p. 64-65.
9. *Ibid.*, p. 64.
10. Marx (1948), p. 180.
11. Demoule (1993).
12. Marx et Engels (1966), « VIe thèse sur Feuerbach », p. 140.

Pour Marx, c'est dans la production que se révèle avec le plus d'éclat cet aspect de la condition humaine. Ma production est une production pour la société. Ce que mon travail fabrique a pour but de satisfaire le **besoin de l'autre** et, inversement, la production de l'autre satisfait mon besoin. Par exemple, le travailleur d'usine, la caissière et la serveuse produisent des biens et des services qui sont destinés à d'autres. Dans les sociétés modernes, la quasi-totalité des biens consommés est le résultat du travail d'autrui, contrairement à la situation qui existait dans les sociétés précapitalistes.

Par ailleurs, la nécessité du rapport avec les autres est évidente quand on considère la vulnérabilité de l'enfant à la naissance. Contrairement aux animaux qui manifestent leur autonomie peu après leur naissance, l'enfant humain dépend des autres et a besoin d'une longue période de soutien et d'apprentissage avant de pouvoir se débrouiller seul.

De plus, la transmission des connaissances, qui décuple les possibilités humaines, est essentiellement un processus social. Tout ce que l'être humain apprend, invente et crée est rendu possible par la vie en société. En effet, les connaissances existent en dehors de l'être humain sous une forme sociale et sont ainsi transmises aux générations suivantes. Cela représente un saut important dans l'évolution humaine. Au cours des 10 derniers siècles, l'être humain s'est radicalement métamorphosé sans qu'il y ait eu de changement biologique important[13].

> Le caractère social de l'être humain se manifeste dans la production, la transmission des connaissances et la vie en groupe.

Par comparaison aux autres espèces, le contraste est frappant. Les abeilles d'aujourd'hui ne savent rien faire de plus que celles qui vivaient il y a 2 000 ans. Le peu qu'elles apprennent au cours de leur vie ne se transmet pas à l'espèce. Leur savoir-faire est stocké dans le code génétique de chaque individu[14]. Leurs capacités et leur évolution sont étroitement définies par leur biologie. C'est ainsi qu'elles sont successivement nourrices, maçonnes et butineuses et qu'il leur est impossible d'échapper à ce destin.

> L'être humain se définit également par le rôle qu'il joue dans la production, et donc par sa classe sociale et son époque historique.

En dernier lieu, comme l'indiquent Leclerc et Pucella[15], le caractère social de l'être humain ressort du fait qu'il a toujours vécu en groupe, que celui-ci soit la famille, la tribu ou, plus tard, la nation.

La pratique et le matérialisme historique

Les individus réels et concrets

Jusqu'à Marx, la plupart des philosophes partaient de caractéristiques abstraites et universelles (l'Âme, la Raison, l'Idée) pour définir la réalité humaine. Marx a été le premier à couper radicalement avec cette tradition en définissant la réalité à partir de la vie concrète et en montrant l'importance des conditions matérielles d'existence des individus. Son point de départ, ce sont les individus réels et concrets, vivant dans des circonstances et à des époques précises :

> [...] on ne part pas de ce que les hommes disent, s'imaginent, se représentent [...], on part des hommes dans leur activité réelle[16] [...]

---

13. *Philosophie,* ouvrage collectif, Groupe Messidor, Paris, Éditions sociales.
14. *Ibid.*
15. Leclerc et Pucella (1993), p. 250.
16. Marx et Engels (1966), p. 36.

Quelle est donc cette « activité réelle » ? En un mot, c'est la vie. C'est ce que font les humains dans la **pratique.** C'est particulièrement la façon dont ils s'organisent pour produire, échanger, vendre et consommer les biens nécessaires à leur existence. La compréhension de l'être humain passe donc par l'analyse de ses conditions matérielles d'existence. Celles-ci sont plus précisément les formes de la propriété (privée, étatique ou collective) et de distribution de la richesse, les types de rapports que les humains entretiennent dans la production de leurs moyens d'existence (collaboration ou domination), les techniques et les moyens de production utilisés. Bref, ce que Marx appelle **mode de production** ou base économique (*voir l'encadré 8.1*).

L'analyse du mode de production livre des indices essentiels pour comprendre pourquoi les humains agissent et pensent comme ils le font. Les idées qu'ils ont, les discours qu'ils tiennent, les institutions qu'ils se donnent (l'idéologie et la politique, qu'on appelle **superstructure**) sont en partie déterminés par l'interaction complexe des éléments du mode de production (*voir la figure 8.1, p. 134*).

> Selon les tenants du matérialisme historique, l'évolution des sociétés s'explique principalement par les transformations de la base économique.

Pour Marx, les conditions matérielles d'existence, par exemple la classe d'appartenance, expliquent bien des choses. Elles jouent un rôle clé dans un comportement tel que la réussite sociale ou scolaire. Rappelons qu'un enfant qui naît dans la tranche socioéconomique la plus basse a plus ou moins 1 chance sur 10 de se retrouver au sommet de la hiérarchie socioéconomique. C'est encore l'analyse des conditions matérielles d'existence qui aide à comprendre pourquoi l'esclave n'a pas les mêmes idées sur la vie que son maître et pourquoi l'ouvrier qui touche un salaire de 30 000 dollars par année n'a pas les mêmes goûts ni les mêmes valeurs que son patron qui gagne 10 millions de dollars. Marx dira dans une formule lapidaire : « Ce n'est pas la conscience qui détermine la vie, mais la vie qui détermine la conscience[17] », les idées. En d'autres termes, les idées s'élaborent toujours dans un contexte économique, politique et social précis dont elles sont l'expression. Par exemple, l'idée d'égalité devant la loi ne peut naître et se répandre dans le contexte d'une société esclavagiste. Les idées sont le fruit des conditions qui leur donnent naissance et, malgré toute l'importance qu'elles peuvent avoir, ce sont les conditions matérielles d'existence qui priment.

Les rapports entre base et superstructure ne sont pas mécaniques, et cette dernière n'est pas passive. Elle agit en retour sur le mode de production. Ainsi, l'invention de

---

ENCADRÉ 8.1   Le mode de production

Ce concept désigne la façon dont les humains s'organisent pour produire, échanger et consommer les biens qu'ils fabriquent. Il comprend les techniques et le savoir-faire de même que les formes de propriété et de distribution de la richesse. Ces dernières peuvent être collectives, comme dans les sociétés de chasseurs-cueilleurs où la propriété privée des moyens de production est inconnue. Dans d'autres types de sociétés, les biens et les services sont distribués selon les droits de propriété, comme c'est le cas dans le régime capitaliste. C'est ainsi que les propriétaires des moyens de production (usines, commerces, banques, terres, etc.) disposent de richesses importantes, alors que ceux qui en sont privés n'ont que des revenus relativement modestes. Le mode de production inclut également le type de rapports que les producteurs entretiennent dans le travail : ceux-ci peuvent être des relations de collaboration, comme c'est le cas dans les sociétés de chasseurs-cueilleurs, où les formes de domination sont inexistantes ; ils peuvent être des rapports de domination, comme on en trouve dans les sociétés capitalistes, où les travailleurs sont soumis à l'autorité d'un patron.

---

17. Marx et Engels (1966), p. 37.

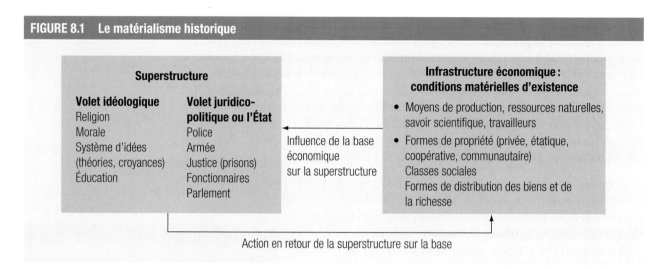

FIGURE 8.1 Le matérialisme historique

Superstructure

Volet idéologique
Religion
Morale
Système d'idées
(théories, croyances)
Éducation

Volet juridico-politique ou l'État
Police
Armée
Justice (prisons)
Fonctionnaires
Parlement

Influence de la base économique sur la superstructure

Infrastructure économique: conditions matérielles d'existence
- Moyens de production, ressources naturelles, savoir scientifique, travailleurs
- Formes de propriété (privée, étatique, coopérative, communautaire)
Classes sociales
Formes de distribution des biens et de la richesse

Action en retour de la superstructure sur la base

---

l'astronomie et du système numérique à Babylone, ville située dans une région qui fait aujourd'hui partie de l'Irak, l'un des berceaux de la civilisation occidentale, a agi en retour sur le développement de l'agriculture.

Une autre conception de l'histoire

Marx fut l'un des premiers à remettre en question l'idée selon laquelle l'histoire était le résultat de la pensée et de l'action des grands hommes. Cette vision de l'histoire, d'ailleurs encore répandue, avait notamment été adoptée par Hitler. Ce dernier croyait que la mort du président des États-Unis, Roosevelt, en 1945, changerait le cours de la guerre et que l'Allemagne nazie reprendrait l'initiative.

Le mérite de Marx est d'avoir montré que certaines forces sociales sont à l'origine des transformations historiques majeures (passage de l'esclavagisme au féodalisme, du féodalisme au capitalisme, etc.), et ce, indépendamment des idées des grands hommes. Les changements sociaux les plus importants surgissent des bouleversements qui se produisent dans les modes de production, comme ceux qui sont survenus à l'époque néolithique. Ces changements se produisaient lors de conflits qui opposent des classes ayant des intérêts divergents. C'est l'interprétation matérialiste de l'histoire, ou «matérialisme historique». Autrement dit, c'est la réalité matérielle et historique, où s'opposent des forces contradictoires, par exemple serfs et seigneurs, prolétaires et bourgeois, qui explique la progression de l'histoire. La lutte des classes (ce concept central chez Marx nécessiterait des explications qui nous entraîneraient trop loin de notre sujet principal) y joue donc un rôle clé[18]. Aux yeux de Marx, la division de la société en classes aux intérêts divergents et la concentration du pouvoir économique dans les mains d'une certaine classe disqualifient la notion rousseauiste de volonté générale.

Esclavagisme
Système social répandu jusqu'au Ve siècle de notre ère, notamment en Grèce et dans l'Empire romain. Sous le capitalisme, la force de travail est vendue et achetée; sous l'esclavagisme, le travailleur lui-même fait l'objet de l'acte de vente et d'achat.

---

18. Le matérialisme historique, qui tente de préciser les rapports existant entre base et superstructure, est une théorie inachevée. On en trouve des formulations différentes, qui laissent entendre que les liens entre les deux seraient mécaniques. Une lecture attentive de Marx montre que ce n'est pas le cas, comme on peut le constater dans l'analyse qu'il fait des rapports qu'il y a entre l'économie grecque antique et l'art de cette période (*voir Marx, 1967, p. 40-41*). Quant au «matérialisme dialectique», en dépit de quelques intuitions intéressantes, c'est une théorie vague que l'on doit à Engels et non à Marx.

Les philosophes idéalistes pensent que ce sont les grandes idées qui font avancer l'histoire. Marx croit plutôt que ce sont les rapports sociaux (économiques, politiques et culturels) qui sont le moteur de l'histoire.

L'être aliéné, le travail aliéné

La production, en tant que libre exercice des potentialités naturelles de l'être humain, occupe une place centrale dans l'anthropologie de Marx. En déployant son activité productive, l'être humain exprime sa personnalité et **manifeste sa vie elle-même.** Les objets qu'il crée expriment son individualité et sont en quelque sorte le prolongement de son être.

Mais la division du travail donne de moins en moins à l'individu la possibilité de s'affirmer. Au lieu de permettre à l'être humain de combler ses besoins vitaux et spirituels, le travail devient une activité forcée, contraignante et aliénante. Avant l'apparition du capitalisme, le but de la production, c'est l'homme; depuis, le but de l'homme, c'est la production. Le capitalisme nie la vie et contrecarre l'être humain dans la réalisation des potentialités dont la nature l'a pourvu. L'asservissement de l'être humain aux forces économiques fait qu'il ne s'appartient plus: il est dépossédé, n'a plus la maîtrise de sa vie et ses propres idées lui échappent. Il est aliéné. L'**aliénation** prend diverses formes; elle est liée à la division du travail et surtout au fait que le travailleur est réduit au rang de marchandise.

Les pressions de la concurrence incitent toute entreprise à maximiser ses profits sous peine de disparaître. Dans sa recherche de l'efficacité, l'entreprise morcelle les tâches, chaque travailleur se spécialisant dans une opération simple. Confiné à une fonction monotone et répétitive, il ne peut développer qu'une parcelle de ses aptitudes. Loin de se réaliser, **il se nie.** Sa fonction ne sollicite qu'une habileté particulière, à laquelle il doit sacrifier le reste de sa personnalité.

La division du travail «diminue la **faculté de chaque homme pris individuellement**»; «on doit confier à chaque homme un cercle aussi réduit que possible d'opérations[19]».

En outre, le travail en tant qu'activité ne permet plus au travailleur d'affirmer sa personnalité, car son activité ne lui appartient plus; elle est subordonnée à celui qui a acheté sa force de travail. L'être humain, dit Marx, est devenu propriété privée.

> Son activité vitale n'est donc pour lui qu'un moyen de pouvoir exister. Il travaille pour vivre. Pour lui-même, le travail n'est pas une partie de sa vie. C'est une marchandise qu'il a adjugée à un tiers [...] Ce qu'il produit pour lui-même ce n'est pas la soie qu'il tisse, ce n'est pas l'or qu'il extrait du puits, ce n'est pas le palais qu'il bâtit. Ce qu'il produit pour lui-même c'est le salaire[20] [...]

Le travail aliéné ne fait pas partie de la vie, c'est son exact opposé. «La vie commence pour lui où cesse cette activité, à table, à l'auberge, au lit[21].» Le travail est devenu un sacrifice, une mortification. Dès qu'il n'existe plus de contrainte, «le travail est fui comme la peste[22]».

---

19. Marx (1969), p. 117. (Nous soulignons.)
20. Marx (1970), p. 18.
21. *Ibid.*
22. Marx (1969), p. 60.

Le travail aliéné

1. La division du travail confine l'être humain à une opération et l'empêche de développer toutes ses capacités.
2. L'activité du travail elle-même n'appartient pas à l'individu; le travail est devenu une punition. Il ne travaille pas pour le plaisir, mais pour le salaire.
3. Le produit de son activité ne lui appartient pas. Il perd sa vie à créer des objets qui lui sont étrangers.

Aliénation

L'aliénation consiste à revêtir une nature étrangère à sa propre nature. C'est perdre sa vie, ne plus s'appartenir, devenir autre. La vie courante en offre de nombreux exemples: dans un couple, l'un des partenaires renonce à sa personnalité pour plaire à l'autre; les enfants optent pour la carrière que souhaitent leurs parents.

En dernier lieu, et contrairement à ce qui se passe pour l'artisan dans la société féodale, le travailleur est dépossédé de l'objet qu'il crée. Dans la société féodale, l'artisan fabrique un produit du début à la fin et gère l'ensemble des opérations. Partant, ce produit lui appartient ; il en dispose comme il l'entend. C'est pour lui une source de fierté.

Dans la société moderne, « l'ouvrier est spolié des objets [...] du travail[23] ». **Le travailleur met sa vie** dans la fabrication de l'objet, mais comme l'objet de son travail ne lui appartient pas, c'est sa vie elle-même qui est confisquée en même temps que le fruit de son travail.

> L'ouvrier se trouve à l'égard du produit de son travail dans le même rapport qu'à l'égard d'un objet **étranger**[24].

Les propos de Marx au sujet du travail aliéné conservent leur actualité. D'après les recherches de Charles-Henri Amherdt, de l'Université de Sherbrooke, « pour 80 % des travailleurs, le travail est un lieu de souffrance[25] ».

Cette scène, tirée du film *Les temps modernes*, de Charlie Chaplin, illustre l'un des aspects du travail aliéné qui consiste à répéter les mêmes gestes à l'infini.

L'exploitation

Le fait que le produit du travail appartienne au capitaliste est ce que Marx appelle « l'exploitation ». Si le travailleur est exploité, c'est qu'il reçoit un salaire inférieur à la valeur du produit qu'il fabrique. La différence entre la valeur qu'il produit et le salaire est ce que Marx appelle la « plus-value », qui est le travail non payé (*voir l'encadré 8.2*). C'est ainsi que Marx opère un renversement décisif : ce n'est pas le capital qui crée les emplois, mais le travail qui génère les profits. Et la richesse est le produit des efforts de la collectivité. La création de quantités importantes de richesses est rendue possible grâce à la coopération de millions d'individus qui extraient les matières premières, les transforment et amènent le produit final au consommateur.

Marchandise
Objet produit en vue de l'échange. Par contraste, les produits fabriqués et consommés à la ferme sont de simples biens d'usage.

Le fétichisme de la marchandise

Dans une économie marchande où ils sont vendus et achetés, les biens acquièrent une **vie autonome.** Ils semblent avoir une valeur et une existence indépendamment des êtres humains qui les ont créés. En réalité, la marchandise n'est que le

23. *Ibid.*, p. 57.
24. *Ibid.* (Nous soulignons.)
25. Cité dans *La Presse*, 18 octobre 2003.

ENCADRÉ 8.2   L'exploitation du travail

Si la nature fournit les bases de la richesse, c'est le travail qui la crée. Or, une partie de cette richesse est **confisquée** au travailleur par le propriétaire des moyens de production. En effet, le salaire de l'ouvrier est moindre que la valeur du produit qu'il fabrique, car le travailleur est une marchandise qui a la capacité de produire plus de valeur qu'il n'en coûte lui-même. Par conséquent, **le profit est du travail non payé.**

Pour illustrer ce point de vue, empruntons l'exemple de Michelle Sirois[26]. Imaginons une usine qui embauche 100 employés. On y fabrique 200 000 paires de souliers vendues 50 $ la paire. La valeur de la production totale s'élève à 10 000 000 $.

Supposons que cette production ait nécessité des investissements de 8 000 000 $ pour l'achat des matières premières (cuir, colle, clous, etc.) et auxiliaires (électricité et chauffage) ainsi que pour l'usure et l'entretien des bâtiments et des machines. Cette valeur de 8 000 000 $ est la **valeur ancienne.**

L'augmentation de valeur qu'on retrouve dans les souliers est de 2 000 000 $, soit la différence entre 10 000 000 $ et 8 000 000 $. Ces 2 000 000 $ représentent la **valeur nouvelle** créée par les employés de l'usine.

Puisqu'ils sont 100 employés, cela signifie que chaque employé crée en moyenne 20 000 $ de valeur nouvelle (c'est-à-dire 2 000 000 $ divisés par 100), ce qui revient à 10 $ l'heure par employé, ou 400 $ par semaine pour 50 semaines. Si l'entreprise est une coopérative, chaque employé recevra l'intégralité de cette somme. Mais si elle appartient à un capitaliste, celui-ci ne versera pas cette somme à chaque employé. Dans ce cas, supposons un salaire moyen de 17 500 $, c'est-à-dire 8,75 $ l'heure ; le patron conservera donc un profit de 2 500 $ par employé, pour un profit annuel de 250 000 $.

---

produit du travail humain. Pourtant, elle acquiert une plus grande importance que la vie du travailleur :

> La dépréciation du monde des hommes augmente en raison de la mise en valeur du monde des choses[27].

Ce fétichisme atteint un sommet dans l'existence de l'argent – qui est investi d'une puissance magique, alors qu'il ne représente qu'une certaine partie de travail social –, matérialisé sous forme d'or ou de billets. Chaque individu apparaît vis-à-vis de l'autre comme **possesseur d'argent, argent lui-même.** Ce type de rapport est semblable au rapport que la prostituée entretient avec son client, qui ne représente pour elle qu'une somme d'argent.

Pour Marx, les expressions populaires « faire travailler son capital » ou « l'argent fait des petits » sont des perceptions renversées et aliénées de la réalité. L'argent n'a ni bras, ni jambes, ni cerveau. Il ne peut rien créer par lui-même. Comme le disait le syndicaliste québécois Michel Chartrand :

> Mets un paquet de piasses dans une forêt, et ça mènera pas les arbres à la pitoune. Mets un paquet de piasses dans une mine, et ça ne te donnera pas du cuivre[28].

Bien avant les sociologues contemporains, Marx critique l'aliénation d'une société de consommation qui crée toutes sortes de besoins plus ou moins réels :

> Tout homme s'applique à créer pour l'autre un besoin **nouveau** pour le contraindre à un nouveau sacrifice, le placer dans une nouvelle dépendance. [...] Avec la masse des objets augmente l'empire des êtres étrangers auxquels l'homme est soumis. [...] L'homme devient d'autant plus pauvre en tant qu'homme [...] à mesure que croît la **puissance** de l'argent[29].

Fétichisme (de la marchandise)
Les objets créés par le travail humain prennent une vie autonome, indépendante des gens qui les ont fabriqués.

26. Sirois, dans Campeau et autres (1993).
27. Marx (1969), p. 57.
28. Cité dans Martineau (1991).
29. Marx (1969), p. 100. (Nous soulignons.)

En créant de faux besoins, en multipliant le nombre de choses désirables, notamment le désir de l'argent, le capitalisme ne crée que la dépendance à l'égard de l'autre, le renoncement à soi-même, forme d'aliénation supplémentaire. Or, le besoin de choses, le « sens de l'avoir » remplace tous les sens physiques et intellectuels. Le besoin d'activité vitale, qui s'exprime notamment par la vue, l'ouïe, la pensée, le sentiment ou l'amour, est remplacé par le désir de posséder [30].

Pourtant, toutes ces activités sont des façons de s'approprier le monde, de le faire sien. Mais « la propriété privée nous a rendus si sots et si bornés qu'un objet n'est **nôtre** que lorsque nous l'avons [31] ». Autrement dit, pour Marx, le bonheur n'est pas fait des choses que l'on possède, mais la plupart du temps de ce que l'on ne possède pas. Possède-t-on telle chanson qui nous habite et nous transporte ? tel paysage ou tel sourire qui nous a ravis ? telle toile de Van Gogh qui nous a enthousiasmés au musée ? Possède-t-on l'amitié, l'amour ?

L'aliénation religieuse

L'être humain n'est pas seulement gouverné par les choses matérielles qu'il produit, il l'est aussi par les institutions politiques qu'il s'est données et les produits de son cerveau, c'est-à-dire les idéologies, notamment les religions. Les religions sont des créations de l'imagination qui dictent la ligne de conduite des êtres humains. En affirmant que l'essence de l'homme réside dans une réalité surnaturelle, elles posent cette essence en dehors de lui. Plus l'homme met de choses en Dieu, moins il en garde en lui-même : il ne s'appartient plus. À l'inverse, Marx pose l'essence de l'être humain en lui-même, dans son activité vitale, à savoir sa pratique.

> La religion, un moyen d'oublier les difficultés de l'existence.

La religion est un moyen de supporter les difficultés de l'existence (pauvreté, injustices, sentiment d'impuissance et mort). Au moyen de la religion, l'être humain imagine un monde meilleur où il n'aura plus besoin de travailler et où il n'y aura plus de conflits, un monde empreint de repos et de paix éternels où les injustices auront pris fin. Par la religion, l'être humain s'évade dans ce monde fictif et imaginaire. Selon l'expression célèbre de Marx, la religion est « l'opium du peuple ».

Ainsi, puisque dans la religion on met l'accent sur l'au-delà, il faut comprendre que le bonheur et la justice ne sont pas de ce monde, que tout s'arrangera là-haut.

Ce type d'idéologie fait l'affaire des propriétaires des moyens de production, qui peuvent jouir de leurs richesses en toute quiétude. Pour Marx, la classe dominante et l'Église marchent main dans la main. La religion encourage les gens à baisser les bras devant les injustices et les inégalités, et empêche les pauvres et les travailleurs de se révolter.

La « théologie de la libération », qui s'est développée dans le Tiers-Monde et qui prend le parti des pauvres, et quelques clercs comme Mgr Gaillot en France, défenseur des exclus, font figure d'exception.

---

30. *Ibid.*, p. 91.
31. *Ibid.* (Nous soulignons.)

Libres et déterminés

Pour Marx, l'être humain n'est pas indépendant des conditions matérielles d'existence qui l'entourent. Les individus sont inscrits dans des conditions particulières (économiques, politiques et culturelles) qu'ils n'ont pas choisies. Cependant, ils n'en sont pas **prisonniers,** puisqu'il leur est possible de les transformer, notamment par l'action collective. Par exemple, au XIXᵉ siècle, il était pratiquement impossible aux femmes de devenir médecin. Cette profession leur était interdite, **non par manque de volonté** individuelle mais à cause des rapports sociaux existant dans la société patriarcale. L'action des femmes a fait tomber les barrières qui leur bloquaient l'accès à cette profession. Autrement dit, si la volonté est une condition nécessaire à la liberté de choix, elle n'est pas une condition suffisante. Le déterminisme de Marx est une forme de déterminisme souple qui ne laisse pas l'être humain impuissant devant la réalité.

Sur ce plan, la position de Marx diffère de celle des matérialistes français du XVIIIᵉ siècle, qui épousent une vision strictement déterministe de l'être humain en le considérant comme le produit des seules circonstances et de l'éducation. À l'encontre de ce point de vue, Marx souligne que si les «hommes sont le produit des circonstances et de l'éducation, [il ne faut pas oublier que ce sont] les hommes qui transforment les circonstances et que l'éducateur lui-même a besoin d'être éduqué[32]».

Photographie de Karl Marx.

La liberté sociale

Le problème de la liberté ne se limite pas à la question de savoir si nous sommes déterminés par notre hérédité ou notre éducation, comme nous l'avons vu au premier chapitre. C'est aussi le problème de la liberté **sociale,** que nous avons effleuré dans le chapitre portant sur Rousseau lorsque nous avons parlé de liberté civile.

La liberté est sans aucun doute une valeur primordiale dans nos sociétés. C'est en invoquant cette valeur que de nombreux tenants du libéralisme s'opposent au socialisme, lequel sacrifierait la liberté au nom du mieux-être collectif et de l'égalité matérielle. Dans nos sociétés, la liberté sociale s'incarne dans un ensemble de **droits** et de libertés: libertés économiques (droit de propriété et liberté d'entreprise), libertés personnelles (liberté de mouvement, d'expression et de conscience), libertés civiles (égalité devant la loi, droit à un procès juste et garanties contre la détention arbitraire), libertés politiques (droit de voter et droit d'être élu). Ainsi, on dit que les habitants d'un pays qui vivent dans un régime militaire où la liberté d'expression n'existe pas ne sont pas libres.

La liberté sociale se distingue donc du libre arbitre. Nous pourrions disposer des libertés sociales, mais croire que l'être humain est entièrement déterminé par ses passions ou son milieu. Par exemple, Voltaire croyait que le libre arbitre est une illusion, mais était convaincu de l'importance des droits et des libertés.

---

32. Marx et Engels (1966), «IIIᵉ thèse sur Feuerbach», p. 139.

On peut résumer le problème de la liberté en se reportant à la figure 8.2. Le rectangle de gauche représente le problème du libre arbitre abordé dans le premier chapitre, le rectangle de droite, la liberté sociale, dont on peut distinguer deux formes : la liberté formelle et la liberté réelle. Soulignons que ces deux versants du problème ne sont pas mutuellement exclusifs. En effet, l'absence de liberté sociale peut anéantir toute forme de libre arbitre, comme ce fut le cas pour les femmes qui, pendant longtemps, étaient exclues de nombreuses professions.

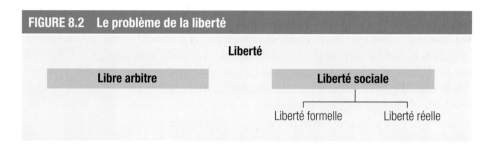

FIGURE 8.2 Le problème de la liberté

Liberté

| Libre arbitre | Liberté sociale |

Liberté formelle   Liberté réelle

Selon l'idéologie libérale, la liberté (sociale) de l'un finit où commence celle de l'autre. L'individu peut faire tout ce qu'il désire pour autant qu'il n'empiète pas sur la liberté d'autrui et qu'il ne cause de tort à personne (*voir le chapitre 4*). Chacun a le droit de critiquer le premier ministre, de se teindre les cheveux en vert, de croire que l'être humain a été créé par des extraterrestres, mais pas celui d'attaquer quelqu'un dans une ruelle sombre.

Le caractère formel des droits et des libertés

La conception libérale de la liberté sociale soulève de nombreuses questions. À part les pensées les plus intimes, quels sont les actes qui ne causent de tort à personne ? Peut-on dire qu'un individu âgé de 50 ans qui perd son emploi à cause de la fermeture d'une usine et qui ne trouve plus de travail est libre même s'il dispose du droit de vote et qu'aucune loi ne l'empêche de se déplacer à sa guise ? Que veut dire être libre si l'on ne dispose pas de loisirs permettant de se cultiver et de s'informer ou si l'on est trop pauvre pour se payer des soins de santé adéquats, comme c'est le cas de la majorité des habitants de la planète ?

Marx critique l'étroitesse de cette conception libérale de la liberté sociale. Les droits et les libertés sont des **libertés formelles**, en ce sens qu'ils sont définis par la **possibilité** de faire telle ou telle chose. Cependant, la liberté de mouvement et le droit au bonheur, que d'ailleurs la *Déclaration d'indépendance* des États-Unis reconnaît, ne procurent pas le **pouvoir** ni les moyens de voyager ou d'être heureux. En outre, Marx considère que certaines libertés formelles, comme la liberté d'entreprise, impliquent le droit d'acheter et de vendre la force de travail et, par conséquent, le pouvoir d'aliéner et d'exploiter autrui, ce qui fait obstacle à la liberté de la majorité des individus.

Si Marx s'oppose à la liberté de commerce, il reconnaît l'importance des droits et des libertés, contrairement à une opinion répandue :

> Chacun doit pouvoir satisfaire ses besoins religieux tout comme ses besoins corporels, sans que la police y fourre le nez[33].

Libertés formelles
Les libertés formelles sont les droits et les libertés. Elles laissent la possibilité de faire telle ou telle chose, mais n'en donnent pas le pouvoir. C'est l'une des facettes de la liberté sociale.

---

33. Marx (1972a), p. 30.

Cependant, la liberté formelle n'est qu'un aspect de la liberté sociale. En effet, l'être humain est «libre non par la force négative d'éviter telle ou telle chose, [par exemple éviter de se faire imposer un choix de carrière], mais par la force positive de faire valoir sa vraie individualité[34]». Autrement dit, la **liberté réelle** est le pouvoir de déterminer sa propre vie. C'est une forme supérieure de liberté sociale.

La liberté réelle : faire valoir son individualité

La majorité des décisions qui nous touchent sont prises en dehors de nous, par les politiciens, les entrepreneurs, les directeurs d'écoles, les hauts fonctionnaires de l'État, etc. L'individu, dans une société où règne la propriété privée des moyens de production, ne dispose pas du pouvoir d'atteindre ses fins, de s'autodéterminer. Or, la liberté réelle est l'activité vitale qu'on règle soi-même, par opposition à l'activité contrôlée de l'extérieur. Affirmer son individualité, c'est :

1. avoir la capacité de déterminer sa propre vie ;
2. développer intégralement toutes ses potentialités humaines.

Premièrement, la liberté réelle implique la capacité de participer à tous les processus de décision qui influent sur sa vie. La liberté sociale ne se limite donc pas aux droits et aux libertés. C'est avant tout la capacité d'avoir son mot à dire dans tout ce qui touche sa vie : salaire, conditions de travail, éducation, santé, etc. Autrement dit, la démocratie ne se limite pas à la sphère politique : elle doit s'étendre aux domaines économique et social[35].

Deuxièmement, la liberté réelle implique aussi d'avoir un accès égal aux moyens d'auto-réalisation. Ainsi, chacun doit avoir les moyens de s'autoréaliser, de développer ses facultés et son potentiel. Chaque individu doit avoir le même accès aux pouvoirs, aux droits, aux revenus et aux loisirs nécessaires au plein développement de ses talents[36]. Ce droit implique que chaque personne ait la même occasion d'atteindre toutes les positions sociales.

Le matérialisme de Marx montre les insuffisances de la conception rationaliste de la liberté. Pour les rationalistes, l'individu maximise sa liberté et son autonomie grâce aux lumières de la raison. Cette conception de l'individu comme pleinement souverain et au-dessus des conditions extérieures ne tient pas compte du fait que l'être humain est inscrit dans des rapports sociaux qu'il n'a pas choisis et qui limitent son action.

La liberté n'implique pas l'absence de toute contrainte. Je ne peux pas faire des bonds de quatre mètres, mais cela ne m'empêche pas de disposer de libertés formelles et réelles. Par ailleurs, la liberté ne consiste pas à faire tout ce que l'on veut. Les lois empêchent les individus de faire tout ce qu'ils désirent, garantissant ainsi la liberté des autres. L'absence de lois ferait place à la loi du plus fort et anéantirait toute forme de liberté. La liberté des uns doit donc être **limitée** pour assurer celle des autres. Pour Marx, la propriété privée des moyens de production est une entrave à la liberté. Elle doit donc être limitée radicalement, c'est-à-dire abolie, dans l'intérêt du plus grand nombre. Précisons que Marx n'a jamais proposé d'abolir la propriété privée **personnelle.**

La liberté réelle n'est possible qu'à l'intérieur de la communauté

Si la liberté consiste principalement à faire valoir son individualité, cette affirmation ne doit pas être confondue avec la psychologie de la réussite personnelle, laquelle

Liberté réelle
La liberté réelle est le pouvoir de déterminer sa vie. On pourrait dire que c'est la forme la plus élevée de la liberté sociale.

---

34. Marx (1972b), p. 158.
35. Cette conception, qui a été défendue par des philosophes de plus d'un courant du marxisme, est exposée systématiquement dans Pfeffer (1990), chap. 3.
36. *Ibid.*

Joseph Staline (1879-1953)

Dirigeant soviétique de 1928 à 1953. Sous sa férule, l'ex-URSS s'est industrialisée et a mis en place des programmes sociaux : éducation et soins de santé gratuits, sécurité d'emploi, etc. En 1928, il a collectivisé de force la moitié des terres en quelques semaines, ce qui a provoqué la famine. En 1936, il a décrété le parti unique et consolidé un État répressif dirigé par une bureaucratie toute-puissante. Les purges à l'intérieur du Parti communiste se sont multipliées, les dissidents ont été fusillés ou expédiés dans des camps de travail et les nationalités non russes, sévèrement réprimées. Il n'y avait qu'une pensée officielle, le stalinisme, lequel travestit la philosophie de Marx.

met l'accent sur la réussite individuelle en tant que valeur suprême : il faut réussir à tout prix, y compris au détriment des autres. Pour Marx, la réalisation des capacités de chaque individu, et par conséquent la liberté réelle, est étroitement liée à l'existence d'une communauté humaine, à la vie en société. C'est pour cette raison qu'on a souvent à tort présenté Marx comme un collectiviste qui place la communauté au-dessus de l'individu, dissous dans une masse anonyme. Cette idéologie fut propagée par le pseudo-socialisme soviétique, particulièrement du temps de **Staline**. Mais l'auteur du *Capital* dépasse la vieille opposition individu-collectivité. En effet, il est convaincu que le déploiement des aptitudes de chaque individu est indissociable de la communauté, de la vie en société. Contrairement au libéralisme, qui tend à voir l'autre exclusivement comme une menace (ce qui est parfois vrai) et non comme une source de liberté, Marx considère que l'autre est essentiel à mon épanouissement :

> C'est seulement dans la communauté [avec d'autres que chaque] individu a les moyens de développer ses facultés dans tous les sens ; c'est seulement dans la communauté que la liberté personnelle est donc possible[37].

À ce titre, la communauté est triplement importante :

- C'est au contact des autres que chaque individu **développe ses aptitudes,** ses talents ; il apprend de l'expérience des autres.
- La production capitaliste a permis d'augmenter la productivité du travail et de s'affranchir du domaine de la **nécessité.**

> En fait le royaume de la liberté commence seulement là où l'on cesse de travailler par nécessité et opportunité imposée de l'extérieur ; il se situe donc, par nature, au-delà de la sphère de production matérielle proprement dite[38].

C'est parmi et avec les autres que l'être humain peut s'épanouir. La liberté devient une réalité au sein d'une communauté où les humains peuvent contrôler collectivement leur travail et satisfaire leurs besoins, particulièrement leurs besoins de créativité.

Sur ce point, Marx se démarque radicalement des dirigeants soviétiques qui chantaient les louanges de la libération de l'homme par le travail.

- La communauté est essentielle à un autre titre. Ce « vivre avec », l'être social, est un **besoin** de l'être humain. C'est le besoin de partager ses expériences et ses activités avec les autres. Dans la communauté, « l'autre personne en tant que personne est devenue un besoin[39] ».

Dans la communauté réelle, l'autre est devenu une fin et n'est jamais un moyen. Sur ce point, Marx rejoint Kant, qui affirme qu'il faut toujours traiter son prochain et soi-même comme une fin et non comme un moyen.

Selon Marx, l'économie socialiste est basée sur la satisfaction des besoins de la majorité et non sur le profit. Les moyens de production sont contrôlés par la collectivité et non par l'État.

La vision populaire de Marx selon laquelle l'individu doit se sacrifier à l'État et lui être subordonné est une invention

---

37. Marx et Engels (1966), p. 129.
38. Marx (1948), livre III, t. 8, p. 198. La conception de Marx de cette question a évolué. Dans les *Manuscrits,* il pense qu'il sera possible de libérer le travail rien qu'en abolissant la propriété privée et en donnant le contrôle des moyens de production aux travailleurs. Ici, il se rend compte que la grande production comportera probablement toujours un aspect aliénant et situe le royaume de la liberté surtout au-delà de la sphère de la production.
39. Cité dans Brenkert (1983), p. 117. (Traduction libre.)

entretenue par le stalinisme. Loin d'être partisan d'un État tout-puissant, comme nous l'avons mentionné, Marx prône sa disparition. Il est contre le nivellement et l'uniformisation de l'individu et s'oppose aussi bien à ce qu'il appelle le «communisme grossier, [qui] nie la personne humaine dans tous les domaines[40]», qu'au capitalisme, qui écrase l'individu et le mutile.

Le socialisme et l'émancipation de la femme

C'est Friedrich Engels (1820-1895) qui élaborera les fondements du marxisme historique sur la condition féminine. Le collaborateur de Marx conteste l'idée répandue de l'infériorité naturelle des femmes. Leur situation n'est pas attribuable au fait que la nature les confinerait à certaines tâches, ni au fait qu'elles sont en moyenne plus petites et moins fortes que les hommes. Il rejette toute forme de déterminisme biologique et substitue à ces spéculations l'étude des conditions concrètes, tant économiques que sociales. En s'appuyant sur les rudiments d'une science des sociétés primitives qui voit le jour au XIXᵉ siècle, il analyse les bouleversements historiques qui ont entraîné «la grande défaite historique du sexe féminin[41]».

Friedrich Engels, compagnon et collaborateur de Marx, vers 1888.

Selon Engels, les femmes n'ont pas toujours occupé une position subordonnée dans la société. L'infériorisation des femmes serait liée à l'apparition de surplus économiques et à la naissance de la propriété privée. Ces changements auraient écarté les femmes de la production sociale et seraient à l'origine des inégalités hommes-femmes. Certaines hypothèses d'Engels, fondées sur des matériaux embryonnaires, sont contestées et incomplètes. Mais il fut l'un des premiers à établir les grandes lignes vers lesquelles les recherches contemporaines se sont orientées.

Engels compare les rapports hommes-femmes à ceux qui existent entre les classes sociales. Il lie la libération des femmes à leur participation à la production :

> Pour que l'émancipation de la femme devienne réalisable, il faut d'abord que la femme puisse participer à la production sur une large échelle sociale et que le travail domestique ne l'occupe plus que dans une mesure insignifiante[42].

Engels croyait que l'émancipation des femmes serait la conséquence de l'émancipation du prolétariat. L'une des premières féministes à faire ce lien est Flora Tristan (1803-1844), grand-mère du peintre Paul Gauguin. Militante socialiste, bien avant Marx, elle liait la cause des femmes à celle du prolétariat. Dans *Unité ouvrière*, publié un an avant sa mort, elle affirmait que l'égalité entre les hommes et les femmes était l'unique moyen de réaliser l'unité humaine[43].

La Journée internationale des femmes (8 mars) a été instituée par une militante marxiste allemande, Clara Zetkin, en 1910.

---

40. Marx, *Manuscrits de 1844,* cité dans Pfeffer (1990), p. 129. (Traduction libre.)
41. Engels (1974), p. 65.
42. *Ibid.,* p. 170.
43. Michel (1986), p. 62-63.

Les partisans du mouvement socialiste furent aux premiers rangs pour reven- diquer l'émancipation des femmes. L'un des précurseurs de Marx, Charles Fourier (1772-1837), écrivait qu'on reconnaît le degré d'émancipation d'une société «au niveau d'affranchissement de la femme[44]».

Les solutions de Marx

Marx tire nombre de conclusions, dont nous nous contenterons ici d'indiquer les grandes lignes. Sa philosophie vise la libération de toute forme d'aliénation et de servitude. C'est le **communisme** qui permettra à l'être humain de satisfaire son véritable besoin, le besoin de sa propre activité, en tant qu'activité vivante. C'est une société qui surmontera la réduction de l'être humain aux **seuls rapports économi- ques** et lui redonnera le sens de la vie. Les humains ne seront plus des marchandises, des moyens de s'enrichir et d'acquérir du pouvoir.

> [Le communisme devra donner] à chacun tous les moyens économiques, politiques et culturels de développer pleinement toutes les possibilités humaines qui sont en lui, afin que chaque enfant qui porte en lui le génie de Mozart puisse devenir Mozart[45].

Cet extrait résume assez bien le sens de la vie pour Marx : c'est le combat pour réaliser la société juste, par la libre association des producteurs dans une activité commune. Ce type de société diffère aussi bien du capitalisme actuel que du pseudo-socialisme de l'ex-URSS, qui ne fut qu'un **capitalisme d'État** non libéral et ultrarépressif.

La libération de l'être humain passe par la remise en question radicale de l'ordre économique et social et par l'abolition de la propriété privée des moyens de production. Elle exige l'organisation du prolétariat en parti politique pour renverser la domination

Communisme
Les deux acceptions les plus cou- rantes sont les suivantes : 1. Désigne abusivement la doctrine et le régime social de l'ex-URSS et d'autres pays comme la Chine et Cuba. 2. Pour Marx, régime social qui succède au socialisme, première phase du communisme. C'est la société sans classes et sans État, d'où les conflits, l'égoïsme et les antagonismes de toutes sortes ont disparu. Sa devise est la suivante : «De chacun selon ses capacités ; à chacun selon ses besoins.»

Capitalisme d'État
Concept utilisé par certains marxistes pour décrire le régime soviétique. Dans l'ex-URSS, les moyens de pro- duction n'étaient pas sous le contrôle de collectifs de travailleurs, mais d'une bureaucratie d'État qui consti- tuait une nouvelle classe dominante. Celle-ci jouissait de privilèges impor- tants, tout comme la bourgeoisie des pays capitalistes : salaires élevés, logements de fonction, chauffeurs, villas, magasins spéciaux, primes, etc.

ENCADRÉ 8.3   Le socialisme

La théorie du socialisme
Peu de termes ont engendré autant de confusion. Le mouvement et la théorie socialistes ont traversé trois grandes étapes :

1. Apparition du mouvement socialiste en France autour de 1789, à la suite de la rencontre entre la contestation ouvrière et les idéaux de la Révolution française. Les socialistes formaient diverses tendances. Ils s'opposaient en général au capitalisme et à la propriété privée des moyens de production, source d'injustices, d'inégalités et de crises.
2. Vers 1850, la plupart des socialistes se rangent sous la bannière du marxisme.
3. Après la Première Guerre mondiale, le mouvement se scinde en deux : l'aile radicale fonde les partis communistes, qui se rallient autour de la révolution russe de 1917, l'autre faction forme les partis socialistes, ou sociaux-démocrates (par exemple, le Parti socialiste français, le NPD). Aujourd'hui, les sociaux-démocrates ont rompu avec leurs origines. Il ne s'agit plus de détruire le capitalisme, mais de l'aménager au moyen de réformes visant un peu plus de justice sociale.

Le type de société
Le socialisme désigne abusivement les sociétés comme l'ex-URSS et la Chine, qui sont des modèles tout à fait différents de ce que Marx imaginait. D'après Marx, le socialisme est un type de société fondé sur la propriété collective des moyens de production (et non sur la propriété d'État). La production est organisée en fonction des besoins et non du profit ; les inégalités les plus criantes entre classes sont éli- minées. Le socialisme est une société de transition entre capitalisme et communisme. Sa devise est la suivante : «De chacun selon ses capacités ; à chacun selon ses besoins.»

---

44. Cité dans Rey (1972), p. 21.
45. Marx, cité dans Garaudy (1992), p. 49.

des classes dirigeantes par la révolution. Avant d'accéder au communisme (la société sans classes et sans État), la société passera par une étape de transition que Marx appelle «première phase du communisme» et que les marxistes nomment «socialisme» (*voir l'encadré 8.3*).

Un changement inévitable?

Marx considérait que l'avènement du socialisme était aussi inévitable que le passage du féodalisme au capitalisme qui s'est opéré aux XVe et XVIe siècles.

En simplifiant l'analyse de Marx, on pourrait dire que le capitalisme est fondé sur une contradiction insurmontable. Le système est basé sur la réalisation du profit maximal d'un côté et sur le salariat de l'autre. Or, ces deux réalités entrent périodiquement en collision. En vue de réaliser un profit maximal, chaque entrepreneur doit fixer les salaires aussi bas que possible et moderniser son équipement, ce qui équivaut à se passer de travailleurs. Cependant, s'il veut écouler sa production, il lui faut des consommateurs, des gens qui ont assez de revenus pour pouvoir acheter ses marchandises. Or, ces consommateurs sont les autres travailleurs que chaque entreprise cherche à payer le moins possible ou qu'elle remplace par des machines pour diminuer ses frais. Ce qui est rationnel pour un entrepreneur devient irrationnel d'un point de vue d'ensemble. Cette contradiction provoquera des crises économiques et politiques que la bourgeoisie ne pourra contrôler et débouchera sur la révolution.

> Révolution ou passage pacifique au socialisme? Cette question fut un sujet de controverses inépuisable parmi les marxistes. Le débat, qui a commencé avant la Première Guerre mondiale, a provoqué la division du mouvement socialiste en deux grandes tendances. Pourtant, dans une allocution de Marx aux travailleurs hollandais et dans des textes d'Engels, il est question de la possibilité d'un passage pacifique au socialisme dans les pays où la démocratie est fortement implantée. En revanche, Marx a toujours soutenu la nécessité de ne jamais renoncer à la révolution si elle s'avère nécessaire.

Marx prévoyait que ces révolutions éclateraient dans les pays industrialisés et aboutiraient au socialisme. Des révolutions ont bien eu lieu dans de nombreux pays industrialisés, mais celles qui ont débouché sur la prise du pouvoir se sont produites, contrairement aux prévisions de Marx, dans des pays relativement peu développés et à dominante agricole (par exemple, en Russie en 1917, en Chine en 1949).

Les contributions et les critiques

Il est impossible de faire un bilan même partiel de l'œuvre de Marx. Encore moins du marxisme historique et des raisons de l'échec des tentatives de construction du socialisme en Russie et ailleurs.

L'influence de Marx sur le XXe siècle a été considérable. Les progrès sociaux du siècle dernier sont largement attribuables à l'action des travailleurs organisés en syndicats et regroupés dans les partis socialistes et communistes fondés sous l'impulsion de Marx. Ces travailleurs furent les principaux artisans des améliorations considérables des conditions de vie au XXe siècle (journée de travail de huit heures, interdiction du travail des enfants, sécurité du travail, congés payés, suffrage universel, filet de sécurité sociale, etc.).

Sur le plan théorique, l'apport de Marx est essentiel et ses travaux restent indispensables à la compréhension du monde contemporain. C'est le seul auteur dont on trouve la contribution aussi bien dans les manuels d'économie que dans les manuels de science politique, de philosophie, de sociologie ou d'anthropologie. Dans cette mesure, Marx est à part. La théorie des classes et le matérialisme historique demandent certes à être renouvelés, mais ils demeurent féconds pour l'analyse et la compréhension du monde actuel. Si, par nombre d'aspects, les conditions de travail ont changé depuis 1844, les analyses de Marx de l'aliénation du travail conservent leur actualité. Pour une majorité de gens, le travail est loin d'être une source de joie et d'épanouissement : il demeure une punition, une mortification.

Si certaines prévisions de Marx ne se sont pas réalisées, d'autres se sont avérées justes : la tendance à la concentration du capital, le chômage et les crises permanentes du capitalisme, etc. Le lauréat du prix Nobel d'économie Paul Anthony Samuelson, qui a formé des générations d'économistes et qui n'avait absolument rien d'un marxiste, disait ceci : « Le marxisme est une chose trop valable pour qu'on la laisse aux mains des marxistes[46]. »

Affiche de la Confédération générale des travailleurs et du Parti communiste français pour la manifestation du 1er mai 1935.

___
46. Cité dans Albertini et Silem (1983), p. 299.

En revanche, certains aspects de la philosophie de Marx ont besoin d'être révisés, notamment l'idée selon laquelle le prolétariat, à tout le moins dans les pays hautement industrialisés, est une classe révolutionnaire. Cette idée, forte à l'époque, dans la mesure où le projet de Marx était porté par une classe qui n'avait « rien à perdre que ses chaînes », compte peu d'adeptes de nos jours. Le dépassement du capitalisme exigera que l'on définisse les formes nouvelles sous lesquelles se présentent les aspirations, les besoins et les conflits actuels. Par ailleurs, Marx croyait que l'histoire menait inévitablement, presque automatiquement, au socialisme. Or, la réalité s'est montrée plus complexe. Il a sous-estimé la capacité du capitalisme à surmonter ses contradictions et a surestimé les capacités de changement de l'être humain. Les sociétés humaines n'obéissent pas à des lois inflexibles et inexorables, et le socialisme n'est qu'un horizon possible parmi d'autres.

Comme l'observent beaucoup de commentateurs, Marx a ignoré les facteurs psychiques. Freud reconnaissait que l'abolition de la propriété privée retirait à l'agressivité humaine un instrument puissant, mais pas le plus puissant ; pour Freud, cet instrument serait le privilège sexuel qui engendre l'hostilité et la jalousie les plus violentes. Quoique cette opinion soit discutable, il n'en demeure pas moins que Marx, porté par les rationalistes du XIXe siècle, qui croyaient au progrès sans fin de l'humanité, a prêté peu d'attention à cette dimension de l'être humain.

Conclusion

Voici ce qu'écrivait le philosophe marxiste Étienne Balibar :

> Force est pourtant de reconnaître que le marxisme est aujourd'hui une philosophie improbable [...] Qui veut aujourd'hui philosopher dans Marx ne vient pas seulement après lui, mais **après le marxisme** : il ne peut se contenter d'enregistrer la césure provoquée par Marx, mais doit aussi réfléchir à l'ambivalence des effets qu'elle a produits – chez ses tenants comme chez ses adversaires [47].

On a enterré Marx un peu prématurément, en annonçant, comme Fukuyama, la fin de l'histoire (la société capitaliste libérale actuelle serait le point culminant du développement historique).

Le philosophe français Jacques Derrida, qui n'a jamais été marxiste et qui fut jeté en prison par les autorités «communistes» tchécoslovaques en 1981, observe que le monde actuel garde à «une profondeur incalculable la marque» de l'héritage de Marx. Il en a surpris plus d'un en prônant un retour à l'esprit de Marx. Cet esprit est «celui de la critique sociale, de la critique radicale» pour combattre le nouvel ordre mondial dont il résume le bilan : «En chiffre absolu, jamais autant d'hommes et de femmes n'ont été asservis, affamés ou exterminés sur la terre [48].» Et de reprendre les paroles d'Hamlet : « *The time is out of joint* » («Cette époque est désaxée»). Le monde va mal !

---

47. Balibar (1993), p. 115. (Nous soulignons.)
48. Derrida (1993), p. 141.

LES IDÉES ESSENTIELLES

▸ **Les idées de Marx**

Les idées de Marx ont profondément marqué le XXe siècle.

▸ **Les traits distinctifs de l'être humain**

Selon Marx, le premier trait distinctif de l'être humain est le besoin de réaliser ses aptitudes en produisant des objets utiles ou esthétiques. L'être humain est aussi fondamentalement caractérisé par la sociabilité. Il a toujours vécu et exercé son activité productive au sein de groupes plus ou moins importants. Par ailleurs, la nature humaine est caractérisée par les conditions d'existence matérielles propres à chaque époque historique. Il s'agit donc d'humains concrets, exerçant une fonction précise, dans une société particulière. Le mode de production, c'est-à-dire la façon dont les humains s'organisent pour fabriquer, vendre et consommer les biens qu'ils produisent, est une donnée vitale pour comprendre ce qu'ils sont.

▸ **Le matérialisme historique**

Les rapports que les êtres humains entretiennent dans la production de leurs conditions d'existence matérielles ont une influence déterminante sur l'ensemble des institutions sociales (politique et idéologie). La base économique (ou mode de production) joue un rôle décisif dans l'évolution de la société, laquelle est divisée en classes sociales aux intérêts divergents.

▸ **Le travail**

À mesure que la division du travail s'approfondit, la production ne permet plus à l'être humain de s'affirmer. Au contraire, celui-ci se nie. Il est aliéné et doit renoncer à sa véritable nature, qui consiste à développer sa personnalité dans l'activité productive libre.

▸ **Le travail aliéné**

L'aliénation du travail s'explique principalement par le fait que la force de travail est devenue une marchandise.

– La division du travail confine l'être humain dans une tâche monotone ; celui-ci doit renoncer à développer l'ensemble de ses aptitudes.

– Le travail en tant qu'activité ne lui appartient pas. Il n'a aucune maîtrise de ce qu'il fait.

– L'être humain consacre sa vie à la production d'objets qui ne lui appartiennent pas ; sa vie elle-même se trouve ainsi confisquée par le propriétaire des moyens de production.

▸ **Le fétichisme de la marchandise**

Dans les sociétés modernes, la quasi-totalité des objets consommés sont des marchandises. Dans l'échange, celles-ci acquièrent des qualités mystérieuses, indépendantes des humains qui les ont fabriquées. C'est la croyance en la puissance de ce pouvoir magique qui amène à dire qu'on fait « travailler son capital ». Or, ce n'est pas l'argent qui travaille, mais les humains.

▸ **Le dieu « consommation »**

La société capitaliste crée de faux besoins, de nouvelles dépendances et une aliénation supplémentaire. Le désir de posséder domine tout. Le sens de l'avoir remplace le sens de l'être.

▸ **L'aliénation religieuse**

Bien que les religions soient le produit du cerveau de l'être humain, celui-ci se laisse dicter sa ligne de conduite par ces créations imaginaires. C'est l'opium du peuple, un moyen de supporter une existence misérable.

▶ **La liberté formelle**

La liberté formelle s'incarne dans un ensemble de droits et de libertés. Elle donne le droit ou la possibilité de faire telle ou telle chose, mais n'en procure pas les moyens.

▶ **La liberté réelle**

C'est le pouvoir de déterminer sa propre vie en participant aux décisions qui touchent l'existence de chaque individu et en jouissant des moyens nécessaires pour s'autoréaliser.

▶ **La liberté et la communauté**

Selon Marx, la liberté ne peut s'accomplir qu'au sein de la communauté :

– La contribution des autres est essentielle au développement des talents de chacun.
– La grande production crée des conditions permettant de délivrer l'individu du travail imposé de l'extérieur.
– Le rapport avec les autres est un besoin fondamental.

Marx ne place pas les intérêts de la collectivité ou de l'État au-dessus de ceux des individus.

▶ **Le socialisme et l'émancipation des femmes**

Les revendications des femmes furent reprises par le mouvement socialiste. Engels démontra que l'oppression des femmes est le produit de l'histoire et non le résultat d'un déterminisme biologique.

▶ **Les solutions**

Pour Marx, la liberté sera possible quand la propriété privée des moyens de production sera abolie et que les producteurs seront librement associés dans une activité commune.

▶ **Les contributions et les critiques**

L'influence de Marx sur le XXe siècle est profonde. Si certaines de ses prévisions ne se sont pas réalisées, d'autres en revanche se sont avérées justes : la tendance à la concentration du capital, le chômage et les crises permanentes du capitalisme, etc.

▶ **Le monde va mal !**

De nos jours, on pense couramment que la démocratie libérale – la forme de société actuelle – ne peut être dépassée. Pourtant, le monde va mal ! C'est pourquoi certains philosophes prônent un retour à l'esprit de Marx, à la critique radicale et sociale.

EXERCICES

Vérifiez vos connaissances : vrai ou faux ?

1. Pour définir l'être humain, Marx se limite à des caractéristiques générales et abstraites.

2. Selon le matérialisme historique, ce sont les idées qui jouent le plus grand rôle dans l'histoire.

3. D'après Marx, l'un des traits fondamentaux du capitalisme est la transformation de la force de travail en marchandise.

4. La principale cause du travail aliéné est la transformation de la force de travail en marchandise.

5. La multiplication sans fin des besoins permet à l'être humain de trouver sa vraie nature.

6. Marx est contre toute forme de liberté formelle.

7. La liberté réelle est le pouvoir de s'autodéterminer.

8. Pour Marx, l'être humain n'est pas entièrement libre.

9. Selon Marx, la liberté s'accomplit à l'intérieur de la communauté humaine.

10. La liberté implique l'abolition de la propriété privée des moyens de production.

11. D'après Marx, le but du communisme est la construction d'une société où l'individu est au service d'un État tout-puissant.

Synthétisez vos connaissances et développez une argumentation.

1. Que veut dire Marx quand il affirme que l'être humain a besoin de produire ? Que représentent les objets qu'il produit ?

2. Énumérez les trois principaux critères qui définissent l'être humain selon Marx.

3. Qu'est-ce que le matérialisme historique ?

4. Définissez l'aliénation. Donnez-en un exemple.

5. Selon Marx, quelle est la principale raison pour laquelle le travailleur est aliéné dans le capitalisme ?

6. Marx dit que l'activité du travail n'appartient plus à l'ouvrier. Expliquez.

7. « L'argent fait des petits. » Résumez la critique que Marx fait de cette affirmation.

8. « La propriété privée nous a rendus si sots et si bornés qu'un objet n'est nôtre que lorsque nous l'avons. » Expliquez.

9. Qu'est-ce que la liberté formelle ? Quelle critique Marx fait-il de ce concept ?

10. Qu'est-ce que la liberté réelle d'après Marx ? Comment la vie en société est-elle une condition à la réalisation de la liberté réelle ?

11. Faites deux critiques de la théorie de Marx.

Complétez les phrases.

1. L'un des traits distinctifs de l'être humain est le besoin de _____.

2. L'aliénation du travail provient principalement du fait que la force de travail est transformée en _____.

3. Le fétichisme de la marchandise fait que les produits créés par le travail humain acquièrent une vie _____.

4. Selon Marx, la liberté consiste à créer des conditions permettant à l'être humain d'affirmer son _____.

5. Dans l'élaboration de sa philosophie, Marx ne tient pas compte des facteurs _____.

Établissez des liens entre les idées.

1. Comparez le concept de liberté réelle chez Marx à celui de liberté formelle. Que veut dire Marx quand il dénonce le caractère formel des libertés individuelles et politiques ?

2. D'après Locke, l'appropriation du travail d'un homme par un autre est légitime. Comparez ce point de vue à celui de Marx.

3. Comparez l'analyse d'Engels de l'infériorisation des femmes à celle du déterminisme biologique.

TEXTES À L'ÉTUDE

Texte 1 : *Manuscrits de 1844* (extrait)

Marx (1969), p. 121-123

Voici une conception de l'être humain qui pourrait s'intituler « Je suis mon compte en banque ».

Ce qui grâce à l'*argent* est pour moi, ce que je peux payer, c'est-à-dire ce que l'argent peut acheter, *je le suis* moi-même, moi le possesseur de l'argent. Ma force est tout aussi grande qu'est la force de l'argent. Les qualités de l'argent sont mes qualités et mes forces essentielles – à moi son possesseur. Ce que je *suis* et ce que je *peux* n'est donc nullement déterminé par mon individualité. *Je suis* laid, mais je peux m'acheter *la plus belle* femme. Donc je ne suis pas laid, car l'effet de la *laideur*, sa force repoussante, est anéanti par l'argent. De par mon individualité, je suis perclus, mais l'argent me procure vingt-quatre pattes ; je ne suis donc pas perclus ; je suis un homme mauvais, malhonnête, sans conscience, sans esprit, mais l'argent est vénéré, donc aussi son possesseur, l'argent est le bien suprême, donc son possesseur est bon, l'argent m'évite en outre la peine d'être malhonnête ; on me présume donc honnête ; je suis *sans esprit*, mais l'argent est l'*esprit réel* de toutes choses, comment son possesseur pourrait-il ne pas avoir d'esprit ? De plus, il peut acheter les gens spirituels et celui qui possède la puissance sur les gens d'esprit n'est-il pas plus spirituel que l'homme d'esprit ? Moi qui par l'argent peux *tout* ce à quoi aspire un cœur humain, est-ce que je ne possède pas tous les pouvoirs humains ? Donc mon argent ne transforme-t-il pas toutes mes impuissances en leur contraire ?

[...]

Ce que je ne puis en tant qu'*homme*, donc ce que ne peuvent toutes mes forces essentielles d'individu, je le puis grâce à l'*argent*. L'argent fait donc de chacune de ces forces essentielles ce qu'elle n'est pas en soi ; c'est-à-dire qu'il en fait son *contraire*.

[...]

La *demande* existe bien aussi pour celui qui n'a pas d'argent, mais sa demande est un pur être de la représentation qui sur moi, sur un *tiers*, sur les autres n'a pas d'effet, n'a pas d'existence, donc reste pour moi-même *irréel, sans objet*. La différence entre la demande effective, basée sur l'argent, et la demande sans effet, basée sur mon besoin, ma passion, mon désir, etc., est la différence entre l'*Être* et la *Pensée*, entre la simple représentation *existant* en moi et la représentation telle qu'elle est pour moi en dehors de moi en tant qu'*objet réel*.

Si je n'ai pas d'argent pour voyager, je n'ai pas de *besoin*, c'est-à-dire de besoin réel et se réalisant de voyager. Si j'ai la *vocation* d'étudier mais que je n'ai pas l'argent pour le faire, je *n'ai pas* de vocation d'étudier, c'est-à-dire pas de vocation *active, véritable*. Par contre, si je *n'ai* réellement *pas* de vocation d'étudier, mais que j'en ai la volonté *et* l'argent, j'ai par-dessus le marché une vocation *effective*. [...]

Il apparaît alors aussi comme cette puissance de *perversion* contre l'individu et contre les liens sociaux, etc., qui prétendent être des *essences* pour soi. Il transforme la fidélité en infidélité, l'amour en haine, la haine en amour, la vertu en vice, le vice en vertu, le valet en maître, le maître en valet, le crétinisme en intelligence, l'intelligence en crétinisme.

Comme l'argent, qui est le concept existant et se manifestant de la valeur, confond et échange toutes choses, il est la *confusion* et la *permutation* universelles de toutes choses, donc le monde à l'envers, la confusion et la permutation de toutes les qualités naturelles et humaines.

[...]

Si tu supposes *l'homme en tant qu'homme* et son rapport au monde comme un rapport humain, tu ne peux échanger que l'amour contre l'amour, la confiance contre la confiance, etc. Si tu veux jouir de l'art, il faut que tu sois un homme ayant une culture artistique ; si tu veux exercer de l'influence sur d'autres hommes, il faut que tu sois un homme qui ait une action réellement animatrice et stimulante sur les autres hommes. Chacun de tes rapports à l'homme – et à la nature – doit être une *manifestation déterminée*, répondant à l'objet de ta volonté, de ta vie *individuelle réelle*. Si tu aimes sans provoquer d'amour réciproque, c'est-à-dire si ton amour, en tant qu'amour, ne provoque pas l'amour réciproque, si par ta *manifestation vitale* en tant qu'homme aimant tu ne te transformes pas en *homme aimé*, ton amour est impuissant et c'est un malheur.

Repérez les idées et analysez le texte.

1. Les qualités que l'on attribue à l'argent lui confèrent des pouvoirs. Quels sont ces pouvoirs ? Donnez des exemples.

2. Marx affirme que la demande de biens et de services n'est pas fondée sur le besoin. Repérez la citation de Marx où il en est question. Expliquez.

3. Dans ce texte, est-ce que Marx dit, comme le veut l'expression, que « l'argent peut tout acheter » ? Expliquez.

4. Marx sous-entend que l'argent peut apporter le malheur. Comment ?

Texte 2 : *L'idéologie allemande* (extrait)

Marx et Engels (1966), p. 36-37

La philosophie de Marx a pour point de départ des hommes vivants et réels, et non des idées abstraites. Elle est en rupture avec le courant dominant de la philosophie occidentale.

À l'encontre de la philosophie allemande [celle de Hegel qui part de l'idée absolue] qui descend du ciel sur la terre, c'est de la terre au ciel que l'on monte ici. Autrement dit, on ne part pas de ce que les hommes disent, s'imaginent, se représentent, ni non plus de ce qu'ils sont dans les paroles, la pensée, l'imagination et la représentation d'autrui, pour aboutir ensuite aux hommes en chair et en os ; non, on part des hommes dans leur activité réelle, c'est à partir de leur processus de vie réel que l'on représente aussi le développement des reflets et des échos idéologiques de ce processus vital. Et même les fantasmagories dans le cerveau humain sont des sublimations résultant nécessairement du processus de leur vie matérielle que l'on peut constater empiriquement et qui repose sur des bases matérielles. De ce fait, la morale, la religion, la métaphysique et tout le reste de l'idéologie, ainsi que les formes de conscience qui leur correspondent, perdent aussitôt toute apparence d'autonomie. [...] Ce n'est pas la conscience qui détermine la vie, mais la vie qui détermine la conscience. Dans la première façon de considérer les choses, on part de la conscience comme étant l'individu vivant, dans la seconde façon, qui correspond à la vie réelle, on part des individus réels et vivants eux-mêmes et l'on considère la conscience uniquement comme *leur* conscience.

Repérez les idées et analysez le texte.

« [...] on ne part pas de ce que les hommes disent [et] se représentent [leurs idées], on part des hommes dans leur activité réelle [...] » Expliquez cette affirmation.

LECTURES SUGGÉRÉES

Engels, F. (1974). *L'origine de la famille, de la propriété privée et de l'État*. Paris : Éditions sociales.

Engels, F. (1960). *La situation des classes laborieuses en Angleterre*. Paris : Éditions sociales.

Marx, K. (1970). *Travail salarié et capital*. Pékin : Éditions du Peuple.

Marx, K. (1969). *Manuscrits de 1844*. Paris : Éditions sociales.

Marx, K. (1948). *Le capital*. Paris : Éditions sociales.

Marx, K. et F. Engels (1966). *L'idéologie allemande*. Paris : Éditions sociales.

Quiniou, Y. (1995). *Figures de la déraison politique*. Paris : Éditions Kimé.

CHAPITRE 9

Friedrich Nietzsche : l'être comme instinct et volonté de puissance

Je suis corps tout entier et rien d'autre,
l'âme n'est qu'un mot désignant
une partie du corps.

Friedrich Nietzsche

Introduction

Le crépuscule des idoles (1888) porte le sous-titre révélateur de *Comment on philo-sophe au marteau.* Et c'est bien à coups de marteau que Nietzsche démolit la figure du **dernier homme,** l'homme moderne et décadent, «infirme des instincts», pour sculpter celle de l'homme nouveau, le surhomme.

La pensée de Nietzsche n'est pas simple à résumer. Celui-ci s'exprime souvent en aphorismes, formules courtes et percutantes, et semble multiplier les affirmations contradictoires. Malgré ces difficultés, les grandes lignes de sa pensée sont claires.

Nietzsche renverse la conception métaphysique de l'être humain en affirmant que le corps est supérieur à la raison. Il dresse un long réquisitoire contre la civilisation occidentale, laquelle a systématiquement **déprécié** le corps et le monde sensible et dénigré la vie au profit des illusions consolatrices d'un absolu hors du monde. Il écrit à propos de la métaphysique: «Derrière une telle pensée, [...] j'ai toujours senti la *haine de la vie,* la malveillance rageuse et vindicative à l'égard de la vie même[1]». Bref, la métaphysique a donné naissance à l'homme faible et malade en tuant la volonté de vivre, la volonté de puissance, qui permettra à l'humanité de sortir de la médiocrité.

Notes biographiques

Friedrich Nietzsche, le maître des formules-chocs provocantes, naît en 1844 à Röcken, en Prusse. Sa mère était fille de pasteur. Son père, précepteur à la cour ducale d'Altenburg, et son grand-père paternel étaient pasteurs luthériens. Il n'a pas cinq ans quand son père meurt d'une inflammation au cerveau. Jusqu'à l'adolescence, celui qu'on appelait «le petit pasteur» sera élevé par une mère pieuse et baignera dans un univers féminin, entouré de deux tantes, d'une grand-mère et d'une sœur, Élisabeth. Cette dernière jouera un rôle important après sa mort, notamment en falsifiant certains de ses textes, surtout ses lettres, falsifications dont l'importance fut exagérée.

Instinct
Fait référence aux comportements non appris, relativement fixes et invariables, à peu près semblables chez tous les membres d'une même espèce. Terme dont découle une polémique, car il existe de nombreux points de vue sur ce qui constitue ou non un instinct.

Métaphysique
Littéralement, ce qui vient après la physique, qui est au-dessus de la nature et supérieur à elle. La métaphysique se caractérise par la recherche d'une réalité ultime, éternelle et toujours vraie, stable et permanente (Dieu, le Bien ou l'Idée chez Platon). Cette réalité ultime est souvent désignée par des termes tels que l'«Idéal» ou l'«Être». D'après cette philosophie, tout ce qui change est considéré comme une pâle copie du concept, voire comme non-être.

---

1. Nietzsche (1964), p. 173.

Philologie
Étude d'une langue par l'analyse critique des textes.

À l'âge de 20 ans, il s'inscrit à l'université de Bonn en théologie et en **philologie**. Rapidement il se détourne de la théologie – au grand chagrin de sa mère qui rêve d'en faire un pasteur – pour se consacrer à la philologie. Il poursuit ses études à l'université de Leipzig, où il rencontre Arthur Schopenhauer (1788-1860), qui devient son maître à penser. En 1868, il se lie d'amitié avec le compositeur Richard Wagner (1813-1883), avec qui il finit par se brouiller.

En 1869, il commence à enseigner la philologie à Bâle, en Suisse. Il est déjà gravement malade : des douleurs plusieurs heures par jour, une demi-paralysie qui lui rend la parole difficile, des problèmes oculaires, des crises accompagnées de violents maux de tête qui peuvent le faire vomir trois jours et trois nuits d'affilée. Au bord de l'épuisement, il quitte l'enseignement en 1879. À la recherche d'un climat propice à sa santé, il entreprend une vie d'errance en se déplaçant constamment d'une pension à l'autre entre Nice, la Riviera italienne et la Suisse, transportant avec lui une énorme malle remplie de livres. À mesure que le temps passe, sa vue baisse et ses crises sont plus nombreuses. Selon son biographe Daniel Halévy, au début des années 1880, celui qui s'est rendu célèbre en exaltant la vie malgré tout son cortège de souffrances fait trois tentatives de suicide.

À Rome, en 1882, il rencontre l'écrivaine Lou Andreas-Salomé (1861-1937), qui deviendra psychanalyste. Freud dira qu'elle est le poète de la psychanalyse. Nietzsche en tombe éperdument amoureux et rêve d'en faire sa disciple. Par l'intermédiaire de son ami Paul Rée (1849-1901), poète et philosophe, il la demande en mariage ; il essuie un refus. C'est la deuxième fois qu'une femme lui dit non. Une légende, démentie par son biographe, veut qu'il ait formé avec elle et Paul Rée un ménage à trois. Lorsque Rée et Andreas-Salomé partent ensemble, Nietzsche a du mal à s'en remettre. En janvier 1889, il s'effondre, en proie à une crise de folie. Après son retour en Allemagne, les médecins diagnostiquent une syphilis. Cette même année, il écrit des billets à ses amis, qu'il signe du nom de **Dionysos** ou le Crucifié. Il meurt dans la solitude en 1900, emmuré dans sa folie.

Dionysos
Personnage de la mythologie grecque, dieu du vin et du délire extatique, dont l'équivalent dans la mythologie romaine est Bacchus. Selon la légende, la mère de Dionysos fut fécondée par le dieu suprême, Zeus (Jupiter chez les Romains). Elle meurt au sixième mois de sa grossesse. Zeus arrache l'embryon et le porte dans sa cuisse, d'où l'expression « né de la cuisse de Jupiter ». Dionysos était égorgé et dévoré par les siens tous les deux ans et renaissait éternellement. Pour Nietzsche, Dionysos personnifie la vie, l'instinct et la lucidité. Il a perdu toutes ses illusions, est conscient que la vie est un puits de souffrances sans fond, mais n'en célèbre pas moins la joie de vivre.

Le pessimisme de Schopenhauer

L'influence d'Arthur Schopenhauer sera déterminante pour Nietzsche. Schopenhauer estime que nous vivons dans un monde d'illusions, celui des apparences. Le monde « vrai » nous est inaccessible, car nous n'avons qu'une **représentation** floue et inexacte de la réalité, que nous percevons à travers les schémas de pensée des religions et des philosophies traditionnelles, qui sont autant de voiles masquant la réalité. Le monde réel est un chaos bouillonnant d'appétits et de passions – faim, soif, sexualité, ambitions, etc. –, de forces aveugles et incompréhensibles qui nous poussent à l'action. Ces forces aveugles tapies au fond de la nature humaine peuvent être comparées à celles que l'on trouve dans les entrailles de la terre. Sous un calme aussi relatif qu'apparent, la Terre n'est qu'une boule de métal en fusion atteignant en son centre des températures d'une intensité phénoménale et pouvant constituer une menace pour la vie.

Pour Schopenhauer, nous «sommes agis» beaucoup plus que nous n'agissons. Des forces aveugles se moquent de nos efforts conscients en nous menant sur des chemins où nous ne voulons pas aller. Le monde réel est celui de la **volonté** et du désir de vivre. Selon Schopenhauer, vivre, c'est vouloir, c'est désirer. Mais nos désirs ne sont jamais comblés. Par nature, ils sont infinis et insatiables, de sorte que vivre, c'est souffrir. Nous sommes perpétuellement en manque et ce manque est douloureux. Il nous faut renoncer au désir, nous en délivrer, nier la volonté de vivre pour atteindre la paix et la sérénité, ce que les bouddhistes appellent le «nirvana», soit l'extinction du désir humain.

Pour Schopenhauer, la vie est au fond irrationnelle et absurde, et nous vivons dans le pire des mondes. Le monde est sans fondement, sans raison ni but. Devant ce constat, il choisira la compassion, le renoncement à la vie et cherchera des consolations dans l'art. Quant à Nietzsche, il retiendra de son maître que le monde est guidé par la volonté de vivre, laquelle est une force incontrôlable et inconsciente. Mais il s'opposera à Schopenhauer, qui pense que ce monde-ci est mauvais et qui abdique devant la vie. Ce monde-ci n'est ni bon ni mauvais et il faut aimer la vie, non s'en consoler. À l'opposé de Schopenhauer, Nietzsche exaltera la volonté de vivre, la volonté de puissance.

Le diagnostic de Nietzsche : l'homme, malade de la métaphysique

La critique du judéo-christianisme : «Que votre volonté soit faite»

Nietzsche pose un regard dur sur celui qu'il appelle l'«homme malade», ou le «dernier homme». Celui-ci est le produit de la métaphysique. Il a été engendré par les religions juive et chrétienne de même que par les philosophies idéalistes, lesquelles ont une chose en commun: elles disent non à la vie, nient le monde sensible et érigent sur les cendres de la volonté de vivre un monde illusoire qui n'est que mensonge et fuite devant la dure réalité.

Le premier reproche que Nietzsche adresse au judéo-christianisme est d'avoir créé des esclaves qui se soumettent volontairement à une autorité supérieure. Le *Notre Père* ne commande-t-il pas: «Que votre volonté soit faite»? Ces religions culpabilisent l'être humain, le rendent honteux au point qu'il doit s'humilier. Le *Minuit chrétiens* n'ordonne-t-il pas: «Peuple à genoux»? D'après Nietzsche, ces religions sont fondées sur des valeurs serviles: abnégation, modestie, humilité, dévouement, pitié, amour du prochain, jeûne et chasteté. Ce qu'il appelle ironiquement les «plaisirs» n'est en réalité qu'une forme de cruauté envers soi.

Photo de Nietzsche (à droite), en compagnie de Lou Andreas-Salomé et de Paul Rée.

Le dernier homme est l'homme domestiqué et dénaturé, infirme des instincts. Il cherche refuge dans les illusions consolatrices d'un absolu hors du monde.

> Ce qui est chrétien, c'est un certain sens de la cruauté envers soi et envers autrui ; la haine de ceux qui pensent différemment ; la volonté de persécuter [...] Ce qui est chrétien c'est la haine contre l'esprit, contre l'orgueil, le courage, la liberté, c'est la haine contre les *sens,* contre la joie des sens, contre la joie[2] [...]

Le bien consiste à obéir et les bons sont ceux qui remettent leur vie entre les mains d'une autorité qui les dépasse, tout simplement parce qu'ils veulent obéir. En faisant dépendre l'individu de forces extérieures à lui-même, la religion l'incite à renoncer à sa personnalité.

Si Nietzsche critique la soumission et l'obéissance servile, il est loin de préconiser la désobéissance aveugle, la facilité et le laisser-aller. Il fait l'éloge de la discipline et de la nécessité de s'imposer des contraintes, comme le font les poètes et les musiciens avec la rime et le rythme. Il reconnaît même que les morales traditionnelles ont contribué à un certain dressage de l'esprit essentiel aux natures fortes et puissantes[3].

Le deuxième reproche de Nietzsche à l'endroit du judéo-christianisme est d'avoir inventé des illusions telles que l'au-delà et l'immortalité de l'âme tout simplement parce qu'il nie ou déprécie le monde sensible sous prétexte que la vie sur terre serait absurde. Dans l'Ancien Testament, le fils de David se lamente, disant que le bonheur, le rire, la joie, le travail, la richesse, la jeunesse, tout cela n'est que vanité : « [...] je déteste la vie, car je trouve mauvais ce qui se fait sous le soleil : tout est vanité et poursuite de vent[4]. » Ce monde n'est qu'une « vallée de larmes » et ne peut être le monde vrai.

Ce constat de la vanité et de la futilité du monde terrestre débouche sur l'idée selon laquelle il doit exister un autre monde, le royaume des cieux, monde rempli de joie, de lumière et de justice. Pour Nietzsche, croire en Dieu, en l'au-delà et en l'immortalité, c'est rechercher des consolations en s'inventant des mondes meilleurs, c'est refuser de croire en l'homme et faire preuve de faiblesse. Au contraire, prendre conscience du fait que nous sommes mortels, c'est démontrer du courage. D'après lui, cette vision de la réalité cache rien de moins que le **goût du néant,** l'aspiration à la mort :

> Dès le début, le christianisme a été essentiellement et foncièrement le dégoût et l'ennui de vivre déguisés, dissimulés, fardés sous la foi en une « autre », « meilleure » vie. La haine du « monde », la réprobation des passions, la peur de la beauté et de la sensualité, un au-delà céleste inventé pour mieux calomnier l'existence terrestre, au fond une aspiration au néant, à la fin, au repos, au « sabbat des sabbats », tout cela joint à la volonté absolue de ne reconnaître *que* des valeurs morales, m'est toujours apparu comme la forme la plus dangereuse et la plus inquiétante d'une « aspiration à la mort » ou tout au moins un signe très net de maladie, de fatigue, de découragement, d'épuisement, d'appauvrissement de la vie[5].

Dans son épître aux Corinthiens, saint Paul exprime cette nécessité de **mourir au monde terrestre.** Nous savons, dit-il, « que demeurer dans ce corps, c'est vivre en exil loin du Seigneur, nous préférons quitter ce corps pour demeurer auprès du Seigneur[6] ». Dans son épître aux Colossiens, il demande aux fidèles de faire mourir en eux « ce qui appartient à la terre ». Dans la même veine, l'Évangile selon saint Jean insiste : « Celui qui aime sa vie la perd, et celui qui cesse de s'y attacher en ce monde la gardera pour la vie éternelle[7]. » Par conséquent, demande Nietzsche, le

---

2. Nietzsche (1967), p. 32-33.
3. Nietzsche (1973), p. 142-144.
4. La Bible, Qohéleth ou L'Ecclésiaste, 2, 17.
5. Nietzsche (1964), p. 173-174.
6. La Bible, 2e Épître aux Corinthiens, 5, 6.
7. La Bible, Évangile selon saint Jean, 12, 25.

christianisme ne serait-il pas au fond la volonté de nier la vie, un « secret instinct de destruction, un principe de déchéance, de rabaissement, de calomnie[8] », un crime contre la vie qui se dissimule derrière la croyance en une vie meilleure ? Le christianisme voit la vie comme un fardeau insupportable dont l'être humain est anxieux de se défaire. On doit se détacher du monde, mortifier la chair, mépriser l'instant présent et l'éphémère et se tourner vers Dieu, seule réalité.

Le troisième reproche que Nietzsche adresse aux religions, c'est d'avoir **dénaturé** l'être humain : « Jadis on sacrifiait à son Dieu des êtres humains, [...] à l'époque morale de l'humanité, on sacrifiait à son Dieu ses instincts les plus forts, sa "nature"[9] ». La religion a condamné les instincts et les passions, et l'être humain tente de se persuader qu'il est essentiellement un esprit, une âme immortelle. Il se leurre et se ment. La notion de péché a joué un rôle capital dans la dénaturation de l'être humain, puisqu'elle reflète la volonté de trouver des coupables et réprouve ses penchants naturels. La morale a fait perdre à la vie son innocence.

Selon le quatrième reproche, en considérant que tous les humains sont égaux devant Dieu, les religions ont engendré des éclopés, une race d'hommes conformistes, rapetissés, domestiqués. « Mini, mini, tout est mini dans notre vie », dit la chanson de Jacques Dutronc. L'homme moderne, c'est l'homme faible et malade, le « dernier homme », l'homme du troupeau. C'est le chameau qui ploie sous le fardeau des valeurs hostiles à la vie. En donnant raison à ceux qui **souffrent de la vie comme d'une maladie,** les religions ont contribué à maintenir un type d'homme de niveau inférieur. En protégeant les « ratés », l'Église s'est imposée « le devoir » de :

> [...] briser les forts, infecter les grandes espérances, souiller d'un soupçon la joie que donne la beauté, tordre tous les sentiments d'orgueil, de virilité, de conquête, de domination, tous les instincts propres au type humain le plus haut et le plus accompli, les transformer en incertitude, en tourment de conscience, en goût de se détruire, transformer même en haine de la terre ce qui était amour de la terre et des choses terrestres[10].

En dernier reproche, la morale judéo-chrétienne a donné naissance à l'homme du **ressentiment**, qui essaie de compenser les torts qu'il a subis. Il cherche un responsable pour ce qu'il doit endurer et son cœur est rempli de haine et de vengeance. C'est une « sorte de dédommagement au fait qu'[il a été déshérité] par la nature[11] ». L'homme du ressentiment reprend à son compte ces paroles de la Bible : « Voici votre Dieu : c'est la vengeance qui vient, la rétribution de Dieu » et « L'épée du Seigneur est pleine de sang[12] ».

La morale des religions est foncièrement **réactive et négative** ; c'est une morale altruiste qui lèse les « hommes les plus hauts, les plus rares, les véritables privilégiés ». En s'autorisant de cette morale, en valorisant la débilité et la maladie de même qu'en culpabilisant les forts, les esclaves et les faibles se sont insurgés et en sont venus à **dominer les forts.** Les forces hostiles à la vie ont triomphé. Les adeptes des arrière-mondes, après avoir blessé les hommes, jouent au médecin et mettent un baume sur leurs plaies en leur promettant la vie éternelle. Au passage, Nietzsche égratigne saint

Ressentiment
Rancune, animosité à l'égard des torts que l'on a subis.

---

8. Nietzsche (1964), p. 174.
9. Nietzsche (1973), p. 99.
10. *Ibid.*, p. 110.
11. *Ibid.*, p. 197-198.
12. La Bible, Ésaïe, 35, 4 et 34, 6.

Jean, reconnu comme l'apôtre de l'amour infini, et décrit l'*Apocalypse* comme «le plus sauvage et le plus explosif des écrits que la vengeance ait sur la conscience[13] ».

Malgré ses attaques au vitriol contre le christianisme, Nietzsche confie toute son admiration pour la personnalité du Christ : «Qu'est-ce que le Christ a *nié*? Tout ce qui porte à présent le nom de chrétien[14]. » En effet, il considère le christianisme, surtout dans la version que Paul en a donnée, comme une perversion des idées du fondateur de la doctrine.

La critique des philosophies rationalistes et idéalistes

D'après Nietzsche, les philosophes idéalistes, de Platon jusqu'à Kant, sont également responsables de la négation de la vie. Chez Platon, le monde des **Idées** joue le même rôle que l'au-delà dans le christianisme. Ce monde est parfait, éternel et immuable ; il est à la source de toutes les réalités. Par exemple, l'Idée de beauté est à l'origine de toutes les belles choses et possède plus de «réalité» que les belles choses qui nous entourent parce que ces dernières changent et s'altèrent. En effet, les choses nous apparaissent belles un jour et laides le lendemain, agréables un jour et désagréables le lendemain : elles sont changeantes et imparfaites. De plus, nous vieillissons, nous perdons nos moyens, puis nous mourons. Cela ne peut être le monde vrai. Le monde vrai est un monde où les choses restent **stables et identiques** à elles-mêmes ; c'est le monde des Idées abstraites et éternelles qui représentent la Vérité et le Bien. À l'opposé, le monde **changeant des sens** est source de souffrances et d'illusions.

C'est ainsi que Platon coupe le monde en deux : il y a, d'un côté, le monde intelligible (le monde des Idées) et, de l'autre, le monde sensible. Il sépare l'intelligible du sensible comme le vrai du faux. Par conséquent, le monde que perçoivent nos sens n'est qu'une illusion, une apparence, alors que le monde vrai est celui qu'appréhende notre raison, le monde des idées parfaites et stables, semblable au monde des mathématiques où **deux et deux font toujours quatre,** partout et éternellement. La métaphysique invente donc un monde idéal et irréel sous prétexte que le monde dans lequel nous vivons est imparfait et faux.

De son côté, Kant affirme que nous vivons dans le monde phénoménal, c'est-à-dire le monde superficiel des perceptions sensibles, alors que le monde «vrai» est inaccessible. Nietzsche refuse d'admettre ce point de vue. La réalité du monde est celle de la volonté de puissance, des passions et des instincts. C'est à cette réalité que celui-ci se dérobe. Cette attitude reflète la peur de soi, de ses propres instincts et de ses passions, que Kant préconise de tenir en bride. C'est pourquoi sa morale nous enjoint de faire notre devoir même quand cela entre en contradiction avec nos penchants naturels et nos instincts. Celui qui fait son devoir est celui qui aime obéir parce qu'il a été dressé à l'obéissance. D'après Nietzsche, ce que Kant n'a jamais compris, c'est que la morale a toujours été contredite par la nature et l'histoire[15].

---

13. Nietzsche (1990), p. 99. Nietzsche fait ici référence au passage de l'Apocalypse où Jean demande à Dieu : «Jusques à quand, Maître saint et véritable, tarderas-tu à venger notre sang sur les habitants de la terre?» Saint Jean est l'auteur de la célèbre formule : «Aimez-vous les uns les autres. »

14. Nietzsche (1995), t. I, p. 173. Cette citation est tirée d'un ouvrage de Nietzsche intitulé *La volonté de puissance*. Ce livre n'est pas à proprement parler une œuvre de Nietzsche. Il s'agit de fragments qui ont été rassemblés après sa mort. Sa sœur a publié sa propre version de l'ouvrage, dont les fragments ont été arrangés sans respecter la chronologie. La version citée ici rétablit cette chronologie.

15. Nietzsche (1980), p. 16.

La critique des nouvelles illusions et du nouvel optimisme

Nietzsche constate que les anciennes valeurs représentées par le christianisme et les philosophies idéalistes sont en crise. À mesure que les vieux repères s'écroulent et que les vieilles certitudes s'évanouissent, le monde moderne les troque contre de nouvelles idoles, de nouvelles « certitudes ». Ayant renoncé à Dieu, les modernes ressuscitent les anciennes valeurs sous de nouvelles formes. Ces nouvelles valeurs fondées sur des illusions sont autant de virus qui infectent le malade et menacent l'Europe de décadence. Ces nouvelles idoles sont le libéralisme, le socialisme et la science.

Le libéralisme (*voir le chapitre 4*) sacralise le « Progrès », prône la démocratie et la souveraineté du peuple, c'est-à-dire le règne de la « populace » et l'« esprit de troupeau ». Nietzsche considère que la démocratie, c'est le règne de la tolérance et de la discussion perpétuelle, de l'incertitude et de l'indécision, c'est l'incapacité de dire oui ou non. Les adeptes de la démocratie sont perpétuellement assis entre deux chaises, incapables d'agir.

En prêchant l'obéissance et la soumission à la volonté populaire, cette idéologie moderne est l'héritière du christianisme. En valorisant l'égalité des droits, elle refuse les privilèges et engendre la petitesse et l'ennui : « Tous sont très égaux, très petits, très ronds, très conciliants, très ennuyeux. » Pour Nietzsche, proclamer que tous ont les mêmes droits engendre des injustices énormes, puisque certains individus ont plus de valeur que d'autres et méritent mieux. À ses yeux, le libéralisme est le symbole de la « médiocrité » parce qu'il affaiblit la volonté. Il n'a pas d'autre aspiration que la prospérité, le confort, la stabilité et la permanence : une famille, un bon emploi, une maison de campagne et un bonheur tranquille. Or, la richesse et le confort ne sont pas un gage de bonheur. Pour le libéralisme, la vie se résume à l'avoir, à la possession. Le libéralisme avilit l'être humain en le réduisant à une seule dimension : les rapports économiques.

Nietzsche range le socialisme et l'anarchisme au rayon des nouvelles illusions. Il leur reproche de travestir l'idéal moral du christianisme et d'être obsédés par le désir de se venger des humiliations. Les socialistes et les anarchistes entretiennent une fiction dangereuse, celle d'un monde idéal d'où l'exploitation, les injustices et les inégalités matérielles auraient disparu. Ils veulent tout niveler. Or, l'égalité est un « principe "ennemi de la vie" ». Les socialistes s'opposent à toute forme de hiérarchie, ils sont contre les prérogatives et les privilèges individuels. Ils veulent établir la tyrannie de la médiocrité en répudiant les notions de maître et de serviteur : « [N]i dieu ni maître », dit un slogan socialiste[16]. Les socialistes haïssent tout ce qui implique la vie : la violence, l'inégalité et l'apparence. Ils pensent, à tort, que la société est responsable de tous les problèmes. Ils valorisent la pitié, veulent éliminer la souffrance et sont d'accord avec « l'impuissance quasi féminine à voir souffrir, à faire souffrir ». Ils encouragent l'« effémin'ation qui semble étendre sur l'Europe la menace d'un nouveau bouddhisme[17] ».

La dernière illusion qui tombe sous le marteau de Nietzsche est la science, qui commence à triompher au XIXe siècle. Plusieurs pensent qu'elle fournira la clé de toutes les énigmes et assurera la marche vers le progrès. Encore de nos jours, certains

---

16. D'après certains auteurs, Nietzsche n'a jamais lu Marx.
17. Nietzsche (1973), p. 164.

croient que la génétique sera en mesure de nourrir l'humanité grâce aux organismes génétiquement modifiés (OGM), qu'elle pourra guérir les maladies les plus redoutables et, comme nous l'avons vu, qu'elle expliquera tous les comportements humains. Certains voient même dans le clonage un moyen d'acquérir l'immortalité.

D'après Nietzsche, la science soutient que l'univers entier obéit à des lois rigides, telles que la loi de la gravité. Cette attitude traduit une volonté d'obéissance et exprime la peur de celui qui tente de se rassurer devant les forces hostiles de la nature et qui éprouve de la crainte face à l'incertitude. De plus, en prétendant détenir la vérité et en faisant croire qu'elle peut apporter la réponse à toutes les questions, la science reflète également une attitude de domination.

Par ailleurs, la science fait preuve d'un optimisme sans bornes envers la raison. Les savants se sont toujours imaginé qu'ils savaient ce qui était bon ou mauvais. Or, ils n'ont pas compris que les choses qui nous sont familières et qui existent depuis longtemps « s'imbibent progressivement si bien de raison qu'il devient incroyable qu'elles aient pu tirer leur origine de la déraison[18] ». La logique peut expliquer les choses superficielles, mais n'atteint jamais la cause profonde.

Enfin, l'homme souffrant et pauvre de vie a besoin de béquilles : il a besoin de Dieu, de Vérité, de Logique, de Science, de Justice et d'Égalité. Il a besoin d'un Sauveur[19]. Pour Nietzsche, il n'y a rien en dehors de la vie : il faut la prendre comme elle est.

La mort de Dieu et le nihilisme

Nietzsche constate que les philosophies idéalistes et les religions qui valorisent les arrière-mondes sont en train de se désintégrer. La pulvérisation des anciennes valeurs, symbolisée par la « mort de Dieu », engendre une attitude que le philosophe allemand réprouve : le nihilisme **passif.** Les nihilistes passifs tirent la conclusion que la vie est absurde et n'a plus de sens. Tout est vain. Nous sommes orphelins, plongés dans l'obscurité, « fatigués de l'*homme*[20] ! ». Les nihilistes passifs capitulent devant la pulvérisation des valeurs traditionnelles et pensent qu'il n'y a plus de vérité morale, qu'il est impossible d'établir une hiérarchie des valeurs et que toutes les opinions se valent. Ils se complaisent dans le vide et le néant. Constatant que les anciennes valeurs ne tiennent plus, ils les remplacent par de nouvelles idoles. Ce sont en fait des chrétiens laïcisés.

> Le nihilisme passif est l'attitude qui consiste à démissionner devant la désintégration des valeurs, symbolisée par la mort de Dieu. Nietzsche préconise le nihilisme actif, soit la déconstruction active des valeurs traditionnelles et la définition de nouvelles valeurs fondées sur l'affirmation de la volonté de puissance.

Nietzsche réagit contre cette démission. Plutôt que de se lamenter de la perte des valeurs traditionnelles, il suggère d'adhérer au nihilisme **actif,** lequel consiste à déconstruire systématiquement les anciennes valeurs, à renverser les idoles et à les remplacer par de nouvelles valeurs. C'est ce que Nietzsche appelle la **transvaluation** des valeurs. Il faut se délivrer de l'« idéal » et du goût du nihilisme, affirmer les valeurs terrestres et construire le surhomme : ce « vainqueur de Dieu et du néant – il doit venir un jour ».

---

18. Nietzsche (1980), p. 21.
19. Nietzsche (1982), p. 278.
20. Nietzsche (1990), p. 13.

L'anthropologie de Nietzsche : la critique du dualisme

Contre le mirage métaphysique : l'homme est l'union des contraires

Dans le tome premier de *La volonté de puissance*, Nietzsche explique comment la pensée occidentale fut prisonnière de la métaphysique et du dualisme. Le dualisme (*voir les chapitres 2 et 3*) conçoit l'univers en fonction de contraires qui s'excluent mutuellement et diminue l'être humain en instaurant une opposition radicale entre le corps et l'esprit, le bien et le mal, le vrai et le faux, la raison et les sens, la réalité et l'apparence, l'immuable et le devenir. Pour le dualisme, le corps, les sens, l'apparence, etc., sont la source de la souffrance, de l'angoisse et de la mort. Ils représentent le mal à l'état pur. Rappelons que pour Platon et saint Paul le corps est conçu comme un tombeau, une prison. Selon la pensée dualiste, nous vivons dans un monde d'apparences et d'illusions. Les choses qui nous entourent sont en perpétuel changement et tout ce qui est soumis au changement s'altère, se corrompt et devient faux, alors que le vrai réside dans une réalité supérieure qui est immuable.

Le dualisme divise la réalité en oppositions irréductibles et établit une cloison étanche entre les deux (*voir la figure 9.1*).

La pensée dualiste exclut donc de son univers tout ce qui est en changement, tout ce qui relève du monde sensible, pour ne retenir que le Bien, la Vérité, l'Absolu, le suprasensible, l'immuable, autant de **certitudes** qui apportent la paix de l'esprit, la stabilité et le bonheur. Or, la vie et l'être humain sont un **mélange** de ces deux réalités impossibles à séparer. C'est en ce sens que l'être humain est par-delà le bien et le mal. Cette formule ne doit pas être comprise comme une licence pour faire tout ce qui nous plaît. Nietzsche voit d'un mauvais œil la paresse, le besoin de stimulants et l'alcool. Ce sont des signes de décadence.

En conséquence, pour le métaphysicien, tout doit être l'un **ou** l'autre. En excluant tout ce qui est « mal », tout ce qui est devenir, il nie la vie qui est faite de tensions, de luttes et de contradictions. D'après Nietzsche, il est impossible de fuir les situations angoissantes et déstabilisantes. En effet, la vie est flux, changement perpétuel, tout le contraire du prévisible et du fixe. Il n'y a pas de repos. La contradiction est source de vie et « [o]n n'est *fécond* qu'à condition d'être plein de contradictions[21] ».

FIGURE 9.1 Le dualisme

Âme	Corps
Esprit	Chair
Vrai	Faux
Raison	Sens, passions, instincts
Stabilité	Changement
Réalité	Apparence
Bien	Mal
Ordre	Chaos
Immortalité	Mortalité

21. Nietzsche (1983), p. 73.

En optant pour le Bien pur, la métaphysique dissocie l'être humain de la partie la **plus essentielle de lui-même, à savoir ses instincts** : « On exige que l'homme se châtre des instincts grâce auxquels il peut haïr, nuire, se mettre en colère, exiger vengeance. Cette conception contre nature correspond alors à l'idée dualiste d'un être tout bon ou tout méchant. »

La quête de certitudes inébranlables qui caractérise la métaphysique reflète l'angoisse devant le changement. Cette quête exprime le refus de la vie, la nostalgie de l'état de quiétude auquel l'être humain aspire et l'abdication devant l'effort. Tout comme Feuerbach et Marx, Nietzsche souligne que l'être humain aliène son être en l'installant par-delà le monde sensible. Il devient un « halluciné de l'arrière-monde ».

Il ne faudrait pas conclure de ce qui précède que Nietzsche se désintéresse de la vérité :

> Malgré la valeur qu'on doit reconnaître au vrai, à la véracité, au désintéressement, il se pourrait qu'on dût attribuer à l'apparence, à la volonté de tromper, à l'égoïsme et à la convoitise une valeur supérieure et plus essentielle pour toute vie[22].

Le primat du corps

Depuis Platon, l'Occident calomnie le corps. Par la bouche de **Zarathoustra**, Nietzsche entend dire « leur fait aux contempteurs du corps ». Contre Descartes, il demande à quoi l'on peut « croire plus fermement qu'à son propre corps ». Il affirme le primat du corps sur l'esprit : « Je suis corps tout entier et rien d'autre, l'âme n'est qu'un mot désignant une partie du corps. » « Instrument de ton corps, telle est aussi ta petite raison que tu appelles "esprit", mon frère, un petit instrument et un jouet de ta grande raison[23]. »

À l'encontre de Descartes, Nietzsche affirme que les événements psychiques – la pensée et la conscience, l'organe « le plus faible et le plus maladroit » – ne sont pas des données immédiates. Elles sont plutôt le résultat d'une longue maturation, d'une lente évolution, d'un texte qu'il faut interpréter, car rien ne vient à la conscience qui n'ait été au préalable « modifié, simplifié, schématisé, interprété[24] ». La conscience est responsable des erreurs les plus grossières quand elle interprète le monde extérieur et se représente le corps. Ce sont les instincts qui pensent, en quelque sorte. Ils sont investis d'une énergie qui échappe à l'observation consciente, **règlent** la personnalité et déterminent les comportements.

Le refoulement des instincts

Nietzsche estime que tous « nos motifs conscients sont des phénomènes de surface : derrière eux se déroule la lutte de nos instincts et de nos états : la lutte pour la puissance ». Nous ne sommes pas très loin de l'inconscient freudien, et à maints égards Nietzsche annonce le fondateur de la psychanalyse. Cependant, contrairement à Freud, il considère que les instincts sont « **régulateurs**, inconsciemment infaillibles[25] ». Ils ne peuvent se tromper ; ils sont notre boussole, ils « connaissent » nos besoins. Lorsque j'ai faim ou soif, mon corps le « sait ». C'est ainsi l'instinct qui

---

22. Nietzsche (1973), p. 29.
23. Nietzsche (1947), p. 44.
24. Nietzsche (1995), t. I, p. 42.
25. Nietzsche (1990), p. 141.

a dicté aux animaux de fuir à l'approche du tsunami qui a dévasté plusieurs pays asiatiques en décembre 2004.

La société a élevé des bastions pour se protéger contre les instincts. Le premier d'entre eux est le **châtiment.** On a **culpabilisé** l'homme pour pouvoir le punir, et on l'a puni parce qu'il a agi selon ses instincts. Résultat, on a retourné les instincts de l'homme sauvage, libre et vagabond contre l'homme lui-même. Dans une phrase qui anticipe la théorie de Freud sur le refoulement, Nietzsche écrit :

> Tous les instincts qui ne se libèrent pas vers l'extérieur *se retournent en dedans* – c'est là ce que j'appelle *l'intériorisation de l'homme.* [...] L'hostilité, la cruauté, le plaisir de persécuter – tout cela retourné contre le possesseur de tels instincts[26].

Nietzsche en 1899. Peinture à l'huile de Hans Johann Wilhelm (1855-1917).

Mais les instincts sont devenus tellement pervertis qu'ils ne permettent plus à l'être humain de se guider. L'humanité est déboussolée et doit compenser en s'appuyant sur la raison. La répression des instincts est à l'origine de la mauvaise conscience et serait la conséquence d'un divorce violent entre l'être humain et son passé animal. Les instincts, qui faisaient sa « force, sa joie et son caractère redoutable », sont devenus volonté de se torturer soi-même. C'est l'autocrucifiement et l'autoprofanation de l'homme. Nietzsche n'approuve pas toutes les passions. Il condamne ceux qui se laissent aller à la vengeance, s'abandonnent à leurs petits plaisirs et se livrent à leurs instincts les plus bas. Il affirme que les passions doivent être spiritualisées, affinées par l'intelligence.

Nous sommes ici au cœur de l'anthropologie de Nietzsche. Si, pour Descartes, la pensée est ce qui définit la nature humaine, pour Nietzsche, ce sont les instincts. Selon le philosophe allemand, la conscience n'est qu'un instrument des instincts, les pensées ne sont que les signes d'un « jeu et d'une lutte des passions[27] ». Quand on pense avoir le dessus sur un instinct, c'est un instinct plus puissant qui s'impose à un autre. Les instincts sont même « les mères des sentiments de valeur eux-mêmes[28] ».

Le rejet des influences sociales

La devise de Nietzsche est : « Deviens ce que tu es. » Il est impossible à l'être humain de devenir autre chose que ce qu'il est :

> De nos jours où cette formule : « Voilà comment il *faut* que l'homme soit » nous met un pli d'ironie aux lèvres, où nous sommes bien persuadés qu'on ne *devient* jamais, malgré tout, que ce que l'on *est* (malgré tout, je veux dire malgré l'éducation, l'instruction, le milieu, les hasards et les accidents)[29] [...]

26. *Ibid.*
27. Nietzsche (1947), p. 389.
28. Nietzsche (1995), t. II, p. 231.
29. *Ibid.*, p. 382.

Contrairement à Dewey et à Marx, Nietzsche pense que nous ne sommes pas formés et modelés par la société et la culture ; il n'est d'autre choix que d'assumer notre destin. Il nous faut arrêter de nous défendre contre ce qui loge au plus profond de nous-mêmes : nos propres instincts, nos désirs les plus intimes. C'est pourquoi Nietzsche considère que les parents et les pédagogues sont les ennemis des enfants. Ils veulent les modeler à leur image et leur influence est souvent néfaste. Comme l'écrit Christophe Baroni, « les parents cherchent souvent à faire de leurs enfants des élèves qui leur ressemblent plutôt que de les laisser devenir eux-mêmes et ils tentent de les rendre conformes aux normes et coutumes sociales[30] ». Un bon éducateur doit mettre les autres en garde contre lui-même.

La volonté de puissance

La volonté de puissance a fait couler beaucoup d'encre. Lorsque Nietzsche parle de volonté de puissance, il ne faut pas entendre le terme « volonté » au sens ordinaire d'une intention qui serait suivie d'un geste. En ce sens, pour Nietzsche, nos actes ne résultent pas d'un acte de volonté. En effet, la volonté de puissance est une **force souterraine** et sauvage, essentiellement inconsciente, qui anime la vie, l'ensemble du monde organique, une sorte d'énergie vitale qui pousse l'être humain à l'action. C'est le mouvement même de la vie, ancré dans le corps et les instincts. Elle amène l'homme à se **surmonter** lui-même, l'invite à se dépasser, à s'élever, à devenir plus que ce qu'il est, c'est-à-dire un surhomme. Voici comment Nietzsche la décrit dans *La volonté de puissance* :

> Mais j'ai trouvé la force où on ne la cherche pas, chez les hommes simples, doux et obligeants, sans le moindre penchant à la domination – et inversement le goût de dominer m'est souvent apparu comme un signe de faiblesse intime ; ils craignent leur âme d'esclave et la drapent d'un manteau royal[31] [...]

Ce fragment, daté de 1880-1881, donne raison à ceux qui croient que la volonté de puissance n'a rien à voir avec la volonté de dominer l'autre. De nombreux commentateurs signalent que s'il y a volonté de domination chez Nietzsche, il s'agit d'une volonté de domination de soi. Mais la volonté de puissance ne vise pas que des objectifs nobles. Dans ses œuvres tardives, deux ans avant que Nietzsche ne soit terrassé par la folie, le ton change et nous sommes alors loin des envolées poétiques d'*Ainsi parlait Zarathoustra*. Le lecteur en jugera en lisant *Par-delà le bien et le mal* (1886). Nietzsche dit à propos de cet ouvrage – dont un passage est reproduit à la rubrique *Textes à l'étude, p. 174* – qu'il a « été un peu trop explicite[32] ». Après avoir prévenu son lecteur qu'il faut « aller ici jusqu'au tréfonds des choses et s'interdire toute faiblesse sentimentale », il explique en quoi consiste la vie, la volonté de puissance.

> [...] vivre, c'est essentiellement dépouiller, blesser, violenter le faible et l'étranger, l'opprimer, lui imposer durement ses formes propres, l'assimiler ou tout au moins (c'est la solution la plus douce) l'exploiter [...] Le corps [comme groupe social] à l'intérieur duquel, comme il a été posé plus haut, les individus se traitent en égaux – c'est le cas dans toute aristocratie saine – est lui-même obligé, s'il est vivant et non moribond, de faire contre d'autres corps ce que les individus dont il est composé s'abstiennent de se faire entre eux. Il sera nécessairement volonté de puissance incarnée, il voudra croître et s'étendre, accaparer, conquérir la prépondérance, non pour je ne sais quelles raisons morales ou immorales, mais parce qu'il *vit,* et que la vie, précisément, est volonté de puissance[33].

---

30. Baroni (1975).
31. Nietzsche (1995), t. II, p. 382.
32. *Ibid.,* lettre à Overbeck, p. 497.
33. Nietzsche (1973), p. 265.

Il précise, dans *Pour une généalogie de la morale* (1887) :

> Exiger de la force qu'elle ne se manifeste *pas* comme telle, qu'elle ne soit *pas* une volonté de terras-
> ser et d'assujettir, une soif d'ennemis, de résistance et de triomphes, c'est tout aussi insensé que
> d'exiger de la faiblesse qu'elle se manifeste comme force[34].

S'il ne faut pas interpréter la volonté de puissance comme **un goût ou un désir de pouvoir**, il n'en reste pas moins qu'elle est inséparable de la lutte, de la conquête et de l'assujettissement. Nietzsche, qui accorde une grande importance aux développements des sciences biologiques, conclut, à l'instar de nombre de ses contemporains, que la vie, la «volonté» de puissance, est une réalité impitoyable qui s'impose comme un «fait» de nature et contre laquelle nous ne pouvons rien.

Le surhomme : « Que ma volonté soit faite »

La volonté de puissance engendre le surhomme, qui puise dans ses instincts la force lui permettant de redéfinir les valeurs. On pourrait dire que sa devise est : «Que ma volonté soit faite.» Il ne cherche pas le sens de la vie, il l'impose. Il côtoie l'abîme et refuse de se laisser abattre par le tragique de l'existence, la fatalité, l'incertitude, l'absurde et l'incompréhensible. Au contraire, il y plonge pour y trouver la volonté de se surpasser. C'est l'antithèse de l'homme faible, repu, fatigué de la vie, qui s'apla-tit devant les obstacles, qui veut qu'on le plaigne et qui pense que tout lui est dû. Il n'hésite pas à sacrifier le confort et la médiocrité pour aller jusqu'au bout de ses passions. Il se permet de perdre pied, il ose « [p]laner! Errer! Être fou[35] !». C'est le créateur, l'artiste, celui qui **invente** et crée les formes, qui s'affirme par son art et goûte chaque instant de vie, aussi fugace soit-il, parce qu'il rejette les certitudes illusoires de la métaphysique. Le surhomme est intransigeant envers tous, refuse de s'apitoyer sur lui-même et est entièrement responsable de son sort. À l'image de Nietzsche, il assume sa solitude et ses souffrances.

Le surhomme incarne la volonté de puissance : il est autonome, indépendant et libre d'esprit. Il n'a rien à faire de la liberté d'opinion, car **la seule liberté est le courage d'être soi-même.** Il ne se laisse pas endoctriner par le prêt-à-penser et les modes, il refuse de se laisser dicter sa ligne de conduite et d'être contaminé par l'in-fluence des autres. Le surhomme doit devenir le maître et le sculpteur de lui-même. Contrairement au dernier homme, qui a honte de lui-même et qui ploie sous le fardeau de la culpabilité, il n'est ni bon ni méchant, mais fier, orgueilleux et égoïste, l'égoïsme étant «le seul et unique fait[36]». Il est tout le contraire de l'homme du troupeau ; il est indifférent à l'égard du dernier homme, ne recherche pas l'approbation des autres et n'a rien à prouver : il s'affirme. Il a confiance en ses propres moyens, bref il est unique.

Le surhomme doit être particulièrement dur envers la souffrance. Nietzsche reproche à la morale d'abdiquer devant la souffrance et le malheur parce qu'en refusant de souffrir, l'être humain refuse de se dépasser. Il doit rejeter la compassion, car son rejet redouble la souffrance, et il voudrait que cette dernière soit encore plus profonde.

Si Nietzsche adhère à une **mystique de la souffrance,** c'est qu'elle possède une valeur pédagogique : elle trempe le caractère, virilise l'individu, l'élève et le fait accé-der au statut d'homme-dieu. C'est pourquoi il aime cette maxime d'un mystique

---

34. Nietzsche (1990), p. 89.
35. Nietzsche (1982), p. 86.
36. Nietzsche (1995), t. I, p. 120.

allemand : « Pour parvenir à la vérité, la plus rapide monture c'est la douleur[37]. » Si le surhomme vient au secours des autres, ce n'est pas parce qu'il veut soulager leur souffrance, ce n'est pas par pitié, ni par bonté d'âme, ni pour se faire bien voir, mais c'est parce qu'il se veut plus grand[38] et possède une surabondance de force.

Le surhomme est lucide et délivré de toutes les illusions, regarde la vie en face et n'a pas peur de la vérité. Il a vidé jusqu'au fond « la coupe du désenchantement[39] » et assume l'existence dans ce qu'elle a de pire. Ceux qui se plaignent de la vie ne sont que des « sacs-à-tristesse, des pleurards ».

Enfin, le surhomme, c'est l'homme de l'*éternel retour*. Il sait que tout est devenir, que tout change et se transforme, mais aussi que tout revient comme dans une roue sans fin, les bonnes comme les mauvaises choses. L'homme nouveau puise sa force dans l'idée selon laquelle l'existence, « n'ayant ni sens ni fin », revient éternellement, tout ce qu'il y a de très grand et de très petit, les joies comme les douleurs, « inéluctablement, sans aboutir au néant ». Il s'agit du destin, qu'il faut aimer. C'est le seul moyen de se délivrer du ressentiment, c'est la preuve par excellence qu'on dit oui à la vie. Pour Nietzsche, cette idée n'est pas déprimante ; c'est comme retrouver l'éternité dans l'éphémère.

Le salut dans l'aristocratie

À l'encontre de Spencer, Nietzsche ne pense pas que l'évolution soit « un progrès vers quelque chose de meilleur, de plus fort ou de plus élevé[40] ». Il ne considère pas que les formes de vie plus complexes, telle l'apparition de l'être humain, soient un progrès sur l'animal. Le « progrès » n'est qu'une idée moderne, c'est-à-dire une idée fausse. Il pense au contraire que l'Européen moderne a régressé et qu'il reste bien en dessous de l'Européen de la **Renaissance**. Le salut viendra d'une aristocratie de surhommes créatrice de valeurs nouvelles. La création « des valeurs, c'est le droit du seigneur », celui d'une « caste *dominante,* qui réunit les âmes les plus vastes, aptes aux tâches les plus diverses du gouvernement de l'univers[41] ». Elle représenterait un progrès qui se mesure à la « somme des sacrifices qui doivent lui être faits » ; « l'humanité, en tant que masse sacrifiée à la prospérité d'une seule espèce d'hommes *plus forts* – voilà qui serait un progrès[42] ».

Cette caste dominante ne correspond pas à un groupe social ou historique particulier. Nietzsche admire certes l'ancienne aristocratie indienne, fait l'éloge de conquérants sans scrupules tels que César et Napoléon, ce dernier étant issu de la petite noblesse corse, et aime répéter que ses ancêtres sont des nobles polonais – ce qu'on ne put jamais vérifier. L'aristocratie nietzschéenne, c'est notamment l'homme de la Renaissance et le peuple grec d'avant Platon, qui assument bravement le destin et le tragique de l'existence. Une référence revient constamment sous sa plume quand il parle de caste dominante : il évoque une élite de « nouveaux philosophes » qui s'apparente à la classe des philosophes-rois de Platon, ces êtres supérieurs éduqués

Renaissance
Du XVe au XVIe siècle, mouvement qui tente de faire renaître les idéaux et les valeurs de l'Antiquité grecque et romaine.

37. Cité dans Halévy (2000), p. 3.
38. Héber-Suffrin (1999).
39. Nietzsche (1995), t. II, p. 290.
40. Nietzsche (1967), p. 11.
41. Nietzsche (1995), t. II, p. 364.
42. Nietzsche (1990), p. 133.

en vue de gouverner. Cette caste dominante se distingue par son absence de besoins ; elle vivra « plus pauvre et plus simple, mais en possession de la puissance[43] ».

Comme les darwinistes sociaux (*voir le chapitre 6*), Nietzsche pose clairement l'existence d'une hiérarchie entre les individus. Si les « forts » ne correspondent pas à une classe sociale précise mais à des individus exceptionnels, les « faibles », en revanche, sont les « estropiés de naissance », les « déshérités par la nature ». Ces déshérités sont les « couches serviles, mécontentes, opprimées, rebelles qui aspirent à la domination, à ce qu'elles appellent la "liberté" ». Il considère que les « couches inférieures sont trop humainement traitées[44] » et que, dans « de nombreux cas, le *devoir* de la société est d'empêcher la *procréation*[45] ». « Quant aux débiles, aux malvenus, qu'ils périssent[46]. » Il a été saisi d'horreur en apprenant la prise du pouvoir par les travailleurs français lors de la **Commune de Paris** en 1871.

La guerre des sexes

Tout comme certains déterministes biologiques, Nietzsche est d'avis que les hommes et les femmes sont séparés par un abîme et que leur antagonisme est « irréductible ». Les personnalités de l'homme et de la femme sont contraires. Pour reprendre un cliché, les hommes viennent de Mars (dieu de la guerre) et les femmes, de Vénus (déesse de l'amour). Ce fut la guerre des sexes, et ce sera toujours la guerre des sexes. La femme représente irrémédiablement le sexe faible (*voir le* Texte à l'étude 3*, p. 176*) et sa vocation première et dernière est « de mettre des enfants au monde ». Inversement, « [l]'homme doit être élevé pour la guerre, et la femme pour le délassement du guerrier : tout le reste est sottise[47] ». « [R]êver qu'ils puissent avoir des droits égaux, une éducation identique, les mêmes prétentions et les mêmes devoirs, c'est un signe infaillible de platitude de l'esprit. » L'homme « doit considérer la femme comme une propriété, un bien qu'il faut mettre sous clé, un être fait pour la domesticité, et qui n'atteint à sa perfection que dans cette situation subalterne[48] ». Rien n'est plus étranger à la femme que la vérité.

Nietzsche voit d'un mauvais œil le mouvement d'émancipation des femmes qui commence à gagner l'Europe. Plusieurs personnalités féminines, dont Flora Tristan et l'écrivaine française George Sand (1804-1876), réclament l'égalité avec les hommes. Non conformiste, Sand revendique le droit à la passion pour les femmes et préfère le pantalon à la jupe. Elle est doublement féministe et socialiste, défauts impardonnables pour Nietzsche, qui l'appelle « Monsieur George ». Les mâles qui revendiquent l'émancipation de la femme sont des « crétins » qui veulent la ravaler au niveau de la culture générale et la transformer en copies des hommes – faibles –, c'est-à-dire l'obliger à lire les journaux et à faire de la politique.

Commune de Paris
En 1871, les travailleurs de Paris s'emparent du pouvoir. Pour la première fois de l'histoire, la Commune instaure le suffrage universel, met fin au travail de nuit pour les femmes, confisque les usines abandonnées par les anciens propriétaires et met en place un système d'autogestion ouvrière. L'armée permanente est supprimée et remplacée par une milice sous contrôle populaire. Tous les représentants de l'État (conseillers municipaux, juges, responsables de la police et fonctionnaires) sont élus et révocables en tout temps. Ils sont payés au salaire moyen d'un ouvrier. Quand on demandait à Marx ce qu'était le socialisme, il citait la Commune en exemple.

43. Nietzsche (1995), t. II, p. 261.
44. Nietzsche (1995), t. I, p. 210.
45. Nietzsche (1995), t. II, p. 347.
46. Nietzsche (1967), p. 10.
47. Nietzsche (1947), p. 80.
48. Nietzsche (1973), p. 224.

Conclusion

Nietzsche va plus loin que ses prédécesseurs dans la critique de la métaphysique. Il insiste sur l'importance de créer le sens de l'existence, de renouveler les valeurs, de rester fidèle à la terre et de renouer avec le monde sensible, les passions et le corps, que la civilisation occidentale a depuis longtemps considérés comme la partie maudite de l'être humain. Comme Freud, il montre les conséquences néfastes de la répression des instincts. Il souligne l'importance de se surmonter et d'assumer les difficultés de l'existence. Mais, malgré une plume étincelante, et bien qu'il frappe souvent juste, nous ne devons pas oublier le côté terriblement sombre de Nietzsche, particulièrement dans ses derniers ouvrages.

En effet, qu'est-ce que la vie et que veut dire se surpasser ? La vie n'est-elle qu'une force brute et aveugle qui peut tout écraser sur son passage ? Se surpasser veut-il dire s'élever au-dessus de la mêlée et tourner le dos à l'humanité ? Peut-on dire après Nietzsche que : « La vie est toujours aux dépens d'une autre vie[49] » et que « vivre, c'est essentiellement dépouiller, blesser, violenter le faible et l'étranger, l'opprimer, lui imposer durement ses formes propres » ? S'il devait en être ainsi, faudrait-il se contenter de regarder en spectateur passif et compter les points ? L'être humain n'aspire-t-il pas à un monde plus juste et égalitaire, et ces aspirations ne sont-elles pas légitimes ? Par ailleurs, la nature humaine se résume-t-elle aux instincts ? N'est-ce pas substituer une mythologie à une autre ? Et les instincts sont-ils infaillibles, comme il le dit ? N'est-ce pas l'instinct qui pousse l'insecte vers sa mort lorsqu'il se précipite sur une source de lumière incandescente ? Si la volonté de puissance est cette force sourde qui s'impose comme une fatalité, pourquoi la métaphysique a-t-elle réussi à tenir en bride les instincts ?

Nietzsche refuse de considérer que la réalité humaine a une dimension sociale. Avec Beauvois, Dewey et Marx, nous avons vu que ce point de vue est indéfendable. De surcroît, est-il vrai que l'exploitation est inhérente à la vie, qu'elle est une conséquence inéluctable de la volonté de puissance et qu'elle n'a rien à voir avec les rapports sociaux ? Peut-on soutenir sérieusement que les conquêtes du mouvement démocratique pour les droits et libertés et les luttes du mouvement socialiste pour les droits sociaux constituent une régression pour l'humanité ? Les déshérités, les opprimés et l'homme ordinaire ne sont-ils que des ratés motivés par la vengeance ? L'uniformisation, la domestication et le rapetissement de l'être humain que déplore Nietzsche ne sont-ils que le fait des religions ? Nietzsche est aveugle au fait que le capitalisme doit standardiser et uniformiser la production, les goûts et les valeurs pour répondre aux impératifs de la production et de la consommation de masse. Tout régime économique fondé sur les inégalités de classes, où les uns commandent et les autres obéissent, doit propager des valeurs telles que l'obéissance et la servitude volontaire afin de se perpétuer.

---

49. Nietzsche (1995), t. I, p. 120.

Daniel Halévy, biographe de Nietzsche, se demande si l'ardeur de Nietzsche à critiquer les anciennes valeurs n'a pas pour cause l'humiliation et l'impuissance à en formuler de nouvelles[50]. Son exaltation de la vie – y compris de ses côtés les plus sombres – et de la souffrance ne serait-elle pas une manière de compenser sa propre difficulté à vivre? Prisonnier de la souffrance, il doit la célébrer pour la supporter. Dans une lettre de 1872, il avoue: «J'ai horreur de la réalité.» Lorsqu'il est malade, il se laisse oppresser par «la persuasion que la vie est sans valeur». Dans un billet à Andreas-Salomé, il écrit: «Je méprise la vie.» Lui qui recherchait la solitude admet qu'il ne peut «supporter l'effroi de la plus solitaire solitude[51]».

Nietzsche est l'un des rares philosophes qui aient systématiquement justifié l'esclavage, l'eugénisme, l'oppression et l'exploitation des faibles de même que l'extermination des malades. C'est un élitiste ultraconservateur, ennemi juré de toute forme d'égalité et de démocratie. S'il récuse la démocratie et le socialisme, que reste-t-il? Une dictature de surhommes? Le nazisme? On trouve certes des affinités troublantes entre la pensée de Nietzsche et celle des nazis, ne serait-ce que leur opposition fanatique à toute forme de démocratie. Cependant, même si sa pensée a été récupérée par ces derniers, le philosophe allemand ne se serait pas reconnu dans cette idéologie assassine, mortifère et ennemie de la vie. Il serait toutefois trop long d'entrer ici dans ce débat. S'il existe un mystère Nietzsche, ce n'est pas de savoir s'il fut ou non un précurseur du nazisme, c'est de comprendre comment un penseur qui a pu atteindre de tels sommets – sa critique de la métaphysique – a également pu faire l'éloge sans retenue de la force brute et souhaiter l'élimination des «faibles».

---

50. Halévy (2000), p. 413.
51. *Ibid.*, p. 135, 6, 295, 159.

LES IDÉES ESSENTIELLES

▷ **L'homme malade de la métaphysique**

Le judéo-christianisme et les philosophies idéalistes, en promettant le bonheur dans l'au-delà et en érigeant le suprasensible en réalité ultime, ont produit une race d'hommes domestiqués et rapetissés. En prêchant des valeurs telles que l'abnégation et la maîtrise des passions, ils ont dévalorisé la vie terrestre. En donnant raison à ceux qui souffrent de la vie comme d'une maladie, ils ont engendré l'homme du ressentiment. Les anciennes idoles de la métaphysique ont graduellement été remplacées par de nouvelles : le mouvement démocratique, le socialisme et la science, qui prétendent les supplanter.

▷ **Le nihilisme**

Le nihilisme passif capitule devant la dévaluation des anciennes valeurs symbolisée par la mort de Dieu. La vie est absurde et n'a plus de sens. En guise de remède, Nietzsche prône le nihilisme actif, lequel consiste à déconstruire activement les valeurs traditionnelles afin de les remplacer par des valeurs qui affirment la volonté de vivre.

▷ **L'homme : union des contraires**

La pensée dualiste instaure une opposition radicale entre l'esprit et le corps, la raison et les passions, la stabilité et le changement. Elle rejette le corps, les passions et le changement au profit de l'esprit, de la raison et de la stabilité, dénaturant ainsi l'être humain en le coupant d'une partie essentielle de lui-même, à savoir ses instincts. En privilégiant un seul aspect de la réalité, elle fabrique des éclopés et érige un monde illusoire, celui des certitudes abstraites et de l'au-delà. Cette vision du monde et de l'être humain est une tentative de fuir la réalité, laquelle est faite de changements et de contradictions.

▷ **La réhabilitation du corps**

La raison n'est pas la partie essentielle de l'être humain. Elle est responsable des erreurs les plus grossières. À l'encontre de Descartes, Nietzsche affirme la primauté du corps sur l'esprit. Les instincts sont des forces souterraines et inconsciemment infaillibles. La société a érigé des forteresses contre eux et les a empêchés de s'exprimer. En les retournant contre lui-même, l'homme s'autodétruit.

▷ **La volonté de puissance**

La volonté de puissance est une force sourde et irrésistible, une énergie vitale qui anime la vie. Elle s'impose comme une fatalité. Certains textes de Nietzsche présentent la volonté de puissance en tant que volonté de domination de soi et volonté de terrasser l'autre.

▷ **Le surhomme**

Le surhomme est animé par la volonté de puissance. Il vit dangereusement, ne recule pas devant les difficultés et refuse de se laisser abattre par le tragique de l'existence. Il est l'opposé de l'homme faible. Il sacrifie confort et médiocrité pour aller jusqu'au bout de ses passions. C'est le créateur, l'artiste qui rejette les certitudes béates de la métaphysique au profit de la plénitude de la vie.

▷ **Une nouvelle aristocratie**

Le salut viendra d'une nouvelle aristocratie qui redéfinira les valeurs et les formes de vie. Cette caste n'est pas sans ressembler à la classe des philosophes-rois de Platon.

▷ **La guerre des sexes**

L'homme et la femme ont des personnalités irréconciliables. La femme représente le repos du guerrier. L'égalité des sexes est une sottise et la femme est la propriété de l'homme.

EXERCICES

Vérifiez vos connaissances : vrai ou faux ?

1. Selon Nietzsche, la métaphysique a tué la volonté de vivre.

2. Schopenhauer affirme que les désirs sont la cause du malheur de l'homme.

3. Nietzsche est d'avis que le mouvement socialiste a remplacé les anciennes idoles par de nouvelles.

4. Nietzsche prône le nihilisme passif.

5. Selon Nietzsche, la nature humaine est remplie de contradictions.

6. Nietzsche affirme que les instincts sont régulateurs.

7. D'après Nietzsche, l'évolution donne naissance à des formes de vie supérieures.

Synthétisez vos connaissances et développez une argumentation.

1. Expliquez comment la métaphysique donne naissance à l'homme malade, selon Nietzsche.

2. En quoi la « mort de Dieu » aurait-elle entraîné le nihilisme ?

3. Dans un texte d'environ 300 mots, résumez la conception dualiste de l'être humain selon Nietzsche.

4. Qu'est-ce que la volonté de puissance ?

5. Que veut dire Nietzsche quand il parle de transvaluation des valeurs ?

6. Résumez la critique que fait Nietzsche de la notion de progrès. Qu'entend-il par « progrès » ?

Établissez des liens entre les idées.

1. Comparez l'anthropologie du christianisme à celle de Nietzsche.

2. Comparez les points de vue de Nietzsche et de Descartes sur la relation existant entre le corps et l'esprit.

3. Comparez les points de vue de Nietzsche et de Marx en ce qui a trait à l'exploitation.

TEXTES À L'ÉTUDE

Texte 1 : *Par-delà le bien et le mal* (extrait)
Nietzsche (1973), p. 264-266

S'abstenir réciproquement d'offense, de violence et de rapine, reconnaître la volonté d'autrui comme égale à la sienne, cela peut donner, *grosso modo,* une bonne règle de conduite entre les individus, pourvu que les conditions nécessaires soient réalisées (je veux dire l'analogie réelle des forces et des critères chez les individus et leur cohésion à l'intérieur d'un même corps social). Mais qu'on essaye d'étendre l'application de ce principe, voire d'en faire le *principe fondamental de la société,* et il se révélera pour ce qu'il est, la négation de la vie, un principe de dissolution et de décadence. Il faut aller ici jusqu'au tréfonds des choses et s'interdire toute faiblesse sentimentale : vivre, c'est essentiellement dépouiller, blesser, violenter le faible et l'étranger, l'opprimer, lui imposer durement ses formes propres, l'assimiler ou tout au moins (c'est la solution la plus douce) l'exploiter ; mais pourquoi employer toujours ces mots auxquels depuis longtemps s'attache un sens calomnieux ? Le corps à l'intérieur duquel, comme il a été posé plus haut, les individus se traitent en égaux – c'est le cas dans toute aristocratie saine – est lui-même obligé, s'il est vivant et non moribond, de faire contre d'autres corps ce que les individus dont il est composé s'abstiennent de se faire entre eux. Il sera nécessairement volonté de puissance incarnée, il voudra croître et s'étendre, accaparer, conquérir la prépondérance, non pour je ne sais quelles raisons morales ou immorales, mais parce qu'il *vit,* et que la vie, précisément, est volonté de puissance. Mais sur aucun point la conscience collective des Européens ne répugne plus à se laisser convaincre. La mode est de s'adonner à toutes sortes de rêveries, quelques-unes parées de couleurs scientifiques, qui nous peignent l'état futur de la société, lorsqu'elle aura dépouillé tout caractère d'« exploitation ». Cela résonne à mes oreilles comme si on promettait d'inventer une forme de vie qui s'abstiendrait de toute fonction organique. L'« exploitation » n'est pas le fait d'une société corrompue, imparfaite ou primitive ; elle est inhérente à la *nature même* de la vie, c'est la fonction organique primordiale, une conséquence de la volonté de puissance proprement dite, qui est la volonté même de la vie. À supposer que ce soit là une théorie neuve, c'est en réalité le fait *primordial* de toute l'histoire, ayons l'honnêteté de le reconnaître.

Repérez les idées et analysez le texte.

1. Dans quelles circonstances peut-on reconnaître la volonté d'autrui comme égale à la sienne selon Nietzsche ?

2. Comment Nietzsche définit-il la vie dans cet extrait ?

3. Expliquez ce que Nietzsche entend par le « fait *primordial* » de toute l'histoire.

Texte 2 : *Le crépuscule des idoles* (extrait)

Nietzsche (1983), p. 44-46

[...] Nous sommes désormais sans pitié pour l'idée de « libre arbitre » : nous ne savons que trop ce que c'est, le tour de force le plus louche des théologiens, destiné à rendre l'humanité « responsable » en leur sens à eux – entendez : *à la rendre dépendante d'eux...* Je me contente ici de donner la psychologie de toute entreprise de responsabilisation. Partout où l'on cherche des responsabilités, c'est habituellement l'instinct qui *veut punir et juger* qui est à l'œuvre. Ramener une quelconque manière d'être à la volonté, à des intentions, à des actes de responsabilité revient à dépouiller le devenir de son innocence : la doctrine de la volonté a été essentiellement inventée en vue du châtiment, c'est-à-dire d'une *volonté de trouver coupable*. Ce qui conditionne toute la psychologie ancienne, la psychologie de la volonté, c'est que ses fondateurs, les prêtres placés à la tête des anciennes communautés, voulaient se conférer un *droit* de prescrire des châtiments – ou conférer ce droit à Dieu... Les hommes n'ont été présentés comme « libres » que pour pouvoir être jugés, punis, pour pouvoir être *coupables* : il était donc *indispensable* de concevoir toute action comme voulue et de concevoir toute action comme prenant son origine dans la conscience (grâce à quoi le faux-monnayage *in psychologicis* [en matière psychologique] le plus délibéré se trouvait érigé en principe de toute psychologie...). [...] Le christianisme est une métaphysique du bourreau...

Qu'est-ce qui seul peut constituer *notre* doctrine ? Que personne ne *donne* à l'homme ses qualités, ni Dieu, ni la Société, ni ses parents et ses ancêtres, ni *lui-même* [...] *Personne* n'est responsable même d'exister, d'être ainsi fait, d'être dans telle condition, d'être dans tel milieu. La fatalité de sa nature ne doit pas être séparée de la fatalité de tout ce qui a été et de tout ce qui sera. Il n'est *nullement* la conséquence d'une intention spéciale, d'une volonté, d'un but, il n'incarne *nullement* la tentative pour atteindre un « idéal d'humanité », un « idéal de bonheur » ou un « idéal de moralité », il est absurde de vouloir infléchir sa nature vers quelque but que ce soit. C'est *nous* qui avons inventé l'idée de « but » : dans la réalité le but *n'existe pas...* On est nécessité, on est un fragment de fatalité, on relève du Tout, on *est* dans le Tout, il n'existe rien qui puisse juger, mesurer, comparer, condamner notre être, car cela reviendrait à juger, mesurer, comparer, condamner le Tout... *Or il n'y a rien en dehors du Tout !* Que personne ne soit plus rendu responsable [...] L'idée de « Dieu » a été jusqu'ici la plus grande *objection* contre l'existence... Nous nions Dieu, nous nions la responsabilité en Dieu ; ce n'est qu'*à partir de ce moment* que nous sauvons le monde.

Repérez les idées et analysez le texte.

1. Qu'entend Nietzsche par « doctrine de la volonté » dans ce texte ?

2. Selon Nietzsche, pourquoi est-il impossible de juger et de condamner ? Qu'entend-il par « nécessité » ? Quelle conception de la nature et de l'être ce texte véhicule-t-il ?

3. Peut-on parler de libre arbitre chez Nietzsche ? Argumentez.

Texte 3 : *XY de l'identité masculine* (extrait)

Badinter (1992), p. 58-59

Ce court extrait sur le sexe fort et le sexe faible parle de lui-même.

Depuis que l'on a mis en lumière les difficultés de l'identité masculine, plus personne ne soutient que l'homme est le sexe fort. Au contraire, on le définit comme le sexe faible doté de nombreuses fragilités, physiques et psychiques. Dès la vie intra-utérine, le mâle a plus de difficultés à survivre : «Il semble que l'embryon, puis le fœtus mâles soient plus fragiles que les femelles. Cette fragilité persiste lors de la première année de la vie et la mortalité préférentielle qui pénalise les mâles est observée tout au long de l'existence[52]. » En France, une femme aujourd'hui vit en moyenne huit années de plus qu'un homme. L'une des raisons de cette vulnérabilité physique vient peut-être de la fragilité psychique masculine, que l'on perçoit mieux depuis une vingtaine d'années. La répartition des troubles psychiatriques selon le sexe montre une surreprésentation masculine jusqu'à l'adolescence. Les garçons représentent près des deux tiers des consultants externes en France ou à l'étranger. Après l'adolescence, elle s'atténue et même elle s'inverse selon les maladies psychiques.

---

52. Ruffié (1986), p. 81 : «il meurt *in utero* plus de garçons que de filles. De plus, la Sécurité sociale a fait savoir en 1991 qu'un enfant mâle de 0 à 12 mois coûtait à la nation 1 714 F de plus qu'une fille durant la même période. » Au stade adulte, le rapport de masculinité reste proche de 100 jusqu'à 50 ans (alors qu'il naît plus de garçons que de filles : 104,5 à 108,3 garçons pour 100 filles selon les époques et les pays), mais à 60 ans, il reste 92 hommes pour 100 femmes. À 70 ans, 79 hommes, et à 80 ans, 58 hommes. *Recensement français*, 1990.

LECTURES SUGGÉRÉES

Halévy, D. (2000). *Nietzsche*. Paris : Librairie Générale Française (Coll. « Le Livre de poche »).

Nietzsche, F. (1995). *La volonté de puissance,* t. I et II, trad. G. Bianquis. Paris : Gallimard (Coll. « Tel »).

Nietzsche, F. (1983). *Le crépuscule des idoles*. Paris : Hatier.

Nietzsche, F. (1973). *Par-delà le bien et le mal*. Paris : Union générale d'éditions (Coll. « 10/18 »).

CHAPITRE 10

Sigmund Freud :
hantés par nos démons inconscients

Serré, fourmillant, comme un million d'helminthes,
Dans nos cerveaux ribote un peuple de Démons

Charles Baudelaire

Préambule

La citation mise en exergue est tirée du poème *Au lecteur* de Charles Baudelaire. Sigmund Freud, qui ne croyait ni à Dieu ni à diable, n'eût peut-être pas apprécié la comparaison. Mais cette image rend bien la façon dont il décrit les abîmes et les ténèbres du psychisme humain. L'être humain est habité et mû «par des forces inconnues et impossibles à maîtriser». Il est agité par des désirs brûlants, des passions cachées, des pulsions dévorantes dont il n'est pas conscient et qu'il n'ose surtout pas s'avouer. Derrière la surface de l'homme civilisé et poli qui ouvre la portière de la voiture à sa conjointe s'agite tout un peuple de démons.

Introduction

C'est le Diable qui tient les fils qui nous remuent !
Aux objets répugnants nous trouvons des appas ;
Chaque jour vers l'Enfer nous descendons d'un pas,
Sans horreur, à travers des ténèbres qui puent[1].

Si Baudelaire pense que «[c']est le Diable qui tient les fils qui nous remuent», Freud croit plutôt que ce sont les **pulsions** et les désirs inconscients. On peut mesurer l'abîme qui sépare Freud de la conception rationaliste de la nature humaine. Freud ancre l'être humain dans son corps, au point que le destin de la femme dépend de son anatomie, comme nous le verrons. À l'encontre des rationalistes, pour qui l'être humain dirige et contrôle sa vie en suivant les prescriptions de la raison, Freud pense qu'il n'est pas maître chez lui, ne vit pas selon ses intentions conscientes et ne fait pas ce qu'il veut. Il souligne cependant l'impérieuse nécessité de déloger les pulsions au moyen de la raison, mais considère que cette possibilité est «selon toute vraisemblance [...] une espérance utopique[2]».

Dans son *Introduction à la psychanalyse*, Freud écrit qu'après Copernic, qui montre que l'homme n'est pas au centre de l'Univers, et Darwin, qui soutient que l'homme appartient au règne animal, la psychanalyse inflige à l'être humain un troisième démenti en démontrant «qu'il n'est même pas maître dans sa propre maison[3]». C'est sur cette toile de fond que s'ouvre le film de John Huston, *Freud, passions secrètes* (1962), portant sur la vie et l'œuvre du psychanalyste.

Pulsions
Les pulsions ont leur origine dans le corps ; elles contiennent une charge énergétique, une poussée irrésistible qui doit être satisfaite au moyen d'un objet.

Les apparences et la réalité

Freud déchire le voile derrière lequel l'être humain masque ses véritables motifs. En se dévouant à une cause ou en punissant son enfant sous prétexte qu'il veut son bien, il croit qu'il est motivé par la générosité ou par l'amour. Comme le souligne le psychanalyste allemand (réfugié aux États-Unis) Erich Fromm (1900-1980), on peut se demander, depuis Freud, si ce ne sont pas là des rationalisations qui cachent des mobiles beaucoup

L'être humain ne conduit pas sa vie selon ses intentions conscientes. Au contraire, il est habité par des forces irrépressibles : les pulsions inconscientes.

1. Baudelaire (1991), p. 56.
2. Freud (1933), p. 213.
3. Cité dans Vacher (1994), p. 147-148.

moins reluisants, comme le désir inconscient de notoriété ou celui, sadique et inconscient, de dominer l'autre[4]. La signification apparente des choses est souvent différente et elle est parfois contraire à leur signification réelle. Cette observation a maintes fois donné lieu à des interprétations abusives de la part d'analystes qui n'avaient pas le panache de Freud.

Psychanalyse
1. Théorie élaborée par Freud pour expliquer les origines de diverses maladies mentales. 2. Méthode de traitement qui tente de mettre en évidence les contenus inconscients derrière les gestes, les désirs, les rêves et les fantasmes afin de les ramener à la conscience et d'en annuler les effets. Dès que les causes sont connues du patient, les symptômes sont censés disparaître. Freud a lui-même analysé son propre cas[5].

Hystérie
Trouble fonctionnel sans base physiologique. Peut se manifester par des contorsions, des paralysies, des troubles du langage, etc. Son observation met Freud sur la piste de l'inconscient.

Névrose
Trouble psychique se traduisant par des obsessions et des phobies. L'hystérie est une forme de névrose. À distinguer des psychoses (paranoïa, schizophrénie et maniacodépression), qui sont des affections plus graves témoignant d'une incapacité de se relier à la réalité.

Psychisme
Phénomènes mentaux. Ce qui touche les états d'âme.

Notes biographiques

Sigmund Freud est né en 1856 à Freiberg, en Moravie, qui faisait alors partie de l'empire d'Autriche ; il serait aujourd'hui tchèque. Il est mort à Londres, en exil, en 1939. C'est à Vienne qu'il devait s'installer et exercer sa profession. Comme tant d'autres personnalités juives (par exemple, Einstein, Brecht et Weill) menacées par la montée du nazisme, il a dû fuir l'Autriche en 1938. Tout comme Marx, son influence sur le XXᵉ siècle a été énorme. Par exemple, la révolution sexuelle des années 1960 a ses racines dans les théories de Freud.

Freud était médecin spécialisé en neurologie. Il a fondé la **psychanalyse**. Il s'occupait de ce qu'on appelait alors les « nerveux », que peu de médecins daignaient traiter. Sa pratique médicale l'a amené à explorer et à dévoiler certains aspects jusque-là négligés de l'identité et du psychisme humains.

En 1885-1886, il a étudié à Paris auprès d'un psychiatre réputé, Jean Martin Charcot (1825-1893), qui utilisait l'hypnose et était spécialiste de l'**hystérie** (*voir l'illustration ci-contre*). Cette maladie se traduit par des symptômes tels que la paralysie, les convulsions et les hallucinations. Il s'agit d'une forme de **névrose**, tout comme le sont les phobies et les obsessions. C'est une affection ou une maladie qui, pour Freud, trouve ses racines dans l'enfance du sujet et dans le conflit existant entre ses désirs.

Les composantes de la personnalité

Vers 1920, Freud conçoit le comportement humain comme le résultat de l'interaction de trois « instances », « provinces » ou « empires », qu'il nomme le ça, le moi et le surmoi. Ces trois instances sont autant d'aspects ou de composantes de la personnalité. Cette description, appelée « seconde topique », est la dernière représentation que Freud donne de l'appareil **psychique**[6].

Le ça

« Ça m'a encore pris », « ça a été plus fort que moi[7] » : ces expressions familières indiquent que l'être humain est aux prises avec des forces qui menacent de le

---

4. Fromm (1980), p. 47.

5. Laplanche et Pontalis (1967), p. 351.

6. La première description de Freud divise l'appareil psychique en trois composantes : l'inconscient, le préconscient et le conscient. Ce dernier fait référence aux phénomènes qui sont présents à l'esprit. Le préconscient désigne les représentations (idées, fantasmes et désirs) qui sont refoulées, mais susceptibles d'apparaître à la conscience. Pour l'inconscient, voir plus loin.

7. Ces expressions de Bruno Bettelheim sont citées dans un texte de Rosaire Chénard, « La conception de l'être humain chez Freud », non publié.

Une leçon de Jean Martin Charcot à l'hôpital La Salpêtrière à Paris en 1887. Peinture à l'huile de Pierre-André Brouillet (1857-1914).

submerger. Voilà le ça. C'est «la partie obscure, impénétrable de la personnalité [... un] chaos, une marmite pleine d'émotions bouillonnantes[8]». Le ça ignore le bien et le mal, les jugements de valeur et la morale. C'est le monde des «passions déchaînées[9]». Il n'est pas régi par la logique; c'est le royaume des désirs. Nous ne sommes pas très loin de Nietzsche.

Le ténébreux ça «n'obéit qu'à l'appât du plaisir[10]» et, sans le moi, il aspire «aveuglément aux satisfactions instinctuelles[11]». Il répond à ce que Freud appelle **le principe de plaisir.** Il tend à satisfaire les besoins innés de l'individu et néglige la «conservation de la vie comme la protection contre les dangers[12]». C'est aux injonctions du ça qu'obéissent deux personnes qui, venant de se rencontrer dans un bar, se précipitent au lit sans songer aux conséquences possibles d'une relation non protégée.

8. Freud (1936), p. 99.
9. *Ibid.*, p. 103.
10. Freud (1970), p. 76.
11. Freud (1936), p. 102.
12. *Ibid.*, p. 7.

Le ça est le royaume des pulsions. Il obéit au principe de plaisir et aspire à la satisfaction des besoins primaires et des désirs instinctuels. C'est la partie la plus importante de l'appareil psychique. Il ne tient pas compte de la réalité.

Le ça comprend «tout ce que l'être apporte en naissant [et] avant tout, les pulsions émanées de l'organisation somatique[13]». Il est à la frontière du somatique (le corps) et du psychique. Il est formé de contenus **innés** (appétits sexuels, besoins d'amour et de nourriture, agressivité, haine, etc.). Il contient aussi des «faits acquis au cours de l'évolution du moi[14]», par exemple les conflits refoulés lors de la phase œdipienne. Le ça est comparable au jeune enfant qui n'a aucune inhibition quand il s'agit de satisfaire ses impulsions : il est amoral. L'inconscient est la seule **qualité psychique** qui domine à l'intérieur du ça.

Les pulsions

Les pulsions contiennent une puissante charge d'énergie. Elles poussent l'organisme vers un but afin de satisfaire aux exigences du ça. Elles créent des tensions qui doivent être soulagées. Cette énergie est la libido.

Les forces qui agissent derrière le ça et qui en constituent le cœur sont les pulsions[15]. Elles contiennent une **charge énergétique** qui pousse l'organisme vers un but : se nourrir, satisfaire ses besoins sexuels, etc. Il s'agit d'une poussée irrésistible qui a sa source dans une **excitation corporelle** créant un état de tension devant être soulagé. L'organisme est rempli de ces **sources internes d'excitation** qui doivent être supprimées d'une façon quelconque.

La libido et la sexualité

Freud appelle «libido» l'énergie vitale que contiennent les pulsions. Elle provient principalement des zones érogènes : «[...] à dire vrai, le corps tout entier constitue une zone érogène[16]. »

Freud emploie le mot «sexuel» dans un sens beaucoup plus large qu'on ne le fait normalement. La sexualité ne se limite pas à la génitalité ou à la procréation. Par exemple, l'activité qui consiste à sucer son pouce, les caresses et les soins que l'enfant reçoit, le plaisir de voir et de s'exhiber sont des sources de plaisir intense. Le jeune enfant n'a pas de barrières : il ne connaît pas de dégoût pour les excréments, il désire ses proches et toutes les zones de son corps sont une source de plaisir. C'est un «pervers polymorphe[17] ».

Les pulsions ont des buts et des objets variables. Par exemple, la pulsion sexuelle de l'homme n'a pas la femme pour objet fixe ; elle peut se satisfaire au moyen de relations hétérosexuelles, homosexuelles, par autoérotisme, sans parler du voyeurisme, de l'exhibitionnisme, etc.

De façon générale, Freud distingue les pulsions des instincts. Ces derniers seraient fixés par l'hérédité et plus ou moins **identiques** chez tous les individus d'une même espèce. Notons qu'il existe un certain flottement entre ces deux termes dans l'usage qu'en font les traducteurs des textes de Freud.

---

13. Freud (1970), p. 4.
14. *Ibid.*, p. 26.
15. *Ibid.*, p. 7.
16. *Ibid.*, p. 11.
17. Freud (1966), p. 51.

La figure 10.1 illustre le rôle du ça.

FIGURE 10.1 Le ça

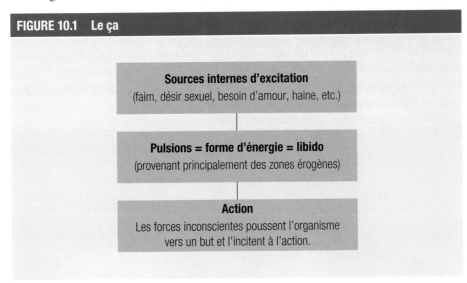

FIGURE 10.1 Le ça

Le moi

Le moi, qui se constitue progressivement à partir du ça, correspond à la prudence et à la raison. Il représente le monde extérieur aux yeux du ça. Il est guidé par le **principe de réalité** afin d'assurer sa réussite et sa sécurité. Sans le moi, le ça se briserait contre la puissance de la réalité extérieure[18]. Le moi assure l'**autoconservation** et apprend à reconnaître les excitations et les pulsions provenant du ça. Il tente de les maîtriser et doit décider si « elles peuvent être satisfaites ou s'il convient de différer cette satisfaction jusqu'au moment le plus favorable ou encore s'il faut les étouffer tout à fait[19] ».

> Le moi répond au principe de réalité. Il est dominé par le souci de sécurité. Il n'est qu'une fraction du psychisme. Il représente la raison et la prudence, et se rapporte aux aspects conscients de la personne. Il joue le rôle de médiateur entre le ça et le surmoi.

Par exemple, il est possible de ressentir une haine épouvantable pour une personne et de vouloir la gifler, ou encore une attirance irrésistible pour une autre. La tâche du moi consiste à évaluer ces pulsions et à décider de la stratégie la plus appropriée pour maximiser le plaisir et éviter le déplaisir. On différera son envie de gifler la personne en lui faisant un coup fourré plus tard ; on attendra le moment propice pour exprimer son désir à la personne convoitée. Le moi prend donc en considération les tensions du dedans et du dehors. C'est lui qui résiste aux demandes du ça et les rejette.

Le surmoi

Le surmoi est l'instance qui surveille, réprouve et observe le moi. C'est le défenseur de la moralité qui brandit les tabous culturels et réfrène la satisfaction des pulsions. Il veut contraindre le moi à « se plier aux règles les plus sévères ».

> Le surmoi censure la réalisation des désirs. Il représente les contraintes morales et répond au principe de perfection. Il naît du refoulement du complexe d'Œdipe.

18. Freud (1936), p. 102-103.
19. *Ibid.*

Freud en exil à Londres. Photographié vers 1938-1939.

Le surmoi est une espèce de censeur qui s'oppose à la réalisation des désirs. Vous avez envie de dire à votre professeur qu'il a été injuste dans sa correction, mais vous vous retenez. Vous brûlez de désir pour le petit ami de votre sœur, mais votre surmoi se dresse et dit non.

> Le surmoi représente les contraintes morales et l'aspiration vers le perfectionnement, bref tout ce que nous concevons maintenant psychologiquement comme faisant partie de ce qu'il y a de plus haut dans la vie humaine[20].

Le surmoi répond au **principe de perfection** et n'a pas une vision réaliste des choses. Il représente un idéal et résulte de l'influence parentale. Le jeune enfant intègre les valeurs transmises par ses parents ; ce sont celles du milieu social. Il se modèle aussi sur les substituts des parents : éducateurs, vedettes du monde du spectacle et du sport, qui représentent des idéaux. Pour l'enfant, le père, ou une autre figure paternelle, peut constituer un idéal, même s'il est alcoolique, menteur ou hypocrite.

Le ça et le surmoi ont une chose en commun : **ils représentent le rôle du passé** – le ça, celui de l'hérédité, le surmoi, celui qu'il a emprunté à autrui[21]. Pour Freud, chaque individu est très lourdement déterminé par son histoire personnelle et son héritage biologique. Freud et Sartre – pour qui l'être humain est conscience, projet et avenir – se situent donc à des pôles opposés. Sartre rejette l'inconscient freudien et conçoit le refoulement comme une forme de mauvaise foi (*voir le chapitre 11*).

Le surmoi est « conditionné par un fait biologique », à savoir la longue période de dépendance dans laquelle se trouve le jeune enfant. D'autre part, il résulte des conflits de la phase œdipienne, qui se situe entre les âges de trois et cinq ans. Ce qui nous amène au complexe d'Œdipe.

Le complexe d'Œdipe

Nommé d'après une légende grecque, le **complexe** d'Œdipe fait référence au désir incestueux du fils pour sa mère et de la fille pour son père. En nourrissant et en soignant son enfant, la mère lui procure des sensations agréables. Vers l'âge de deux ou trois ans, quand le petit garçon apprend à se procurer du plaisir par lui-même en

Complexe
Ensemble de représentations inconscientes suscitées par des désirs et des émotions intenses. Il affecte profondément le comportement. Freud n'en reconnaissait que deux : le complexe d'Œdipe et le complexe de castration.

20. *Ibid.*, p. 90.
21. Freud (1970), p. 6.

jouant avec son pénis, «il devient alors amoureux de sa mère et souhaite la posséder physiquement[22]». Il exprime ce désir en disant à sa mère : « Plus tard, je t'épouserai. » Il devient jaloux de son père, qu'il voit comme un **rival,** et veut le remplacer auprès de sa mère.

Le **complexe de castration** vient rapidement se greffer au complexe d'Œdipe. En effet, la mère interdit à l'enfant de se masturber et finit par lui dire que s'il n'arrête pas son père se chargera de lui couper le pénis. L'enfant prend la menace au sérieux quand il s'aperçoit que les filles n'ont pas de pénis. C'est alors qu'il «subit **le plus fort traumatisme de sa jeune existence**[23]».

Du côté féminin, les choses se passent de façon semblable, mais l'explication de Freud est plus embrouillée. Le complexe de la fille s'exprime par l'envie du pénis dont elle est dépourvue. Ces complexes sont enfouis dans l'inconscient.

> Selon la légende, Laïos, roi de Thèbes, et Jocaste ont eu un enfant nommé Œdipe. Un devin prédit à Laïos qu'il sera tué par ce fils et que celui-ci épousera Jocaste. Il décide donc d'abandonner l'enfant sur une montagne. Les bergers qui le recueillent le confient à la cour du roi de Corinthe. Adulte, Œdipe part en voyage et, au cours d'une dispute, tue un homme. Sans le savoir, il vient d'assassiner son père. Ses pas l'amènent à Thèbes, où le Sphinx fait régner la terreur en dévorant les jeunes gens qui ne peuvent résoudre son énigme. Œdipe réussit l'exploit, ce qui lui vaut le trône de Thèbes et la main de Jocaste, veuve de Laïos, sa propre mère. En apprenant sa véritable identité, il se crève les yeux ; Jocaste se suicide. Œdipe est le père d'Antigone, symbole de paix et de révolte contre le patriarcat.

L'enfant est le père de l'adulte

Si Rousseau fut un précurseur en considérant l'enfance comme une étape particulière de la vie, les recherches de Freud ont bouleversé les façons de voir cette période. En Occident, elles ont contribué à donner naissance à l'enfant-roi. Comme nul autre, Freud a attiré l'attention sur l'importance de l'enfance dans la formation de l'adulte : «L'enfant est psychologiquement le père de l'adulte. »

Il fut le premier à souligner que l'enfant a une vie sexuelle riche, ce qui épouvanta ses contemporains. Son développement passe par trois stades, qui peuvent coexister ou s'allonger et au cours desquels sa personnalité se modèle. Au stade oral (de la naissance à l'âge de 18 mois), la source du plaisir est centrée sur la bouche – sucer, téter et manger. Au stade anal (de l'âge de 18 à 30 mois), le siège du plaisir se situe autour de l'anus et de la fonction d'élimination. L'enfant découvre qu'il peut maîtriser ses besoins et ainsi plaire ou déplaire à ses parents. Il conteste, il s'affirme. Finalement, au stade phallique (de l'âge de trois à six ans), le plaisir s'étend aux organes génitaux. C'est la phase caractérisée par le complexe d'Œdipe, le complexe de castration chez le garçon et l'envie du pénis chez la fille. Par la suite, l'enfant passe par une phase de latence jusqu'à la puberté.

> Encore plus que Rousseau, Freud est le premier à montrer à quel point les expériences du jeune enfant sont déterminantes dans la formation de l'adulte.

Certains enfants qui ne connaissent pas un développement sexuel normal s'arrêteraient à une phase bien précise: c'est la fixation, à la phase orale, par exemple. Freud insiste essentiellement sur les expériences de **nature sexuelle** et pense que le caractère est formé **de façon définitive** dès l'âge de sept ou huit ans.

22. *Ibid.*, p. 61.
23. *Ibid.*, p. 62. (Nous soulignons.)

Un champ de bataille

Dans ses *Nouvelles conférences sur la psychanalyse* (1936), Freud représente les trois instances dans un dessin (*voir la figure 10.2*). Il souligne qu'il «est difficile aujourd'hui de dire si ce dessin correspond à la réalité[24]». Il pense que le ça devrait y occuper une place beaucoup plus grande. On remarque sur ce dessin que le ça baigne totalement dans l'inconscient, alors que le moi est en partie inconscient (par exemple, par certains mécanismes de défense qu'il utilise). Le surmoi (les interdits, les idéaux intégrés dans l'enfance) est également en grande partie inconscient.

Les trois instances sont un champ de bataille où chacune s'oppose à l'autre dans un combat dont le moi risque de faire les frais. Il faudrait en fait parler de quatre instances, puisque le moi doit tenir compte de la réalité extérieure. Il doit servir non pas deux mais trois maîtres à la fois. «Les trois despotes sont le monde extérieur, le surmoi et le ça[25].»

D'une part, le ça, sous la poussée de la libido, engendre des tensions et formule des demandes que le surmoi s'empresse de censurer. Freud compare la relation du moi avec le ça au cavalier qui chevauche sa monture. Le cheval fournit l'énergie et le cavalier dirige la monture. Or, «il arrive trop souvent que le cavalier soit obligé de se rendre là où il plaît à son cheval de le mener[26]».

D'autre part, le moi, qui recherche le plaisir et tente d'éviter le déplaisir, doit mesurer la compatibilité des demandes du ça avec la réalité environnante. Il doit faire avec la réalité extérieure et se munir de stratégies qui permettent sa sauvegarde et sa sécurité. Par exemple, si un homme s'engoue de la compagne de son frère, cela risque de créer une scène dans la famille!

FIGURE 10.2   Les instances de la personnalité

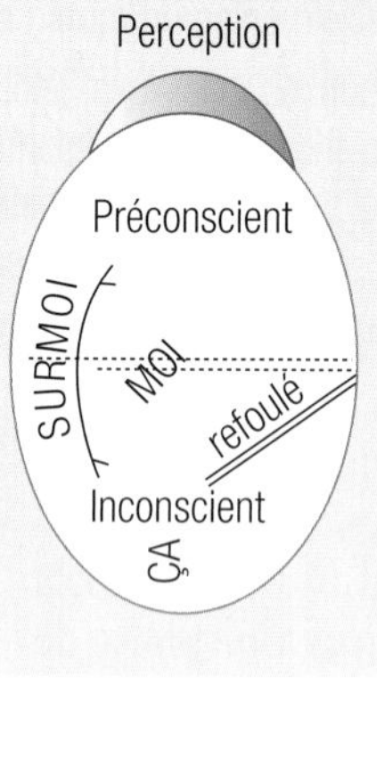

Corrélatif
Qui est en relation logique.

Refoulement
Mécanisme de défense destiné à protéger l'équilibre de la personne aux prises avec les exigences tyranniques du ça. Il empêche les désirs inavoués de franchir la barrière du conscient.

Inconscient
Désirs, passions, expériences traumatisantes faisant l'objet du refoulement. L'inconscient gouverne la vie psychique. Notion qui remet en cause la souveraineté du sujet sur ses actes.

Le refoulement

À partir de l'expérience clinique, Freud élabore deux concepts **corrélatifs** parmi les plus importants de la psychanalyse: le **refoulement** et l'**inconscient**.

24. Freud (1936), p. 105.
25. *Ibid.*, p. 104.
26. *Ibid.*, p. 103.

Lorsque les exigences tyranniques du ça entrent en conflit avec d'autres demandes de la personne (par exemple, quand ses besoins sont en contradiction avec ses aspirations morales), il peut se produire ce que Freud appelle le **refoulement,** processus qui se déroule inconsciemment.

Pour illustrer ce concept, l'exemple que donne Freud est encore le meilleur. Il raconte l'histoire d'une patiente qui est en voyage quand elle apprend la mort de sa sœur. Or, cette patiente est amoureuse de son beau-frère, le mari de la défunte. Elle revient précipitamment de voyage et, une fois auprès de sa sœur, une idée surgit dans son esprit comme un coup de tonnerre ; elle pense : « Maintenant il est libre et il peut m'épouser [27]. » La jeune fille censure immédiatement cette idée et commence à se détester. Quelque temps plus tard, elle présente de graves symptômes hystériques.

Le refoulement se produit quand la satisfaction d'une pulsion qui doit engendrer le plaisir entre **en conflit avec d'autres exigences** de la personne, car elles causent un déplaisir plus grand. La pulsion amoureuse de la jeune fille est en conflit avec l'idée qu'elle se fait d'elle-même et est inconvenante selon toutes les normes de la morale ambiante.

Le refoulement maintient les désirs inavoués à distance et les empêche de franchir la barrière du conscient. Ces expériences sont oubliées, mais ne disparaissent pas. Elles sont tapies au fond de l'inconscient et menacent de surgir à tout moment. Le rôle du refoulement est de sauvegarder le moi, de le défendre contre les agressions du ça. Lorsque la pression devient trop forte – le refoulement exige une dépense d'énergie considérable –, la personne sombre dans la névrose.

Pendant longtemps, Freud a identifié le refoulé à l'inconscient. Dans sa dernière théorie, le refoulé n'est qu'une partie de l'inconscient et il en est à l'origine.

Le destin des pulsions et la sublimation

Les pulsions engendrent des désirs qui ne sont pas tous refoulés. Une première option est le **refoulement,** et un désir refoulé ne mène pas inévitablement à la névrose : tout dépend de la constitution de l'individu et de son histoire personnelle. Une autre option consiste à reconnaître l'existence de ces désirs et à les désamorcer. Une troisième option, celle que Freud privilégie, consiste à **canaliser ces désirs vers un autre but,** par exemple la création artistique, la vocation religieuse ou les sports : on devient comédien, peintre ou philosophe, on escalade l'Everest, on devient millionnaire ou l'on réalise de grands projets. C'est la sublimation. C'est en ce sens que la sexualité est à l'origine de la civilisation.

Les poèmes de sainte Thérèse d'Ávila (1515-1582), dans lesquels elle exprime son amour pour Dieu, en sont un exemple intéressant :

> Tout entière je me suis livrée et donnée
> Et j'ai fait un tel échange
> Que mon aimé est à moi
> Et je suis à mon aimé
>
> Quand le doux Chasseur
> Eut tiré sur moi et m'eut vaincue
> Dans les bras de l'amour
> Mon âme est tombée [28].

Sublimation
La sublimation consiste à détourner l'énergie sauvage des pulsions vers des buts plus « nobles » : création artistique, vocation religieuse, activités sportives, travail, etc.

---

27. Freud (1966), p. 27.
28. Ávila (1964), p. 1075-1077.

L'inconscient

Nous accostons maintenant les berges de l'inconscient, notion primordiale chez Freud. Les pulsions, qui sont le royaume du ça, donnent naissance à des désirs, à des fantasmes et à des émotions violentes. Passions inavouées, désirs brûlants, souvenirs traumatisants, souvent issus de la petite enfance, sont immédiatement refoulés ou le sont au moment de ressurgir. C'est le cas lors d'expériences telles que voir ou entendre ses parents faire l'amour, subir des tentatives de viol par des adultes ou de séduction par des enfants plus âgés. Cette vie inconsciente constitue l'**essentiel** de la vie psychique d'un individu et gouverne son comportement.

> L'inconscient est comparable à un réservoir qui contient les désirs et les fantasmes inavoués, les souvenirs traumatisants que la personne ne peut intégrer à sa vie consciente. Ces contenus exercent parfois des pressions insoutenables sur lui. Pour Freud, ce sont surtout les expériences sexuelles du jeune enfant qui se fixent dans l'inconscient. Celui-ci est la principale source de ses actes tout au long de sa vie.

L'inconscient est, au dire de Freud, la deuxième hypothèse de la psychanalyse ; c'est un concept abstrait, difficile à saisir.

Si d'autres avant lui, notamment Nietzsche, ont parlé de l'inconscient, Freud est le premier à lui donner une forme, un rôle et un contenu précis. C'est en traitant les névrosés qu'il est amené à faire cette hypothèse. Dans sa *Métapsychologie,* il fournit divers arguments en faveur de l'existence de l'inconscient[29].

D'une part, il souligne que certains faits sont impossibles à comprendre si l'on refuse de considérer qu'il existe une vie psychique inconsciente. Reprenons le cas de la jeune fille amoureuse de son beau-frère. Freud raconte qu'elle avait complètement oublié la scène du lit quand son désir de l'épouser s'est manifesté. Elle avait également refoulé dans son inconscient la haine qui s'était emparée d'elle à ce moment. Cependant, désir du beau-frère et haine de soi, enfouis dans l'inconscient, ont continué de faire des ravages. Et les comportements de la malade (sa névrose) ne peuvent s'expliquer qu'en faisant appel à ces deux concepts de refoulement et d'inconscient.

Freud avec sa fille Anna en 1913.

D'autre part, l'inconscient est une hypothèse nécessaire pour expliquer toute une série de phénomènes que Freud regroupe sous l'expression d'« actes manqués ». Ce sont les lapsus (dire « professeur Ducon » plutôt que « Dupont »), les erreurs de lecture (lire « **mata**psychologie » au lieu de « méta... », parce que je préfère penser à Mata Hari, qui a introduit la danse exotique – d'aucuns diront « érotique » – en Europe au début du dernier siècle, plutôt que d'écrire à propos de Freud), les oublis et les trous de mémoire (se laver les mains et oublier son jonc dans les toilettes

---

29. Freud (1968), p. 66-74.

publiques après une querelle avec son conjoint), les actions ratées, etc. Dans ces actions, le désir inconscient s'accomplit de façon parfois très claire. Si le professeur Dupont a donné une mauvaise note à l'élève Brillant, il se peut que M. Brillant en vienne à le détester au point que, au moment de poser une question en classe, il commettra ce lapsus de lèse-majesté. Bien entendu, il faut distinguer les actes manqués des simples étourderies. Mettre son livre au frigo et sa bouteille de jus dans sa serviette n'est pas un phénomène des plus significatifs.

Par ailleurs, le rêve, qui est selon Freud la « voie royale vers l'inconscient », est l'indice le plus probant de son existence. Rêver que le curé oublie de se présenter à la cérémonie de son mariage pourrait être une façon inconsciente de dire son refus de se marier. En permettant aux désirs inconscients de se manifester, la plupart du temps sous une forme déguisée, le rêve permet de soulager les tensions engendrées par le refoulement.

Freud souligne également que certains comportements sont répétés inconsciemment même s'ils causent un tort énorme. Certaines femmes violentées par leurs maris reprennent, une fois séparées, des conjoints du même modèle que les précédents. L'alcoolisme du fils perpétue celui du père.

Finalement, Freud souligne un fait connu de tous. On a parfois des souvenirs qui apparaissent brusquement à la conscience et dont on ignore l'origine.

La liberté et la psychanalyse

Pour Freud, les pulsions inconscientes sont la source de presque tous les actes. L'être humain n'est pas maître chez lui et sa personnalité est définitivement formée dès l'enfance.

Malgré cette vision pessimiste qui anéantit pratiquement la liberté, Freud ménage un sentier fort étroit par lequel l'être humain pourrait reconquérir un peu de sa liberté et de son autonomie. Avouons cependant qu'il n'est pas à la portée de toutes les bourses ! C'est la cure analytique, dont l'un des buts est de soulever « le voile d'amnésie qui recouvre les premières années de l'enfance[30] », de ramener à la conscience les événements qui tirent « les fils qui nous remuent ». L'analyse doit faire remonter à la surface les conditionnements dont le sujet est l'objet et lui faire prendre conscience de la dictature du ça. Elle doit le délivrer des contraintes de son inconscient et renforcer son moi. La cure devrait rétablir l'autonomie du sujet, lui rendre la maîtrise de son existence et réduire au maximum les déterminismes inconscients[31].

Les pulsions de vie et de mort

Autour de 1920, Freud regroupe toutes les pulsions qui bouillonnent dans la marmite humaine et les charges émotionnelles qui leur sont rattachées – amour, haine, désir sexuel, agressivité et besoin de sécurité – sous les expressions « pulsion de vie », ou Éros, et « pulsion de mort », ou Thanatos.

> La pulsion de vie, ou Éros, tend à la conservation de la vie et à la préservation du sujet. Sa fonction est d'unir et de maintenir la vie.

---

30. Freud (1936), p. 40.
31. Pour une explication plus détaillée, voir Hodard (1979), chap. 2, p. 54-56.

Éros (qui comprend maintenant les **pulsions sexuelles** et les **pulsions d'auto-conservation**) tend au maintien de la vie et à l'union avec les autres. **Thanatos** tend primordialement à l'**autodestruction.** Lorsqu'elle est tournée vers l'extérieur, cette pulsion s'exprime dans la destruction et l'agression contre autrui. C'est la tendance de tout être vivant à retourner à l'état inorganique, la force qui le pousse vers le repos absolu, la mort. Les deux pulsions font partie de toutes les composantes de la personnalité et le comportement humain s'explique par les combinaisons et les alliages des pulsions de vie et de mort. Par exemple, la pulsion amoureuse a besoin de la pulsion d'appropriation pour s'emparer de son objet. La libido, qui est l'énergie d'Éros, a pour tâche de rendre la pulsion de mort inoffensive en la tournant vers l'extérieur.

> La pulsion de mort, ou Thanatos, tend fondamentalement à l'autodestruction. Pour éviter cette éventualité, elle est secondairement tournée vers l'extérieur dans l'agression.

Freud élabore cette nouvelle théorie des pulsions pour tenir compte de phénomènes courants comme le sadisme et le masochisme (on n'a qu'à considérer à quel point le sentiment de culpabilité est répandu). Il pense également que la haine ne peut être dérivée des pulsions sexuelles. Freud admet qu'il adopte cette nouvelle hypothèse après bien des tergiversations : « [...] notre mythologie [... et] les instincts [comme l'écrit le traducteur français] sont pour ainsi dire des êtres mythiques à la fois mal définis et sublimes[32]. »

La nature guerrière de l'homme

Freud invoque sa nouvelle théorie pour expliquer la nature guerrière de l'homme. À son avis, « la foi en la "bonté" de la nature humaine est une de ces déplorables illusions dont l'homme espère qu'elles embelliront et faciliteront sa vie, tandis qu'elles sont seulement nuisibles[33] ». La violence et la guerre font partie intégrante de la condition humaine, étant le produit naturel de la pulsion de mort. Freud est du même avis que Hobbes, pour qui « l'homme est un loup pour l'homme ». L'être humain serait condamné à l'agressivité et à la brutalité. Dans sa lettre à Einstein, Freud y va d'une affirmation que ne rejetterait pas un partisan du déterminisme biologique : « Elle [la guerre] semble pourtant bien conforme à la nature, biologiquement bien fondée, pratiquement inévitable ; [il serait] vain de supprimer les penchants agressifs des hommes[34]. » Il explique qu'on pourrait invoquer la pulsion antagoniste de la pulsion de mort, Éros. Cependant, ces voies ne « promettent pas un succès rapide [... et] on répugne à l'idée de moulins qui moulent si lentement qu'on aurait le temps de mourir de faim avant d'obtenir la farine[35] ». Quant aux moyens directs, à savoir la soumission de la vie pulsionnelle à la dictature de la raison, « selon toute vraisemblance, c'est là une espérance utopique ». Selon Freud,

32. Freud (1936), p. 125. On remarque que les deux théories des pulsions s'entrechoquent. Dans la première théorie, les pulsions sexuelles sont une menace pour le moi et mettent en danger l'équilibre psychique. Dans la seconde, non seulement la sexualité n'est-elle plus une force menaçante mais elle concourt au maintien de la vie et à l'union entre les humains. Dans son *Abrégé de psychanalyse* (paru en 1938), Freud ne fait pas appel à sa nouvelle théorie pour expliquer les névroses : « Nous constatons [...] que les excitations qui jouent le rôle pathogène [provoquant la maladie] émanent des pulsions partielles de la sexualité » (Freud, 1970, p. 57). En dehors des pulsions sexuelles, il admet que certaines névroses peuvent être causées par des peurs intenses (collisions, avalanches, etc.).

33. *Ibid.*, p. 137.
34. Freud (1933), p. 212-213.
35. *Ibid.*, p. 213.

cette possibilité est réservée à une élite, mais il n'explique pas pourquoi la « masse inculte » en serait incapable.

Freud et la condition féminine : « L'anatomie, c'est le destin »

Il n'est pas toujours facile de suivre la pensée de Freud au sujet de la condition des femmes. Cependant, il s'en dégage un portrait global dans lequel dominent les influences des idées de son époque, qui n'étaient ni originales ni justes.

Dans ses *Nouvelles conférences sur la psychanalyse,* il constate qu'on identifie en général le féminin à la passivité et le masculin à l'activité, « non sans raison d'ailleurs[36] ». À la page suivante, il affirme que « cette conception est erronée », pour finalement admettre un peu plus loin qu'il existe, chez les femmes, « une tendance plus marquée aux comportements et aux buts passifs ».

Selon lui, les femmes seraient moins agressives, moins opiniâtres et moins indépendantes que les hommes. Le masochisme serait essentiellement féminin, et les femmes seraient plus envieuses et jalouses que les hommes. Elles sont plus narcissiques, plus vaniteuses, préoccupées par leur corps et elles ne possèdent pas à « un haut degré le sens de la justice[37] ».

Freud attribue cet état de fait **principalement** à la « native infériorité sexuelle [et à] la défectuosité des organes génitaux[38] » de la femme. Il concède qu'il ne faut pas « sous-estimer l'influence de l'organisation sociale », qui tend à la placer dans des situations passives. Pourtant, il nie toute influence sociale dans des phénomènes tels que la cruauté, la violence ou la guerre.

Or, d'où provient cette « native infériorité sexuelle » ? Le clitoris serait un pénis manqué, atrophié, et n'est pas vraiment féminin. Par conséquent, il « doit céder tout ou partie de sa sensibilité et par là de son importance au vagin[39] », qui est essentiellement féminin. Les femmes souffrent de l'envie du pénis, ce qui laisse des « traces ineffaçables[40] » et expliquerait leur « infériorité ». Les recherches effectuées depuis Freud, notamment celles de Masters et Johnson, et l'expérience des femmes ont abondamment démontré que le clitoris ne peut être conçu sur le mode d'un manque. Ainsi, la chirurgienne et urologue

> Depuis Freud, les femmes ont fait beaucoup de chemin... sans que leur anatomie ait changé pour autant !

Helen O'Connell, du Royal Melbourne Hospital, ayant disséqué les cadavres de 10 femmes adultes, a observé que le clitoris est composé de « deux bras longs de 9 cm, qui s'étirent à l'intérieur du corps[41] ».

Freud n'est pas sans rejoindre le déterminisme biologique en faisant dériver les conduites féminines de l'anatomie. Il reprend une vieille conception, notamment celle d'Aristote, selon laquelle les femmes seraient des hommes amoindris, mais ici principalement à cause d'une particularité anatomique. La femme a toujours moins que l'homme – elle est moins rationnelle, moins indépendante, moins juste,

36. Freud (1936), p. 150.
37. *Ibid.,* p. 176.
38. *Ibid.,* p. 174.
39. *Ibid.,* p. 155.
40. *Ibid.,* p. 174.
41. « La femme, cette inconnue » (1998), p. 28.

moins active et moins objective. Les vieilles idées renaissent souvent dans des habits neufs ou recousus... Disons, à la décharge de Freud, qu'il admet qu'à âge égal la fillette semble plus intelligente que le garçon. Vers la fin de sa vie, il s'est d'ailleurs excusé d'avoir donné des explications incomplètes et parfois malveillantes. Son biographe, Ernest Jones, rapporte que la grande énigme qu'il n'a jamais été capable de résoudre est la suivante : que veut la femme ?

Quelques remarques critiques

Malgré le nouvel éclairage qu'apporte la théorie freudienne, elle n'est pas sans poser problème. Ainsi, l'explication de la nature guerrière de l'être humain par la pulsion de mort n'est pas très claire et est sujette à plusieurs critiques.

La nature guerrière de l'être humain : l'homme est-il naturellement méchant ?

Premièrement, si la pulsion de mort est une force irrépressible prévalant absolument sur la pulsion de vie, pourquoi n'y a-t-il pas plus de suicides et pourquoi les hommes ne sont-ils pas perpétuellement en état de guerre ? Comment expliquer que la violence et les guerres se déclenchent à des moments précis et dans des contextes particuliers ? Pourquoi en 1914 et en 1939 ? Pourquoi au Rwanda, en Yougoslavie, en Iraq, en Afghanistan et non ailleurs ? La théorie de Freud est impuissante à rendre compte de la diversité et de la complexité de la réalité.

> La nouvelle théorie des pulsions de Freud présente plusieurs difficultés. Si l'être humain est habité par deux pulsions contradictoires, pourquoi la pulsion de mort serait-elle irrépressible et dominerait-elle la pulsion de vie ? Serait-ce parce que l'être humain est facile à dresser et à manipuler, comme le montre Beauvois (*voir la rubrique* Texte à l'étude *du chapitre 1, p. 28*) ? En effet, l'être humain est souvent à la merci de groupes d'intérêts, et il semble facile de canaliser ses pulsions dans des voies agressives comme la guerre. Par ailleurs, Freud refuse d'envisager la façon dont l'organisation sociale peut stimuler ou inhiber les pulsions. En soi, celles-ci n'offrent pas d'explication satisfaisante à certains phénomènes comme la guerre.

Deuxièmement, Freud affirme que l'agressivité est ancrée biologiquement. Or, tous les êtres humains ont **fondamentalement** – la précision est importante – la même constitution biologique ; pourtant, certains peuples sont plus pacifiques que d'autres. L'anthropologie a révélé l'existence de peuples doux (comme les Hopis du Nouveau-Mexique, les Tahitiens ou les Semais de Mélanésie). Par ailleurs, l'archéologie, comme nous l'avons souligné au chapitre 7 portant sur Dewey, donne lieu à une remise en question de la nature humaine « aux griffes rougies de sang », portée sur la guerre depuis la nuit des temps.

Troisièmement, pour justifier l'idée selon laquelle la pulsion de mort prévaut sur la pulsion de vie, Freud cite abondamment l'histoire en vue de prouver la méchanceté humaine. Pourtant, on pourrait mentionner autant d'exemples de bonté humaine – l'amour, le dévouement, l'entraide, la coopération, etc. – sans lesquels l'aventure humaine non seulement aurait complètement dérapé depuis longtemps mais n'aurait même pas démarré. Dans l'histoire des individus et des sociétés, comme dans la nature, on trouve de tout et son contraire. Il peut être facile, en choisissant certains exemples, de présenter des « preuves » en faveur d'une thèse plutôt que d'une autre.

Quatrièmement, Freud rejette sans en faire un examen sérieux l'idée selon laquelle certains facteurs sociaux pourraient inhiber ou stimuler l'agressivité. En effet, en promouvant certaines valeurs, l'organisation sociale peut inciter à l'agressivité contre autrui. À l'opposé, comme l'affirme Dewey, il serait possible de canaliser cette agressivité dans la lutte contre la pauvreté.

Accordons à Freud qu'il est impossible, pour les raisons qu'il évoque, de parler de « bonté » humaine. L'être humain est mauvais comme il est bon. Mais la question qu'il pose est différente : l'être humain est-il **naturellement** bon ou mauvais ? Or, comme le souligne Dewey, la vraie question consiste à savoir quelles sont les conditions qui affaiblissent ou intensifient les éléments constitutifs de la nature humaine (*voir les sections « La nature guerrière de l'homme ? » et « Dewey et l'archéologie » du chapitre 7, p. 119*).

Le pessimisme de Freud est tel qu'il avouera vers la fin de sa vie : « Ayant étudié l'histoire de l'humanité [...], je ne peux offrir aucun réconfort[42]. » Si Freud a raison, où est l'espoir d'une vie meilleure ?

La sexualité, c'est la vie ?

On peut difficilement contester le fait que l'éducation que nous avons reçue continue à nous rendre myopes, sinon aveugles, quant à la portée des pulsions sexuelles. Et, depuis Freud, il n'est plus possible de parler de sexualité comme on le faisait auparavant. La sexualité est l'un des aspects fondamentaux, l'une des composantes essentielles de la vie. Elle est nécessaire à la propagation de l'espèce et est omniprésente dans la culture, les lois, l'imaginaire et la réalité quotidienne. Ensuite, et fondamentalement, l'être humain est son corps. C'est un être incarné, dans un corps masculin ou féminin, qui entre en relation, et non un pur esprit. De plus, la sexualité est avant tout une relation avec soi et avec l'autre. Comme l'affirme Sallie Tisdale, auteure du controversé ouvrage *Talk Dirty to Me,* la peur de la sexualité est la peur des autres et « le sexe est un jeu, une arme, un jouet, un plaisir, une transe, une illumination, une défaite, un espoir[43] ». Il est donc vrai que la sexualité est plus qu'une source de plaisir, une conduite parmi d'autres, une simple question d'hormones ou un reliquat d'animalité.

> Chez les animaux autres que les primates, l'accouplement n'a lieu qu'au moment de l'ovulation (du rut) chez la femelle. On peut apprécier la distance séparant la sexualité des bêtes de celle des humains. Les animaux subissent la sexualité : ils ne font pas l'amour, comme le remarque Denis de Rougemont[44].

La sexualité généralisée – le fait que l'accouplement ne dépend plus du rut chez les humains – a sans doute représenté une menace pour la coopération. Pour vivre en société, il a donc fallu sacrifier une partie de sa sexualité[45]. La société s'écroulerait du jour au lendemain si la sexualité pouvait s'exprimer librement.

Il est également vrai que la sexualité, les conflits inconscients et les traumatismes jouent un rôle plus important qu'on veut bien l'admettre. Certaines personnes, comme les rescapés des camps de concentration et des guerres, ne se remettent jamais des traumatismes qu'elles ont vécus. D'autres restent profondément marquées par les agressions et les chocs psychologiques de toutes sortes : perte d'un être cher, viol, inceste, sentiment d'abandon et de rejet accompagné de haine à la suite d'une rupture ou de la naissance d'un frère qui accapare l'attention des parents. Certains individus cherchant à compenser quelque défaut seront poussés à trouver

---

42. Cité par Chaim Melamed, auteur d'une thèse de doctorat sur Swift et Freud.
43. Cournut, « Psychanalyse et sexualité », dans Cournut et autres (1996), p. 7.
44. Rougemont (1961).
45. Godelier, « Sexualité et société », dans Cournut et autres (1996), chap. 2.

gloire et fortune afin d'assouvir leur libido, leur besoin d'amour ou de vengeance. Voilà autant de comportements dont les causes profondes risquent d'être difficilement décelables.

Dans la civilisation occidentale moderne, où la sexualité est devenue un objet de consommation, on a tendance à sous-estimer son rôle véritable. Freud, lui, verse dans l'excès contraire. La sexualité est **tout,** dans la mesure où elle modèle la personnalité, **organise** le fonctionnement psychique de l'individu, détermine sa **vie** et son **destin.** Cela ressort on ne peut plus clairement de son analyse de la condition féminine.

> La sexualité modèle le psychisme humain, forme la personnalité, écrit le scénario que l'être humain sera appelé à jouer. La sexualité, c'est le destin.

De plus, selon Freud, la sexualité produit la civilisation, puisque celle-ci s'édifie à partir de la sublimation du désir sexuel. En fait, sexualité et civilisation «ne sont que deux aspects d'un même processus[46]», comme l'écrit Paul Denis. Si cela veut dire que l'un ne va pas sans l'autre, bien sûr. Cependant, si cela veut dire que tout dans la vie est sexuel, alors «sexualité» est synonyme de «vie humaine». En ce sens, elle n'est plus une sphère de la vie, mais se dissout dans la vie elle-même et n'a plus de sens.

Comme Maurice Godelier le rappelle, si l'individu est sujet sexuel et inconscient au départ, il n'est pas moins **sujet social,** et le «sujet social n'est pas un sujet second[47]». L'autre est déjà en moi avant que je parle, et l'être humain vit avec les autres, par les autres et pour les autres.

Chez Freud, la sexualité est à la fois trop large et trop restreinte. Quand célèbre-t-il la sexualité en tant que fête charnelle, source de joie et de communication ? La sexualité est presque toujours disruptive et source de douleur. Son puritanisme ressort de la conception qu'il se fait du plaisir. Celui-ci consiste davantage à être soulagé du déplaisir engendré par les pulsions et les tensions que provoque la sexualité qu'à éprouver de la joie[48].

---

46. Denis, «La sexualité est le destin», dans Cournut et autres (1996), p. 4.
47. Godelier, «Sexualité et société», dans Cournut et autres (1996), p. 30.
48. Fromm (1975), p. 36.

Conclusion

Freud a mis au jour des mécanismes inédits permettant de comprendre le développement de la personne. Il fait figure de pionnier en braquant les feux sur le corps, la sexualité et l'inconscient. Il est le premier à élaborer une véritable théorie de l'interprétation des rêves et modifie les façons de concevoir les rapports entre l'enfant et l'adulte. Le XXᵉ siècle porte son empreinte.

Malgré l'accent qu'il a mis sur les pulsions, Freud donne l'impression d'être un rationaliste secoué par ses propres découvertes. Il tenait la raison en haute estime, comme sa méthode d'investigation en témoigne. Il a pratiqué l'observation minutieuse des faits et constamment révisé ses hypothèses pour formuler des lois générales du comportement humain. Or, s'il est un domaine où il est difficile de formuler de telles lois, c'est bien celui-là. D'autre part, Freud ne semblait pas attacher d'importance au fait que les sujets qui servaient de base à ses théories étaient des individus concrets venant d'un milieu social donné et vivant dans une société donnée : l'Autriche puritaine et patriarcale du tournant du XXᵉ siècle. À partir de l'étude de quelques cas, il a souvent eu tendance à généraliser ses découvertes. Et, s'il manque à Marx une théorie psychique, il manque à Freud une théorie sociale.

Pour Freud, la civilisation, qui crée un surmoi hors de toute proportion, est essentielle à la survie et à l'évolution de l'humanité. Cependant, les exigences de ce surmoi qui réprime les pulsions à mesure que la civilisation se développe et qui gagne en importance entraînent souvent des conflits psychiques graves.

> Concluons-en qu'une grande partie de notre trésor de civilisation, si hautement prisé, s'est constitué au détriment de la sexualité et par l'effet d'une limitation des pulsions sexuelles.

Est-ce là les propos d'un « obsédé sexuel » ?

> Le moi doit déloger le ça. C'est là une tâche qui incombe à la civilisation tout comme l'assèchement du Zuyderzee.

L'humanité, pour Freud, est condamnée à marcher sur un fil entre sublimation et répression. Cela n'est pas sans ressembler au lecteur de Baudelaire, qui vole « au passage un plaisir clandestin [que] nous pressons bien fort comme une vieille orange ».

LES IDÉES ESSENTIELLES

▶ **Les pulsions et l'inconscient «tiennent les fils qui nous remuent»**

Pour Freud, l'être humain est loin du sujet rationnel qui décide de sa vie en toute connaissance de cause. Il est mû par des forces inconnues et impossibles à maîtriser : les pulsions inconscientes.

▶ **La cure analytique**

Le but de l'analyse est de faire surgir à la conscience les désirs et les traumatismes inconscients. Une fois leurs origines connues, les symptômes sont censés disparaître.

▶ **Le ça**

Le ça est l'instance la plus importante du psychisme. Il représente le monde des passions, des désirs et des pulsions. Le ça répond au principe de plaisir : il tend à satisfaire les besoins innés de l'individu aux dépens de sa propre sécurité.

▶ **Les pulsions**

Le ça est animé par des forces irrésistibles, les pulsions. Elles contiennent des charges d'énergie, des sources d'excitation internes qui doivent être supprimées ou soulagées d'une façon quelconque. Cette forme d'énergie s'appelle la «libido» et provient principalement des zones érogènes – le corps entier est une zone érogène.

▶ **Le moi**

Le moi représente la prudence et la raison. Il est guidé par le principe de réalité et assure l'auto-conservation de l'individu. Il tente de maîtriser les exigences du ça et met au point des stratégies pour en satisfaire ou en différer les demandes.

▶ **Le surmoi**

Le surmoi est le censeur qui s'oppose à la réalisation des désirs. Il représente les tabous et les contraintes morales et sociales ainsi que l'aspiration au perfectionnement. Il répond au principe de perfection.

▶ **Le complexe d'Œdipe**

C'est le désir incestueux qu'a le jeune enfant pour le parent du sexe opposé. À cela s'ajoute la jalousie intense pour le parent du même sexe, qui est perçu comme un rival. Le complexe d'Œdipe s'accompagne du complexe de castration chez le jeune garçon et de l'envie du pénis chez la jeune fille. Ce conflit est enfoui dans l'inconscient ; c'est l'événement le plus important et le plus traumatisant de l'existence du jeune enfant.

▶ **«L'enfant est psychologiquement le père de l'adulte»**

Freud a bouleversé la perception des rapports existant entre l'enfant et l'adulte en montrant l'importance des expériences du jeune enfant dans le développement de l'adulte.

▶ **Un sujet tiraillé**

L'être humain est aux prises avec les exigences contradictoires des trois aspects de sa personnalité. Le ça formule des demandes que le surmoi censure. Le moi tente de sauver sa peau. Il doit tenir compte de la réalité extérieure et concilier les demandes du ça avec cette même réalité et les buts poursuivis par le moi.

▶ **Le refoulement**

Le refoulement empêche les désirs secrets et les souvenirs traumatisants de franchir la barrière du conscient. Ce qui est refoulé continue de faire son œuvre dans l'inconscient. Le rôle du refoulement est de sauvegarder le moi en le défendant contre les agressions du ça.

▶ **La sublimation**

Les pulsions, les désirs et les traumatismes peuvent être refoulés, ou reconnus et désamorcés, ou encore sublimés. Ils sont alors canalisés vers un autre but, par exemple la création artistique.

▶ **L'inconscient**

Les pulsions donnent naissance à des désirs, à des émotions, à des sentiments, à des fantasmes et à des souvenirs pénibles qui sont refoulés dans l'inconscient.

Cette hypothèse de Freud est née de l'observation de ses patients. Certains phénomènes ne peuvent être compris sans le recours à cette idée : les actes manqués, les rêves, les comportements à répétition et, finalement, l'émergence brusque de souvenirs que l'on croyait perdus à tout jamais.

▶ **La condition féminine**

Le tableau que Freud a dressé de la condition féminine se rapproche de celui du déterminisme biologique.

▶ **Les pulsions de vie et de mort**

Vers 1920, Freud reconnaît deux pulsions fondamentales : la pulsion de vie et la pulsion de mort. La pulsion de vie, ou Éros, tend au maintien de la vie ; elle unit. La pulsion de mort, ou Thanatos, est primordialement une tendance à l'autodestruction qui, tournée vers l'extérieur, s'exprime dans l'agression contre autrui.

▶ **Une critique de la pulsion de mort**

Selon Freud, la pulsion de mort est inhérente à la nature humaine et rend la guerre inévitable. Cette théorie soulève de nombreuses questions. Pourquoi la pulsion de mort devrait-elle nécessairement prévaloir sur la pulsion de vie ? Pourquoi l'agressivité s'exprime-t-elle à certains moments et non à d'autres ?

▶ **La sexualité**

La civilisation occidentale a tendance à sous-estimer et à refouler le rôle de la sexualité. Freud verse dans l'excès contraire. La sexualité est tout : elle modèle la personnalité et est à la base même de la civilisation. « Sexualité » devient synonyme de « vie humaine ».

EXERCICES

Vérifiez vos connaissances : vrai ou faux ?

1. Selon Freud, l'être humain conduit sa vie selon sa raison.

2. Le ça est l'instance la moins importante du psychisme.

3. Le ça tend à satisfaire les besoins innés du sujet.

4. Les pulsions contiennent une charge énergétique que Freud appelle la « libido ».

5. Le moi représente la raison et assure l'autoconservation.

6. Le surmoi représente les contraintes morales.

7. Le surmoi résulte en partie des conflits de la phase œdipienne.

8. Le complexe d'Œdipe s'accompagne de la jalousie pour le parent du même sexe.

9. Le refoulement rejette les conflits dans l'inconscient, où ils disparaissent pour de bon.

10. La sublimation consiste à canaliser l'énergie du ça vers des fins différentes.

11. Selon Freud, l'inconscient est la principale source des actes de l'être humain.

12. La pulsion de mort est fondamentalement une tendance à la destruction de l'autre.

13. D'après Freud, la mauvaise organisation sociale est responsable des guerres.

14. Selon Freud, l'être humain est naturellement bon.

15. Pour Freud, la sexualité n'est qu'une source de plaisir.

16. Selon Fromm, l'inconscient se limite aux expériences traumatisantes de nature sexuelle.

17. Freud attribue l'infériorisation des femmes à une particularité anatomique.

Synthétisez vos connaissances et développez une argumentation.

1. Qu'est-ce que la psychanalyse ?

2. Qu'est-ce que le ça ? Nommez-en quatre caractéristiques.

3. Que sont les pulsions ?

4. Qu'est-ce que la libido ?

5. Qu'est-ce que le moi ?

6. Qu'est-ce que le surmoi ?

7. Comment se façonne le surmoi ?

8. Qu'est-ce que le complexe d'Œdipe ?

9. Qu'est-ce que le refoulement ?

10. Donnez trois arguments en faveur de l'existence de l'inconscient.

11. Résumez la position de Freud sur la nature guerrière de l'être humain et faites trois critiques de sa théorie.

12. Nommez trois importantes contributions de Freud.

13. Quelle critique Fromm fait-il de l'inconscient freudien ?

Complétez les phrases.

1. Le ça répond au principe de _____.

2. L'énergie du ça s'appelle la _____.

3. Le surmoi répond au principe de _____.

4. Le _____ empêche les désirs secrets et les souvenirs pénibles de franchir la barrière du conscient.

5. Dans sa dernière théorie des pulsions, Freud reconnaît deux pulsions fondamentales : la pulsion de _____ et la pulsion de _____.

Établissez des liens entre les idées.

1. Comparez les façons dont Freud et Dewey expliquent un phénomène comme la guerre.

2. Comparez les points de vue du christianisme, du rationalisme et de Freud en ce qui a trait au corps et à la sexualité.

3. En quoi Nietzsche annonce-t-il Freud ? Faites ressortir les ressemblances et les différences qui existent entre ces auteurs quant aux instincts (pulsions) et au rôle de la raison.

TEXTES À L'ÉTUDE

Texte 1 : *Abrégé de psychanalyse* (extrait)

Freud (1970), p. 3-6

C'est l'étude de l'évolution des individus qui nous a permis de connaître cet appareil psychique. Nous donnons à la plus ancienne de ces provinces ou instances psychiques le nom de *ça*; son contenu comprend tout ce que l'être apporte en naissant, tout ce qui a été constitutionnellement déterminé, donc, avant tout, les pulsions émanées de l'organisation somatique et qui trouvent dans le ça, sous des formes qui nous restent inconnues, un premier mode d'expression psychique.

Sous l'influence du monde extérieur réel qui nous environne, une fraction du ça subit une évolution particulière. À partir de la couche corticale originelle pourvue d'organes aptes à percevoir les excitations ainsi qu'à se protéger contre elles, une organisation spéciale s'établit qui, dès lors, va servir d'intermédiaire entre le ça et l'extérieur. C'est à cette fraction de notre psychisme que nous donnons le nom de *moi*.

Caractères principaux du moi. — Par suite des relations déjà établies entre la perception sensorielle et les actions musculaires, le moi dispose du contrôle des mouvements volontaires. Il assure l'auto-conservation et, pour ce qui concerne l'extérieur, remplit sa tâche en apprenant à connaître les excitations, en accumulant (dans la mémoire) les expériences qu'elles lui fournissent, en évitant les excitations trop fortes (par la fuite), en s'accommodant des excitations modérées (par l'adaptation), enfin en arrivant à modifier, de façon appropriée et à son avantage, le monde extérieur (activité). Au-dedans, il mène une action contre le ça en acquérant la maîtrise des exigences pulsionnelles et en décidant si celles-ci peuvent être satisfaites ou s'il convient de différer cette satisfaction jusqu'à un moment plus favorable ou encore s'il faut les étouffer tout à fait. Dans son activité, le moi est guidé par la prise en considération des tensions provoquées par les excitations du dedans ou du dehors. Un accroissement de tension provoque

généralement du *déplaisir*, sa diminution engendre du *plaisir*. Toutefois, le déplaisir ou le plaisir ne dépendent probablement pas du degré absolu des tensions mais plutôt du rythme des variations de ces dernières. Le moi tend vers le plaisir et cherche à éviter le déplaisir. À toute augmentation attendue, prévue, de déplaisir correspond un *signal d'angoisse*, et ce qui déclenche ce signal, du dehors ou du dedans, s'appelle *danger*. [...]

Durant la longue période d'enfance qu'il traverse et pendant laquelle il dépend de ses parents, l'individu en cours d'évolution voit se former, comme par une sorte de précipité, dans son moi une instance particulière par laquelle se prolonge l'influence parentale. Cette instance, c'est le *surmoi*. Dans la mesure où le surmoi se détache du moi ou s'oppose à lui, il constitue une troisième puissance dont le moi est obligé de tenir compte.

Est considéré comme correct tout comportement du moi qui satisfait à la fois les exigences du ça, du surmoi et de la réalité, ce qui se produit quand le moi réussit à concilier ces diverses exigences. Toujours et partout, les particularités des relations entre moi et surmoi deviennent compréhensibles si on les rapporte aux relations de l'enfant avec ses parents. Ce n'est évidemment pas la seule personnalité des parents qui agit sur l'enfant, mais transmises par eux, l'influence des traditions familiales, raciales et nationales, ainsi que les exigences du milieu social immédiat qu'ils représentent. Le surmoi d'un sujet, au cours de son évolution, se modèle aussi sur les successeurs et sur les substituts des parents, par exemple sur certains éducateurs, certains personnages qui représentent au sein de la société des idéaux respectés. [...]

[...] Il convient d'admettre l'existence d'un surmoi partout où, comme chez l'homme, l'être a dû subir, dans son enfance, une assez longue dépendance.

Repérez les idées et analysez le texte.

Dans un court texte, résumez l'analyse que fait Freud des trois composantes de la personne.

Texte 2 : *Grandeur et limites de la pensée freudienne* (extrait)

Fromm (1980), p. 49-51

La philosophie matérialiste, avec le refoulement, très répandu, des désirs sexuels, fut la base sur laquelle Freud construisit le contenu de l'inconscient. Il ignorait en outre le fait que, très souvent, les pulsions sexuelles ne devaient ni leur présence ni leur intensité au substrat physiologique de la sexualité, mais qu'au contraire, elles étaient fréquemment le produit de pulsions entièrement différentes, qui en elles-mêmes n'avaient rien de sexuel. Par exemple, la source du désir sexuel d'un individu peut être son **narcissisme**, son sadisme, sa tendance à soumettre autrui ou, simplement, l'ennui ; tout le monde sait que le pouvoir et la richesse sont des éléments importants de l'éveil des désirs sexuels.

Narcissisme
Fait de porter une attention exclusive à soi-même.

De nos jours, deux ou trois générations seulement après Freud, il est devenu évident que dans la culture urbaine la sexualité n'est pas le principal objet du refoulement. Au contraire, depuis que l'homme de la masse est destiné à devenir un *homo consumens* [consommateur], le sexe est devenu l'un des principaux articles de consommation (et, en fait, l'un des moins coûteux), qui crée l'illusion du bonheur et de la satisfaction.

Les conflits que l'on peut observer chez l'homme entre les tendances conscientes et inconscientes sont très différents les uns des autres. Voici la liste de quelques-uns de ces conflits, parmi les plus fréquents :

- Conscience de la liberté – privation inconsciente de la liberté.
- Conscience d'avoir bonne conscience – dépression inconsciente.
- Honnêteté consciente – tricherie inconsciente.
- Conscience de l'individualisme – suggestibilité inconsciente.
- Conscience de la confiance – cynisme et manque total de confiance inconscients.
- Conscience du pouvoir – sentiment inconscient d'impuissance.
- Conscience d'aimer – indifférence ou haine inconscientes.
- Conscience d'être actif – passivité et paresse psychique inconscientes.

Telles sont les véritables contradictions qui, aujourd'hui, sont refoulées et rationalisées. Elles existaient déjà du temps de Freud mais, pour certaines d'entre elles, moins rigoureusement que de nos jours. Cependant, chose plus importante, Freud ne leur prêtait pas attention parce qu'il était obnubilé par le sexe et son refoulement.

Repérez les idées et analysez le texte.

Dans ce texte, Fromm remet en question la primauté de la sexualité dans la constitution de l'inconscient. Résumez sa critique.

LECTURES SUGGÉRÉES

Freud, S. (1970). *Abrégé de psychanalyse*. Paris : PUF.

Freud, S. (1968). *Métapsychologie*. Paris : Gallimard.

Freud, S. (1966). *Cinq leçons sur la psychanalyse*. Paris : Payot.

Freud, S. (1936). *Nouvelles conférences sur la psychanalyse*. Paris : Gallimard.

Freud, S. (1933). « Pourquoi la guerre ? Lettre à Einstein », dans *Résultats, idées, problèmes*. Paris : PUF.

Fromm, E. (1980). *Grandeur et limites de la pensée freudienne*. Paris : Robert Laffont.

CHAPITRE 11

L'existentialisme sartrien : liberté et intersubjectivité

L'essentiel n'est pas ce qu'on a fait de l'homme, mais ce qu'il fait de ce qu'on a fait de lui.

Jean-Paul Sartre

Introduction

« On ne met pas Voltaire en prison. » C'est par ces mots que le président français Charles de Gaulle répondait aux détracteurs de Sartre qui voulaient l'envoyer derrière les barreaux. En 1980, à la mort du philosophe, essayiste et romancier, son cortège funèbre s'étendait sur plus de 3 kilomètres et 50 000 personnes assistaient à son enterrement.

Surnommé « le pape de l'existentialisme », « le dernier philosophe », « le philosophe du siècle », Sartre tirera jusqu'au bout les conséquences des révolutions darwinienne et copernicienne et celles de la proclamation de Nietzsche qui annonçait la mort de Dieu. « Nous sommes seuls, sans excuses », dira-t-il. Rien ne justifie notre existence. L'homme n'est rien d'autre que l'ensemble de ses actes, rien d'autre que sa vie, « l'homme est liberté ». Pour lui, l'être humain est radicalement et irrémédiablement libre. Mais que faire de cette liberté ? La réponse de Sartre : il faut lutter pour que tous soient libres et s'engager auprès des autres, car le rapport aux autres, l'intersubjectivité, est inséparable de ce que nous sommes. Toute la vie de Sartre a été l'illustration de cet **engagement**.

Engagement
L'être humain ne peut se contenter d'être un simple spectateur, car il appartient au monde, il y est engagé, il est « un homme parmi les hommes ». Il doit prendre position et se mettre au service d'une cause.

Notes biographiques

Jean-Paul Sartre, neveu du médecin Albert Schweitzer, est né à Paris en 1905 et y est mort en 1980. C'est un essayiste qui a tracé des portraits pénétrants et parfois cinglants dont ceux de Baudelaire, de Genet et de Flaubert. En tant que romancier et dramaturge, on lui doit des classiques comme *La nausée* et *Huis clos,* où il met en scène les principaux thèmes de sa philosophie. Sartre est aussi le fondateur, avec Maurice Merleau-Ponty (1908-1961) et Simone de Beauvoir (1908-1986), de la revue *Les temps modernes,* publication politiquement engagée qui aborde toutes les grandes questions d'actualité. Après l'invasion de la Hongrie par les troupes soviétiques en 1956, Sartre, qui était sympathisant du Parti communiste depuis 1952, rompt avec cette organisation et ouvre les pages de sa revue aux dissidents des pays de l'Est.

Son œuvre, dont le retentissement est énorme, est couronnée par un prix prestigieux en 1964. Mais Sartre refuse le prix Nobel de littérature. Il ne voit pas pourquoi ces « vieux messieurs », comme il l'explique, le couronneraient, car la seule consécration qui l'intéresse est celle qui pourrait venir de ses lecteurs.

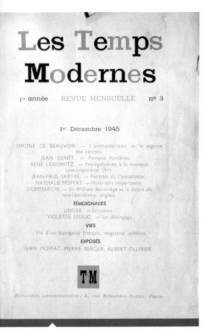

La revue *Les temps modernes* fondée par Jean-Paul Sartre, Maurice Merleau-Ponty et Simone de Beauvoir.

Sartre s'illustrera également en tant que militant politique. Il participera à la guerre d'Algérie et à la fondation du réseau Jeanson, lequel viendra en aide aux combattants algériens. Pour cela, l'extrême droite fera sauter son appartement. Il s'engagera dans l'aventure du Tribunal Russell, mis sur pied pour juger les crimes de guerre américains au Viêtnam. Avec d'autres personnalités françaises, telles que Yves Montand et Simone Signoret, il signera quantité de manifestes et de pétitions. Fait moins connu, il signera une pétition – et accordera une entrevue à des étudiants québécois à Paris – contre la suspension des libertés civiles et la présence de l'armée canadienne au Québec lors de la crise d'Octobre (1970) ; cette entrevue fut reproduite dans le *Bulletin d'histoire politique* (vol. 5, n° 3).

Au moment de la révolte étudiante de mai 1968 en France, révolte qui s'accompagne d'une grève générale de 10 millions de travailleurs, on voit Sartre sur les barricades. Par la suite, de nombreux groupes d'extrême gauche sont interdits et Sartre prend la responsabilité juridique de journaux comme *La cause du peuple* et *Tout*. On le voit sur toutes les tribunes pourfendre la répression politique. En 1973, il participe à la création du quotidien *Libération*.

Sartre, dont l'autobiographie *Les mots* foisonne de phrases incisives qui coulent de source – *Le petit Robert* cite d'ailleurs de nombreux extraits de son œuvre en exemple –, est paradoxalement l'auteur de deux œuvres parmi les plus arides et les plus indigestes de la littérature philosophique : *L'être et le néant* (1943) et *Critique de la raison dialectique* (1960). C'est dans ce dernier ouvrage qu'il tente de conjuguer existentialisme et marxisme. Il donnera un condensé vulgarisé de sa philosophie existentialiste dans *L'existentialisme est un humanisme*.

L'existentialisme : le contexte

Les existentialistes n'ont pas véritablement de doctrine unifiée. Ils se caractérisent davantage par l'importance qu'ils accordent à certains thèmes tels que la subjectivité, l'expérience vécue, l'angoisse ou le sens de la vie. Certains d'entre eux sont croyants, comme le philosophe danois Søren Kierkegaard (1813-1855), précurseur de l'existentialisme, et le philosophe allemand Karl Jaspers (1883-1969), alors que d'autres, tels que Sartre, sont athées. L'une des figures dominantes du mouvement existentialiste est Martin Heidegger (1889-1976), dont la pensée influença Sartre. Par certains côtés, Nietzsche prépare la venue du mouvement existentialiste.

Existentialisme
Philosophie qui se distingue davantage par les thèmes qu'elle aborde (le sens de la vie, le vécu, l'angoisse, etc.) que par une doctrine unifiée.

L'**existentialisme** a été alimenté par un événement capital. Au début du XXᵉ siècle, l'impensable se produit : c'est la Première Guerre mondiale, laquelle fait 10 millions de victimes. Cette catastrophe sans précédent par l'ampleur des destructions qu'elle entraîne marque profondément ceux qui en sont témoins. C'est le voyage au bout de la nuit. Personne ne croyait que des nations « civilisées » descendraient si bas et emploieraient des méthodes aussi barbares que les gaz asphyxiants et les armes de destruction massive telles que les avions et les chars d'assaut. Pour la première fois dans une guerre conventionnelle, les populations civiles sont aussi massivement la cible des armées, qui massacrent des innocents. À la suite de ce conflit, on parlera de « génération perdue » et l'on jurera : « Jamais plus. » Tout a changé ; la remise en question des grandes valeurs issues du Siècle des Lumières, entamée par Nietzsche, est plus que jamais urgente. On avait cru que les progrès de la raison et des sciences apporteraient la paix et le bonheur éternels à l'humanité. Cette idée s'était imposée telle une évidence au XIXe siècle, avec la révolution industrielle et le développement des sciences et des techniques. Les esprits les plus éclairés étaient alors convaincus que le progrès n'aurait pas de fin. Pour eux, ce n'était qu'une question de temps avant que la guerre, l'ignorance, la souffrance, la maladie et la pauvreté ne soient éradiquées de la planète. Avec la Première Guerre mondiale, ces grands idéaux sont pulvérisés. La science et la technique n'apportent pas que des bienfaits : elles peuvent être mises au service de la mort, et la raison peut devenir un instrument de destruction. C'est l'incompréhension : il ne semble plus y avoir de réponses.

Les existentialistes prennent acte de ces changements. Devant les institutions sociales qui n'ont

Pour Sartre, l'écriture était une forme d'action et de combat.

pas réussi à contenir la barbarie, ils prennent conscience des limites de la raison et de l'incapacité de celle-ci à rendre compte de l'individu dans sa singularité. Ils prennent au sérieux le sentiment d'absurdité de l'existence et la nécessité d'inventer de **nouvelles valeurs.** À l'encontre des sciences humaines, qui étudient l'être humain en tant que phénomène parmi d'autres dans le monde, ils insistent sur la notion de subjectivité, c'est-à-dire sur l'expérience vécue et la condition particulière de chaque individu.

L'existence est sans fondement

Pour le chrétien, Dieu est l'auteur de la vie, il a écrit le scénario que l'homme doit jouer dans le cadre précis des indications fournies par la Bible. En fait, l'être humain correspond à une certaine définition, à une image : il est créé selon un plan. Son destin est là, tracé devant lui, les valeurs sont écrites dans le ciel : aimer son prochain, ne pas mentir, ne pas voler, etc. Son existence est **fondée** et **justifiée.** Il a une raison d'être : faire la volonté de Dieu pour le salut de son âme.

> Chez Sartre, la facticité désigne l'impossibilité de trouver un principe fondateur de l'existence humaine.

C'est toute cette image de l'être humain que Sartre **récuse.** Dieu n'existe pas ; il n'y a pas d'arrière-monde ni de principe éternel. Loin de s'en réjouir, Sartre trouve ce constat très gênant, car, en l'absence de Dieu « disparaît toute possibilité de trouver

Récuser
Refuser, rejeter, repousser.

des valeurs dans un ciel intelligible[1] ». Il n'y a **aucune justification** à la vie de l'homme, aucune nécessité à sa présence sur terre. Aucune valeur, aucune raison n'est donnée d'avance. **Il existe. Voilà tout.** Il est là, par hasard, sans savoir pourquoi, dans ce corps plutôt que dans un autre. L'antihéros de Sartre dans *La nausée*, Roquentin, constate : « Tout commence par la contingence. » Cette impossibilité de trouver un principe fondateur de l'existence, Sartre l'appelle la facticité.

Si cette absence de repères ou de références débouche sur un constat d'absurdité, il sera dépassé dans le projet humain par lequel l'homme s'invente, se projette dans l'avenir et crée les valeurs qui donneront un sens à sa vie.

Contingence
Caractère de ce qui peut ne pas être. Terme qui s'oppose à « nécessité ». Chez Sartre, désigne le fait qu'il n'y a aucune raison à la vie de l'homme, aucune nécessité à sa présence sur terre.

L'être humain est l'auteur de sa vie

Quand on crée un objet, on est un peu comme Dieu face à sa création. On a une idée de ce qu'il sera, de ce à quoi il servira, et l'on possède un ensemble de recettes, un plan pour le fabriquer. On le définit au préalable, il existe dans son esprit (comme une essence) avant d'exister dans la réalité. L'être humain est différent : il n'y a pas de recette ni de mode d'emploi, **il existe d'abord et se définit ensuite.** En effet, au départ, il n'est rien : « Il ne sera qu'ensuite, et il sera tel qu'il se sera fait[2]. » C'est ce que veut dire Sartre quand il affirme que l'existence précède l'essence.

L'existence de Dieu donne un sens à la vie. C'est un guide pour les conduites de l'être humain. Mais Sartre soutient qu'il n'existe aucun point de référence : l'homme est seul, sans béquilles ; il doit créer les valeurs qui donneront un sens à sa vie.

Autrement dit, l'être humain ne se définit pas comme une table. La nature, l'essence de la table, détermine ses possibilités, définit ce qu'elle peut faire : supporter des objets et non frapper des balles ou faire bouillir de l'eau. L'être humain, lui, ne connaît pas ces limites. Il n'est pas défini par sa nature, mais par les gestes qu'il accomplit, par les choix qu'il fait dans le cours de son existence. Ses possibilités ne sont pas **délimitées** par son essence, il peut transcender sa constitution biologique ; même la mort ne l'atteint pas (*voir la section intitulée « La liberté en situation », p. 210*). Il est totalement plastique et peut choisir d'être ce qu'il veut. C'est pourquoi Sartre affirme que la nature humaine n'existe pas (*voir la rubrique* Texte à l'étude, *p. 218-220*). Autrement dit, l'être humain n'est pas comme une abeille dont le destin est connu d'avance ; l'essence de l'abeille, sa nature, est d'être successivement nourrice, maçonne et butineuse. Ainsi, Sartre s'oppose notamment à Freud, selon qui il est dans la nature humaine d'avoir des pulsions et des besoins physiologiques ; il est impossible de **choisir** de ne pas en avoir.

L'être humain se définit par son projet, par ses actes

Comme l'être humain ne peut trouver aucun fondement en lui-même, ni hors de lui, qu'il est seul et sans secours – expérience que Sartre appelle **délaissement** –, sa seule issue est l'engagement vers l'avenir. Cet engagement prend la forme du **projet** inscrit dans des actes ; c'est une projection de l'être humain vers ce qui **n'est pas**[3]. C'est pourquoi Sartre définit sa philosophie comme une doctrine d'action.

---

1. Sartre (1970a), p. 35.
2. *Ibid.*, p. 22.
3. Sartre (1943), p. 511.

Le projet se définit par sa fin, son but[4]. L'être humain se construit donc en agissant en fonction des buts qu'il se fixe, en faisant des choix (être héros ou lâche, déserteur ou combattant, etc.). En posant une fin, il s'arrache tant au passé qu'à la réalité présente dans laquelle il est englué. Il transcende les déterminismes (hérédité, milieu, etc.), dépasse chaque instant de sa vie et s'invente par ses choix. Il se projette hors de l'existence dans l'avenir incertain.

> L'être humain se définit par son projet, par les buts qu'il se donne, les choix qu'il fait. Il n'est rien d'autre que ses actes.

> [...] ça n'est pas en se retournant vers lui, mais toujours en cherchant hors de lui un but qui est telle libération, telle réalisation particulière que l'homme se réalisera précisément comme humain[5].

L'éternelle remise en question

L'être humain est condamné à se créer, à se faire à travers ses choix, lesquels ne sont qu'un moyen d'atteindre certaines fins[6]. Cependant, ses aspirations à la quiétude et son goût des certitudes sont constamment déçus, car ses choix sont sans cesse remis en question.

> La condition humaine implique un perpétuel arrachement au passé et au présent. L'humain doit se projeter dans l'avenir et faire des choix qui sont perpétuellement remis en question. Rien n'est sûr et il doit constamment se réinventer.

> Ainsi sommes-nous perpétuellement menacés de la néantisation de notre choix actuel, perpétuellement menacés de nous choisir et par conséquent de devenir autres que nous sommes[7].

L'existentialisme n'est pas de tout repos. L'individu ne coïncide jamais parfaitement avec ce qu'il est ; il a l'étrange sentiment de ne plus savoir qui il est. Il cherche un but qui est **hors** de lui, dans un avenir inexistant. Et **il n'est déjà plus ce qu'il est,** puisque, pour être son projet, il doit s'arracher à son passé et à sa situation présente. Il est condamné à se réinventer perpétuellement. De plus, il n'y a rien de vraiment sûr... que du probable. S'il désire devenir médecin, son choix pourrait être remis en question par la maladie ou la ruine de sa famille. Il en est ainsi de tout ce qu'il entreprend. Il doit agir sans espoir. Il fera tout pour que son action réussisse ; en dehors de cela, il ne pourra compter sur rien, car l'être humain est libre et « [les] hommes décideront librement demain de ce que sera l'homme[8] ».

> Pour exister, l'être humain doit nier sa réalité actuelle et se dépasser dans son projet.

Et le néant…

L'être humain est « [un] être par quoi le néant vient aux choses ». Le propos est aride. On pourrait sans doute affirmer la même chose de la théorie de la relativité. Mais qu'y a-t-il à comprendre dans tout cela ?

Tout d'abord, l'être humain est constamment dans une attitude interrogative par rapport au monde ; il s'interroge notamment sur le sens de l'existence. Or, il est possible que l'existence n'ait pas de sens, que l'être humain soit devant le néant.

Néant

Concept métaphysique. Chez Sartre, le néant fait partie de la réalité. L'être humain est néant, car il a la capacité de se nier, de s'abolir en se projetant dans une fin non existante ; il est « manque de... ».

4. *Ibid.,* p. 530.
5. Sartre (1970a), p. 94.
6. Sartre (1943), p. 551.
7. *Ibid.,* p. 543.
8. Sartre (1970a), p. 53-54.

Sartre rejette toute forme de déterminisme. L'être humain ne peut se réfugier derrière quelque excuse que ce soit. Il est entièrement responsable de sa vie.

Mauvaise foi
Attitude de l'individu qui se fuit, cherche des excuses et refuse de faire face à lui-même.

Le néant, c'est aussi que l'être humain n'est pas défini d'avance, qu'il doit se faire, s'inventer, d'où l'angoisse. Il est « **manque de…** », dans la mesure où il se projette dans une fin qui **n'existe pas.** Cette situation, Sartre la décrit comme un trou d'être, un néant.

De plus, en posant certaines fins, l'être humain nie la réalité, en tout ou en partie. Il la néantise, l'abolit et se nie lui-même. Il « se laisse derrière lui-même[9] » comme quelque chose qu'il n'est déjà plus. Sartre illustre ce pouvoir de néantisation par l'exemple du révolutionnaire qui veut changer la réalité en s'impliquant dans la lutte pour une société meilleure. Tout d'abord, il pose un état idéal, la société juste, comme n'existant pas. Il est en **manque de** société idéale ; c'est une première néantisation. Ensuite, il pose la situation actuelle comme néant par rapport à la société idéale ; il nie la société existante. Il opère une deuxième néantisation.

Une responsabilité… illimitée !

Si l'être humain n'est que ce qu'il fait de lui-même, il détient la responsabilité de ce qu'il est et de ce qu'il devient. Il est donc entièrement responsable de son existence. Il ne peut invoquer **aucune circonstance atténuante,** ni se réfugier derrière aucun déterminisme. Pour Sartre, celui qui se cherche des excuses fait preuve de mauvaise foi ; il tente d'échapper à lui-même, il se fuit et se ment, par exemple en se cachant derrière l'inconscient pour avoir fait tel geste.

C'est l'une des raisons pour lesquelles l'existentialisme n'est pas très populaire. En effet, il arrive souvent que les gens n'aient qu'une manière de supporter leur mal de vivre, en invoquant les circonstances extérieures : « Je n'ai pas fait cela, car les circonstances étaient contre moi, mais je vaux beaucoup mieux », « Si je n'ai pas connu le grand amour, c'est parce que je n'ai rencontré personne qui en vaut la peine », « Si je n'ai pas écrit de grands livres, c'est parce que je n'en ai pas eu le loisir[10] ».

Sartre au café de Flore vers 1945.

---

9. Sartre (1943), p. 558.
10. Sartre (1970a).

En réalité, dit Sartre, il n'y a pas d'amour autre que celui qui se construit, ni de génie autre que celui qui s'exprime dans des œuvres d'art.

Le déterminisme est rassurant : si une personne est ainsi, c'est par la faute de sa mère, de la société ou de ses gènes. Or, selon Sartre, tout le mérite ou toute la faute ne revient qu'à la personne seule, et l'alcoolique ne peut invoquer son enfance malheureuse pour justifier ses actes. Les bourreaux nazis, du grand chef au dernier exécutant, portent l'entière responsabilité de leurs crimes. Ils ont fait un choix.

L'être humain n'est pas responsable que de lui seul, mais de tous. Par ses actes, il se crée, mais il crée également une image de l'être humain tel qu'il doit être. Quand un individu choisit une conduite, par exemple la monogamie ou le célibat, ou encore une option politique, il affirme la valeur de son choix. S'il le fait, c'est parce que c'est bon pour tout le monde et pas seulement pour lui. Il crée une image, il impose une certaine conception de l'être humain et, en s'engageant, il engage l'humanité entière.

Milgram : la responsabilité et l'obéissance

Sartre affirme qu'une philosophie qui met l'accent sur la responsabilité « fait horreur à un certain nombre de gens ». Effectivement, le fait que plusieurs fuient la responsabilité et se cachent derrière l'autorité a été démontré de façon éloquente par l'expérience célèbre de Stanley Milgram, maintes fois rééditée.

On se souviendra que ce psychologue américain a recruté ses sujets dans les petites annonces, sous le couvert d'une expérience scientifique visant à tester la valeur de la punition dans le développement de la mémoire. Cette expérience impitoyable a par ailleurs été mise en scène dans le film *I comme Icare*, mettant en vedette Yves Montand. Les sujets étaient reçus dans un établissement universitaire par des expérimentateurs en blouse blanche (représentant l'autorité). Lorsque l'élève – de mèche avec les expérimentateurs – qui devait mémoriser des couples de mots se trompait, les sujets devaient lui envoyer des décharges électriques. La première erreur entraînait une décharge de 15 volts, la deuxième une décharge de 30 volts, et ainsi de suite jusqu'à un maximum de 450 volts, ce qui est suffisant pour causer la mort. Ces décharges étaient fictives (ce qu'ils ignoraient), et l'élève était un excellent comédien. L'expérimentateur disait aux sujets qu'il prenait l'entière responsabilité de leurs gestes et exigeait une obéissance aveugle dans l'intérêt de l'expérience.

De 65 % à 85 % des sujets sont allés jusqu'au bout : ils étaient prêts à faire passer de vie à trépas une personne qui ne leur avait rien fait, par soumission volontaire à l'autorité.

Beauvois rappelle comment les étudiants du psychologue Birbrauer invoquaient des facteurs personnels pour expliquer ces comportements. C'étaient des « personnalités sadiques », « mal dans leur peau ». Or, on ne peut expliquer par des traits personnels ou individuels des comportements aussi généralisés. Selon Beauvois, ils « négligeaient copieusement le poids causal de la situation[11] ». Cela revient à invoquer des traits de personnalité pour expliquer la raison pour laquelle les gens arrêtent au feu rouge.

> Les humains se cachent souvent derrière l'autorité, « les ordres », pour fuir toute responsabilité.

11. Beauvois (1994), p. 8.

Ces expériences démontrent qu'en manipulant les conditions de façon adéquate, on obtient, à grande échelle, des comportements précis. Elles révèlent qu'on cherche souvent à se délester de ce fardeau qu'est la liberté. Par ailleurs, elles remettent en question le point de vue de l'existentialisme sartrien sur le déterminisme et illustrent bien les propos de Langaney que nous avons cités précédemment (*voir le chapitre 1, p. 19*). L'être humain apprend tellement bien, est si bien formé à **l'obéissance,** qu'il tend vers ce qu'on pourrait presque – la nuance est importante – qualifier d'automate socioculturel. En d'autres termes, les conditionnements existent, et l'objection que pourrait faire Sartre, à savoir que l'on s'est choisi obéissant ou désobéissant, n'est pas recevable. En dernier ressort, ces expériences illustrent que la désobéissance à une autorité irrationnelle est indispensable à l'« humanitude ». Le respect de la vie des uns appelle souvent le refus des ordres des autres.

La liberté

L'être humain est responsable : il choisit ce qu'il sera. Il est donc libre, entièrement et totalement. La liberté « se définit par la fin qu'elle projette, c'est-à-dire par le futur qu'elle a à être[12] ». En termes plus clairs, la liberté, c'est faire des **choix.** Bien sûr, on ne choisit pas de naître dans une famille pauvre, esclave dans une plantation du sud des États-Unis ou d'être mobilisé pour la guerre, comme Sartre le fut lors de la Seconde Guerre mondiale. La liberté se présente toujours dans un cadre précis que l'on n'a pas choisi : la liberté est en **situation**. Or, c'est à partir de ces conditions que l'on n'a pas choisies que la liberté commence. Par exemple, si je suis esclave, j'ai le choix d'accepter ma condition ou de me révolter.

> **Situation**
> Pour Sartre, l'être humain est en situation (son lieu de naissance, sa classe sociale, son entourage, sa mort, etc.). Définit les limites de la liberté.

Le même raisonnement est valable pour l'individu mobilisé pour une guerre. Il doit **assumer** sa situation « avec la conscience orgueilleuse d'en être l'auteur[13] ». Assumer sa situation, c'est choisir son projet face à cette guerre. Je peux m'y soustraire par le suicide ou la désertion. « Faute de m'y être soustrait, je l'ai choisie. [Alors,] cette guerre est ma guerre, elle est à mon image et je la mérite. » J'en porte l'entière responsabilité, « car il a dépendu de **moi** que pour moi et par moi cette guerre n'existe pas et j'ai décidé qu'elle existe. Il n'y a aucune **contrainte,** car la contrainte ne saurait avoir aucune prise sur la liberté[14] ».

> La liberté, c'est faire des choix.

La liberté en situation

La liberté s'inscrit dans les limites – ou le cadre – qui constituent la situation d'un individu : le lieu où il est né, la classe sociale à laquelle il appartient, les gens qui font partie de son entourage, sa mort, etc. Ces limites représentent ce que Sartre appelle la condition humaine. Elles ne constituent en rien des contraintes, et le projet de l'individu face à elles est « comme un essai pour franchir ces limites ou pour les reculer ou pour les nier ou pour s'en accommoder[15] ».

---

12. Sartre (1943), p. 577.
13. *Ibid.,* p. 639.
14. *Ibid.,* p. 640. (Nous soulignons.)
15. Sartre (1970a), p. 69.

La liberté consiste donc à choisir une conduite face à sa situation et à faire des gestes concrets pour accepter ces limites ou les dépasser. C'est accepter son esclavage ou briser ses fers; c'est accepter d'aller à la guerre, de vivre en fugitif ou de se suicider. Et il est impossible de ne pas choisir. Refuser de choisir, c'est encore choisir. Le choix appartient en toute liberté à chaque individu, au point où la mort ne constitue en aucune façon une contrainte, car «c'est **l'autre** qui est mortel dans son être. Il n'y a aucune place pour la mort dans l'être-pour-soi (la conscience)[16]». En conclusion, «l'esclave est aussi libre dans les chaînes que son maître [...], il est libre pour les briser[17]».

L'intersubjectivité

Le point de départ de Sartre dans *L'être et le néant* est l'analyse de la conscience, de la subjectivité. C'est elle qui est le fondement du monde; c'est la seule chose sûre qui ne transforme pas l'être humain en objet. On perçoit ici l'influence de Descartes. Cependant, contrairement à Descartes, qui restait enfermé dans son cogito – jusqu'à ce que Dieu vienne l'en tirer en lui garantissant l'existence du monde extérieur –, chez Sartre, la conscience est conscience de soi et de l'autre. Elle mène aux autres, qui «sont aussi certains pour nous que nous-mêmes. Ils sont la condition de mon existence. Ils sont indispensables à mon existence[18]».

C'est à travers les autres que je prends conscience de moi-même, que j'apprends que je suis drôle, agréable, insupportable ou rien du tout. Si je crois que je suis drôle, mais qu'en réalité je suis la personne la plus ennuyeuse du monde, les autres, par leur attitude, se chargeront de me l'apprendre. Je suis telle chose parce que **les autres le reconnaissent.** Sartre illustre cette idée en prenant l'exemple d'un individu qui se fait prendre à regarder par le trou de la serrure. Celui qui a vu la personne commettre cette indiscrétion porte un jugement sur ce geste: à ses yeux, l'indiscret n'est qu'un voyeur. Celui-ci est ainsi figé dans ce rôle et, malgré lui, il épouse cette image. C'est l'autre qui me rend vulnérable par les jugements qu'il pose sur moi. Je réagis à l'autre en répondant à ses attentes ou en refusant de le faire. Lorsque je fais tout pour lui plaire, c'est que je crains son regard, que j'ai peur de son jugement. Il suffit de penser aux enfants qui ont intégré l'image que leurs parents leur renvoyaient: «T'es imbécile, t'es bon à rien, tu feras rien de ta vie.»

> Les autres sont indispensables à mon existence.

Cependant, si les autres me font tel que je suis, beau, intelligent ou ventripotent, que reste-t-il de ma liberté? Je suis libre d'épouser ou de répudier cette image.

Le corps

L'être humain est conscience et corps tout à la fois. Il ne s'agit pas de deux substances que l'on peut scinder. Si Sartre échappe au dualisme du corps et de l'esprit, dilemme dans lequel Descartes est resté enfermé, on se demande si ce n'est pas pour en réintroduire un autre, celui du corps-pour-autrui et du corps-pour-soi.

16. Sartre (1943), p. 631. (Nous soulignons.)
17. *Ibid.*, p. 635.
18. Sartre (1970a), p. 67.

Mon corps est jugé par les autres, qui ont des points de vue sur lui que je ne pourrai jamais avoir. L'autre me transforme ainsi en **objet** et s'approprie mon corps, qui m'échappe. Je suis aliéné par le regard d'autrui, qui lui prête une personnalité autre, par exemple celle de voyeur. Dans sa pièce *Huis clos,* Sartre illustre de façon saisissante la puissance du regard d'autrui. Les personnages de cette pièce, qui ne se connaissaient pas de leur vivant, se retrouvent en enfer. Il n'y a ni feu ni instruments de torture. Leur peine : devoir passer l'éternité ensemble sous le regard et le jugement impitoyables des autres. À la fin de la pièce, l'un d'eux, comprenant le sens du châtiment qu'ils doivent subir, s'écrie : « L'enfer, c'est les autres. »

> Les autres sont, au fond, ce qu'il y a de plus important en nous-mêmes pour notre propre connaissance de nous-mêmes. [Cependant,] si mes rapports avec les autres sont mauvais, je me mets dans la totale dépendance d'autrui et alors, en effet, je suis en enfer[19].

« On ne naît pas femme »

La plupart des existentialistes contemporains ont emboîté le pas au mouvement d'émancipation de la femme. Cependant, c'est Simone de Beauvoir, compagne et confidente de Sartre, associée au mouvement existentialiste, qui fut la figure de proue de ce combat.

La publication du *Deuxième sexe,* en 1949, commence à sonner le glas des « valeurs viriles » en Occident. À l'Ouest, cet ouvrage fut le déclencheur du mouvement de masse le plus important de la deuxième partie du XXe siècle. Beauvoir eut une influence immense sur le féminisme américain et occidental et, par-delà, sur la société tout entière. La redéfinition profonde des rôles masculin et féminin dont elle fut l'interprète est attestée par la réalité du dernier demi-siècle.

L'existentialisme rejette toute notion de « nature humaine » et, par conséquent, l'idée d'une « nature féminine » confinant la femme dans des rôles et dans des territoires précis. Beauvoir s'est attaquée à tous les courants de pensée selon lesquels la place de la femme découle d'une présumée nature féminine. À Freud, pour qui l'anatomie est le destin, Beauvoir opposa son désormais classique : « On ne naît pas femme, on le devient[20]. » L'éternel féminin est un mythe, une illusion, car « c'est l'ensemble de la civilisation qui élabore ce produit[21] ».

« On ne naît pas femme, on le devient. »

Pour Beauvoir, la simple juxtaposition du droit de vote et d'un métier n'est pas la libération parfaite : « [...] le travail aujourd'hui n'est pas liberté[22]. » Quand *Le deuxième sexe* fut publié, Beauvoir pensait que le socialisme pourrait seul garantir l'émancipation des femmes.

L'influence de Sartre fut immense de son vivant. Aujourd'hui, avec le recul, on constate que ce sont les thèses de Simone de Beauvoir qui ont marqué le plus profondément le XXe siècle. Au point que, aux funérailles de l'écrivaine, la philosophe Élisabeth Badinter prononça ces mots lourds de sens : « Femmes, vous lui devez tout. »

---

19. Sartre, introduction de la version sur disque de *Huis clos.*
20. Beauvoir (1949), p. 287.
21. *Ibid.*
22. *Ibid.,* p. 522.

La liberté et la contrainte

Selon Sartre, la situation de l'être humain n'est pas une contrainte; sa liberté est absolue. Elle n'a aucune limite, sinon celles qu'elle se donne. C'est elle qui détermine le «coefficient d'adversité» des choses et la résistance qu'elles opposent. Mais en quoi le choix que l'on fait entre le suicide et la participation à la guerre est-il un véritable choix? Que signifie «être libre» si la «seule issue est d'assumer une contrainte[23]»?

Sartre et Simone de Beauvoir en 1948.

---

23. Hodard (1979), p. 23.

La liberté définie par l'existentialisme sartrien a peu de portée pratique. Comment est-on libre si son choix est conditionné par sa situation ? Plus encore, Sartre affirme que l'on est condamné à faire des choix. L'acte que l'on fait en « choisissant » est donc un acte que l'on ne peut pas ne pas faire. Comme le disait l'un de nos étudiants, l'esclave noir est peut-être libre de briser ses chaînes ou de vivre sa vie d'esclave, mais « il ne peut décider d'être blanc pour filer sans être reconnu[24] ». De plus, si chacune des actions de l'être humain est libre, tout est liberté et l'on n'a aucun repère **pour distinguer un acte libre d'un acte qui ne l'est pas**[25].

> Selon Sartre, l'être humain est totalement libre, car il a toujours le choix. Mais que dire d'un choix qui le force à assumer une contrainte ?

Cela dit, précisons que la liberté ne se définit pas par l'absence de toute contrainte. Par exemple, la loi de la gravité qui empêche l'être humain de voler est une contrainte. Cependant, comme nous l'avons vu au chapitre 8, certaines contraintes sont incompatibles avec la liberté.

L'autocritique de Sartre : il n'y a pas toujours de choix possible

En 1970, Sartre récuse cette conception de la liberté. Il s'en explique dans une entrevue qu'il accorde au périodique britannique *New Left Review,* qui fut reproduite dans *Le nouvel observateur* :

> L'autre jour, j'ai relu la préface que j'avais écrite [...] et j'ai été proprement scandalisé. J'avais écrit ceci : « Quelles que soient les circonstances, en quelque lieu que ce soit, un homme est toujours libre de choisir s'il sera un traître ou non. » Quand j'ai lu cela, je me suis dit : « C'est incroyable : je le pensais vraiment[26] ! »

Il poursuit en disant que, pendant la guerre, on ne pouvait être que pour ou contre les nazis. Il n'y avait pas d'autre option :

> J'en ai conclu que dans toute circonstance il y avait toujours un choix possible. C'était faux. Tellement faux que j'ai voulu plus tard me réfuter moi-même en créant, dans *Le diable et le bon Dieu,* le personnage de Heinrich, qui ne peut choisir[27].

C'est au contact du marxisme que Sartre est amené à modifier sa conception de la liberté. Au cours d'une entrevue, il la définit ainsi :

> [...] ce petit mouvement qui fait d'un être social totalement conditionné une personne qui ne restitue pas la totalité de ce qu'elle a reçu de son conditionnement. Qui fait de Genet un poète alors qu'il avait été rigoureusement conditionné pour être un voleur[28].

Sartre reconnaît l'existence des conditionnements. Il le fait déjà dans la *Critique de la raison dialectique,* où il tente d'intégrer la théorie de Marx dans son existentialisme. Dans son autobiographie *Les mots* (1964), il admet que l'on peut devenir le jouet des circonstances.

> Sartre reviendra sur sa première définition de la liberté. Il dira que la liberté consiste en ce petit mouvement qu'on fait pour sortir de ses conditionnements.

La liberté consiste alors en ce petit mouvement que l'être humain fait pour sortir de ses conditionnements. Néanmoins, Sartre pense qu'un « homme peut toujours faire quelque chose de ce qu'on a fait de lui ». Il est toujours responsable de ce qu'il est, même s'il ne peut rien faire de plus que d'assumer cette responsabilité.

---

24. Dissertation de Frédérick Matte, automne 1996.
25. Voir à ce sujet la critique de Merleau-Ponty (1945), p. 496 et suivantes.
26. Sartre (1970b), p. 41.
27. *Ibid.*
28. *Ibid.*

Conclusion

Ce n'est pas dans un court texte que l'on peut rendre justice à Jean-Paul Sartre, ni même à *L'être et le néant,* qui a le projet ambitieux de fonder sur de nouvelles bases la philosophie et les nombreux problèmes qu'elle pose, comme la différence entre apparence et réalité.

Sartre met l'individu en face de la précarité de son existence. La vie, l'histoire ne suivent pas des voies inexorables. En cette période de grande incertitude, où les valeurs et les acquis sociaux sont remis en question, la philosophie de Sartre devrait trouver des échos.

Sartre rappelle l'angoisse qui accompagne les choix qu'un individu est toujours appelé à faire et montre que toute action constitue un risque. Si sa représentation de l'être humain comme infiniment plastique est irrecevable, il souligne à juste titre l'impossibilité de gommer la subjectivité. L'être humain n'est pas un objet et, jusqu'à la fin, Sartre s'est opposé à la tendance à dissoudre le sujet et à l'enfermer dans des lois sociales ou psychologiques inflexibles et nécessaires. Il a souligné l'importance de l'engagement, de la recherche de sens et de la nécessité de trouver, tant bien que mal à travers tous les conditionnements, une voie, si mince et contingente soit-elle, menant à la liberté. Finalement, il a rappelé que cette aspiration est indéracinable; elle fait partie de la condition humaine. Sartre invite chaque individu à écrire lui-même la partition qu'il jouera.

LES IDÉES ESSENTIELLES

▶ L'existence est sans fondement

Selon Sartre, l'homme est seul et sans excuses. Si Dieu existe, la vie humaine est justifiée par des valeurs préexistantes. Or, Sartre pense que Dieu n'existe pas et qu'il n'y a aucune justification à la présence de l'homme sur la terre, ni aucune valeur donnée d'avance.

▶ L'existence précède l'essence

Au départ, l'être humain n'est rien. Il existe, voilà tout. Ce n'est qu'après qu'il se définit. Cette absence de repères débouche sur un constat d'absurdité, constat qui sera dépassé dans le projet humain selon lequel il faut créer les valeurs qui donneront un sens à sa vie.

▶ Le projet

C'est en posant des fins, des buts, que l'être humain se fait exister. Pour cela, il doit s'arracher au passé et au présent et se projeter dans un avenir incertain.

▶ La remise en question des choix

L'être humain doit constamment choisir ce qu'il sera. Il est condamné à se réinventer perpétuellement, car rien n'est vraiment sûr. Un individu peut choisir de devenir médecin, mais ce choix pourrait être remis en question si sa famille est ruinée ou s'il tombe malade.

▶ Le néant

Comme l'être humain doit constamment se choisir et qu'il n'est pas ce qu'il sera, il est « manque de... ». Il est un trou d'être. De plus, pour être, il doit néantiser – abolir, nier – la situation existante, s'arracher à sa réalité pour mener son projet à terme.

▶ La responsabilité

L'être humain est entièrement responsable de sa vie. Il ne peut se cacher derrière aucun déterminisme. Celui qui cherche des excuses et qui se fuit lui-même fait preuve de mauvaise foi.

Beaucoup de gens fuient toute forme de responsabilité. Ils sont sécurisés quand ils obéissent à une autorité qui assume toutes les responsabilités.

▶ La liberté

La liberté, c'est faire des choix compte tenu de sa situation. Bien sûr, on ne choisit pas d'être mobilisé pour la guerre. Cependant, il ne dépend que de soi de s'y soustraire, en désertant ou en se suicidant.

▶ L'intersubjectivité

Les autres sont indispensables à mon existence. C'est à travers eux que j'apprends qui je suis.

▶ Le corps

Sartre rejette le dualisme du corps et de l'esprit. Il le remplace toutefois par un autre : celui du corps-pour-soi et du corps-pour-autrui. L'autre, en me jugeant, me transforme en objet.

▶ L'existentialisme et l'émancipation de la femme

En rejetant toute notion de nature humaine, l'existentialisme rejette toute idée de nature féminine. Simone de Beauvoir déclarera : « On ne naît pas femme, on le devient. »

▶ Une critique : la liberté, un absolu

Pour Sartre, l'esclave est aussi libre dans ses fers que lorsqu'il prend la clef des champs. Toutes les actions de l'être humain sont libres. Sartre affirme que la situation ne constitue en rien une contrainte à la liberté. Cela est contradictoire. En effet, que veut dire choisir si le choix est dicté par les circonstances et si tout ce qu'il est possible de faire est d'assumer une contrainte ?

▶ **L'autocritique de Sartre**

Plus tard, Sartre fera son autocritique. Il conviendra qu'il est faux de dire que l'être humain a toujours le choix. Il définira la liberté comme ce petit mouvement que l'être humain fait pour sortir de ses conditionnements. Il reconnaîtra alors l'existence des déterminismes.

▶ **Conclusion**

Sartre prétend que la vie ne suit pas des voies inexorables et que l'être humain est toujours appelé à faire des choix. Toute action est un risque et il est impossible d'éliminer la subjectivité. L'être humain doit trouver une voie, si mince soit-elle, menant à la liberté.

EXERCICES

Vérifiez vos connaissances : vrai ou faux ?

1. Selon Sartre, l'être humain est l'auteur de sa vie et doit créer les valeurs qui donneront un sens à celle-ci.

2. Poser une fin, c'est néantiser.

3. Être perpétuellement forcé de faire de nouveaux choix est source d'angoisse.

4. Selon Sartre, l'être humain peut toujours invoquer des circonstances atténuantes pour expliquer ses échecs.

5. D'après Sartre, le déterminisme est rassurant.

6. L'être humain est libre, même quand il refuse de choisir.

7. La liberté est toujours en situation.

8. Selon Sartre, la liberté, c'est obtenir ce que l'on veut.

9. La conscience, chez Sartre, est conscience de soi et non de l'autre.

Synthétisez vos connaissances et développez une argumentation.

1. Que veut-on dire par « l'existence précède l'essence » ?

2. Expliquez la phrase suivante : « L'être humain est projet. » Faites le lien avec la notion d'angoisse.

3. « L'être humain est néant. » Quel sens Sartre donne-t-il au terme « néant » dans cette phrase ?

4. Que pense Sartre du déterminisme ?

5. Comment Sartre définit-il la liberté au début de son œuvre ?

6. Quelles critiques peut-on formuler à l'égard de cette conception de la liberté ? Comment Sartre s'est-il lui-même critiqué ?

7. Comment Sartre définit-il la liberté dans ses dernières œuvres ?

8. Quelle est l'importance de l'intersubjectivité pour Sartre ?

Établissez des liens entre les idées.

1. Faites ressortir les ressemblances et les différences qui existent entre Sartre et Nietzsche à propos des notions de responsabilité et d'inconscient.

2. Faites ressortir les différences existant entre les positions de Sartre (ses premières positions) et celles de Dewey sur la question du déterminisme.

3. Comparez la vision chrétienne à la conception sartrienne de l'être humain.

4. Comparez Freud et Sartre relativement à la question de la liberté.

TEXTE À L'ÉTUDE

L'existentialisme est un humanisme (extrait)

Sartre (1970a), p. 20-21, 22-27, 36-47, 57-62 © Nagel Briquet, Genève, Suisse – Tous droits réservés pour tous les pays

[...] Cette idée, nous la retrouvons un peu partout : nous la retrouvons chez Diderot, chez Voltaire, et même chez Kant. L'homme est possesseur d'une nature humaine ; cette nature humaine, qui est le concept humain, se retrouve chez tous les hommes, ce qui signifie que chaque homme est un exemple particulier d'un concept universel, l'homme ; chez Kant, il résulte de cette universalité que l'homme des bois, l'homme de la nature, comme le bourgeois sont astreints à la même définition et possèdent les mêmes qualités de base. [...]

[...] L'homme, tel que le conçoit l'existentialiste, s'il n'est pas définissable, c'est qu'il n'est d'abord rien. Il ne sera qu'ensuite, et il sera tel qu'il se sera fait. Ainsi, il n'y a pas de nature humaine, puisqu'il n'y a pas de Dieu pour la concevoir. L'homme est seulement, non seulement tel qu'il se conçoit, mais tel qu'il se veut, et comme il se conçoit après l'existence, comme il se veut après cet élan vers l'existence ; l'homme n'est rien d'autre que ce qu'il se fait. Tel est le premier principe de l'existentialisme. C'est aussi ce qu'on appelle la subjectivité, et que l'on nous reproche sous ce nom même. Mais que voulons-nous dire par là, sinon que l'homme a une plus grande dignité que la pierre ou que la table ? Car nous voulons dire que l'homme existe d'abord, c'est-à-dire que l'homme est d'abord ce qui se jette vers un avenir, et ce qui est conscient de se projeter dans l'avenir. L'homme est d'abord un projet qui se vit subjectivement, au lieu d'être une mousse, une pourriture ou un chou-fleur ; rien n'existe préalablement à ce projet ; rien n'est au ciel intelligible, et l'homme sera d'abord ce qu'il aura projeté d'être. Non pas ce qu'il voudra être. Car ce que nous entendons ordinairement par vouloir, c'est une décision consciente, et qui est pour la plupart d'entre nous postérieure à ce qu'il s'est fait lui-même. Je peux vouloir adhérer à un parti, écrire un livre, me marier, tout cela n'est qu'une manifestation d'un choix plus originel, plus spontané que ce qu'on appelle volonté. Mais si vraiment l'existence précède l'essence, l'homme est responsable de ce qu'il est. Ainsi, la première démarche de l'existentialisme est de mettre tout homme en possession de ce qu'il est et de faire reposer sur lui la responsabilité totale de son existence [...] Subjectivisme veut dire d'une part choix du sujet individuel par lui-même, et, d'autre part, impossibilité pour l'homme de dépasser la subjectivité humaine. C'est le second sens qui est le sens profond de l'existentialisme. Quand nous disons que l'homme se choisit, nous entendons que chacun d'entre nous se choisit, mais par là nous voulons dire aussi qu'en se choisissant il choisit tous les hommes. En effet, il n'est pas un de nos actes qui, en créant l'homme que nous voulons être, ne crée en même temps une image de l'homme tel que nous estimons qu'il doit être. Choisir d'être ceci ou cela, c'est affirmer en même temps la valeur de ce que nous choisissons, car nous ne pouvons jamais choisir le mal ; ce que nous choisissons, c'est toujours le bien, et rien ne peut être bon pour nous sans l'être pour tous. Si l'existence, d'autre part, précède l'essence et que nous voulions exister en même temps que nous façonnons notre image, cette image est valable pour tous et pour notre époque tout entière. Ainsi, notre responsabilité est beaucoup plus grande que nous ne pourrions le supposer, car elle engage l'humanité entière. Si je suis ouvrier, et si je choisis d'adhérer à un syndicat chrétien plutôt que d'être communiste, si, par cette adhésion, je veux indiquer que la résignation est au fond la solution qui convient à l'homme, que le royaume de l'homme n'est pas sur la terre, je n'engage pas seulement mon cas : je veux être résigné pour tous, par conséquent ma démarche a engagé l'humanité tout entière. [...]

[...] Dostoïevsky avait écrit : « Si Dieu n'existait pas, tout serait permis. » C'est là le point de départ de l'existentialisme. En effet, tout est permis si Dieu n'existe pas, et par conséquent l'homme est délaissé, parce qu'il ne trouve ni en lui, ni hors de lui une possibilité de s'accrocher. Il ne trouve d'abord pas d'excuses. Si, en effet, l'existence précède l'essence, on ne pourra jamais expliquer par référence à une nature humaine donnée et figée ; autrement dit, il n'y a pas de déterminisme, l'homme est libre, l'homme est liberté. Si, d'autre part, Dieu n'existe pas, nous ne trouvons pas en face de nous des valeurs ou des ordres qui légitimeront notre conduite. Ainsi, nous n'avons ni derrière nous, ni devant nous, dans le domaine lumineux des valeurs, des justifications ou des excuses. Nous sommes seuls, sans excuses. C'est ce que j'exprimerai en disant que l'homme est condamné à être libre. Condamné, parce qu'il ne s'est pas créé lui-même, et par ailleurs cependant libre, parce qu'une fois jeté dans le monde, il est responsable de tout ce qu'il fait. L'existentialiste ne croit pas à la puissance de la passion. Il ne pensera jamais qu'une belle passion est un torrent dévastateur qui conduit fatalement l'homme à certains actes, et qui, par conséquent, est une excuse. Il pense que l'homme est responsable de sa passion. L'existentialiste ne pensera pas non plus que l'homme peut trouver un secours dans un signe donné, sur terre, qui l'orientera ; car il pense que l'homme déchiffre lui-même le signe comme il lui plaît. Il pense donc que l'homme, sans aucun appui et sans aucun secours, est condamné à chaque instant à inventer l'homme. [...] Pour vous donner un exemple qui permette de mieux comprendre le délaissement, je citerai le cas d'un de mes élèves qui est venu me trouver dans les circonstances suivantes : son père était brouillé avec sa mère, et d'ailleurs inclinait

Collaborer
Sous-entend ici collaborer avec l'envahisseur nazi après la défaite de l'armée française en juin 1940, en parlant notamment du gouvernement de Vichy dirigé par le maréchal Pétain.

le venger. Sa mère vivait seule demi-trahison de son père et par trouvait de consolation qu'en lui. à ce moment-là, entre partir pour

Forces Françaises Libres
Forces qui continuèrent à faire la guerre aux nazis sous les ordres du général de Gaulle, réfugié à Londres.

l'aider à vivre. Il se rendait bien compte que cette femme ne vivait que par lui et que sa disparition – et peut-être sa mort – la plongerait dans le désespoir. Il se rendait aussi compte qu'au fond, concrètement, chaque acte qu'il faisait à l'égard de sa mère avait son répondant, dans ce sens qu'il l'aidait à vivre, au lieu que chaque acte qu'il ferait pour partir et combattre était un acte ambigu qui pouvait se perdre dans les sables, ne servir à rien : par exemple, partant pour l'Angleterre, il pouvait rester indéfiniment dans un camp espagnol, en passant par l'Espagne ; il pouvait arriver en Angleterre ou à Alger et être mis dans un bureau pour faire des écritures. Par conséquent, il se trouvait en face de deux types d'actions très différentes : une concrète, immédiate, mais ne s'adressant qu'à un individu ; ou bien une action qui s'adressait à un ensemble infiniment plus vaste, une collectivité nationale, mais qui était par là même ambiguë, et qui pouvait être interrompue en route. Et, en même temps, il hésitait entre deux types de morales. D'une part, une morale de la sympathie, du dévouement individuel ; et d'autre part, une morale plus large, mais d'une efficacité plus contestable. Il fallait choisir entre les deux. Qui pouvait l'aider à choisir ? La doctrine chrétienne ? Non. La doctrine chrétienne dit : soyez charitable, aimez votre prochain, sacrifiez-vous à autrui, choisissez la voie la plus rude, etc., etc... [*sic*] Mais quelle est la voie la plus rude ? Qui doit-on aimer comme son frère, le combattant ou la mère ? Quelle est l'utilité la plus grande, celle, vague, de combattre dans un ensemble, ou celle, précise, d'aider un être précis à vivre ? Qui peut en décider

A priori
En partant de données antérieures à toute expérience. S'oppose à *a posteriori,* fondé sur des connaissances empiriques, sur l'expérience.

fin. Très bien ; si je demeure auprès de ma mère, je la traiterai comme fin et non comme moyen, mais de ce fait même, je risque de traiter comme moyen ceux qui combattent autour de moi ; et

à **collaborer**, son frère aîné avait été tué dans l'offensive allemande de 1940, et ce jeune homme, avec des sentiments un peu primitifs, mais généreux, désirait avec lui, très affligée par la la mort de son fils aîné, et ne Ce jeune homme avait le choix, l'Angleterre et s'engager dans les **Forces Françaises Libres** – c'est-à-dire, abandonner sa mère – ou demeurer auprès de sa mère, et

a priori ? Personne. Aucune morale inscrite ne peut le dire. La morale kantienne dit : ne traitez jamais les autres comme moyen mais comme

réciproquement si je vais rejoindre ceux qui combattent je les traiterai comme fin, et de ce fait je risque de traiter ma mère comme moyen.

Si les valeurs sont vagues, et si elles sont toujours trop vastes pour le cas précis et concret que nous considérons, il ne nous reste qu'à nous fier à nos instincts. C'est ce que ce jeune homme a essayé de faire ; et quand je l'ai vu, il disait : au fond, ce qui compte, c'est le sentiment ; je devrais choisir ce qui me pousse vraiment dans une certaine direction. Si je sens que j'aime assez ma mère pour lui sacrifier tout le reste – mon désir de vengeance, mon désir d'action, mon désir d'aventures – je reste auprès d'elle. Si, au contraire, je sens que mon amour pour ma mère n'est pas suffisant, je pars. Mais comment déterminer la valeur d'un sentiment ? Qu'est-ce qui faisait la valeur de son sentiment pour sa mère ? Précisément le fait qu'il restait pour elle. Je puis dire : j'aime assez tel ami pour lui sacrifier telle somme d'argent ; je ne puis le dire que si je l'ai fait. Je puis dire : j'aime assez ma mère pour rester auprès d'elle, si je suis resté auprès d'elle. Je ne puis déterminer la valeur de cette affection que si, précisément, j'ai fait un acte qui l'entérine et qui la définit. Or, comme je demande à cette affection de justifier mon acte, je me trouve entraîné dans un cercle vicieux.

D'autre part, Gide a fort bien dit qu'un sentiment qui se joue ou un sentiment qui se vit sont deux choses presque indiscernables : décider que j'aime ma mère en restant auprès d'elle, ou jouer une comédie qui fera que je reste pour ma mère, c'est un peu la même chose. Autrement dit, le sentiment se construit par les actes qu'on fait ; je ne puis donc pas le consulter pour me guider sur lui. Ce qui veut dire que je ne puis ni chercher en moi l'état authentique qui me poussera à agir, ni demander à une morale les concepts qui me permettront d'agir. Au moins, direz-vous, est-il allé voir un professeur pour lui demander conseil. Mais, si vous cherchez un conseil auprès d'un prêtre, par exemple, vous avez choisi ce prêtre, vous saviez déjà au fond, plus ou moins, ce qu'il allait vous conseiller. Autrement dit, choisir le conseilleur, c'est encore s'engager soi-même. La preuve en est que, si vous êtes chrétien, vous direz : consultez un prêtre. Mais il y a des prêtres collaborationnistes, des prêtres attentistes, des prêtres résistants. Lequel choisir ? Et si le jeune homme choisit un prêtre résistant, ou un prêtre collaborationniste, il a déjà décidé du genre de conseil qu'il recevra. Ainsi, en venant me trouver, il savait la réponse que j'allais lui faire, et je n'avais qu'une réponse à faire : vous êtes libre, choisissez, c'est-à-dire inventez. Aucune morale générale ne peut vous indiquer ce qu'il y a à faire ; il n'y a pas de signe dans le monde. Les catholiques répondront : mais il y a des signes. Admettons-le ; c'est moi-même en tous cas qui choisis le sens qu'ils ont. [...]

[...] Évidemment, cette pensée peut paraître dure à quelqu'un qui n'a pas réussi sa vie. Mais d'autre part, elle dispose les gens à comprendre que seule compte la réalité, que les rêves, les attentes, les espoirs permettent seulement de définir un homme comme rêve déçu, comme espoirs avortés, comme attentes inutiles ; c'est-à-dire que ça les définit en négatif et non en positif ; cependant quand on dit « tu n'es rien d'autre que ta vie », cela n'implique pas que l'artiste sera jugé uniquement d'après ses œuvres d'art ; mille autres choses contribuent également à le définir. Ce que nous voulons dire, c'est qu'un homme n'est rien d'autre qu'une série d'entreprises, qu'il est la somme, l'organisation, l'ensemble des relations qui constituent ces entreprises.

Dans ces conditions, ce qu'on nous reproche là, ça n'est pas au fond notre pessimisme, mais une dureté optimiste. Si les gens nous reprochent nos œuvres romanesques dans lesquelles nous décrivons des êtres veules, faibles, lâches et quelquefois même franchement mauvais, ce n'est pas uniquement parce que ces êtres sont veules, faibles, lâches ou mauvais : car si, comme Zola, nous déclarions qu'ils sont ainsi à cause de l'hérédité, à cause de l'action du milieu, de la société, à cause d'un déterminisme organique ou psychologique, les gens seraient rassurés, ils diraient : voilà, nous sommes comme ça, personne ne peut rien y faire ; mais l'existentialiste, lorsqu'il décrit un lâche, dit que ce lâche est responsable de sa lâcheté. Il n'est pas comme ça parce qu'il a un cœur, un poumon ou un cerveau lâche, il n'est pas comme ça à partir d'une organisation physiologique mais il est comme ça parce qu'il s'est construit comme lâche par ses actes. Il n'y a pas de tempérament lâche ; il y a des tempéraments qui sont nerveux, il y a du sang pauvre, comme disent les bonnes gens, ou des tempéraments riches ; mais l'homme qui a un sang pauvre n'est pas lâche pour autant, car ce qui fait la lâcheté c'est l'acte de renoncer ou de céder, un tempérament ce n'est pas un acte ; le lâche est défini à partir de l'acte qu'il a fait. Ce que les gens sentent obscurément et qui leur fait horreur, c'est que le lâche que nous présentons est coupable d'être lâche. Ce que les gens veulent, c'est qu'on naisse lâche ou héros. [...] Et au fond, c'est cela que les gens souhaitent penser : si vous naissez lâches, vous serez parfaitement tranquilles, vous n'y pouvez rien, vous serez lâches toute votre vie, quoi que vous fassiez ; si vous naissez héros, vous serez aussi parfaitement tranquilles, vous serez héros toute votre vie, vous boirez comme un héros, vous mangerez comme un héros. Ce que dit l'existentialiste, c'est que le lâche se fait lâche, que le héros se fait héros ; il y a toujours une possibilité pour le lâche de ne plus être lâche, et pour le héros de cesser d'être un héros. Ce qui compte, c'est l'engagement total, et ce n'est pas un cas particulier, une action particulière, qui vous engagent totalement.

Repérez les idées et analysez le texte.

1. Pourquoi Sartre affirme-t-il que la nature humaine n'existe pas ?

2. Dans un texte d'environ 450 mots, expliquez ce que Sartre entend par « délaissement ». Pourquoi dit-il que les grands principes moraux sont trop vagues pour guider nos actions ? Analysez les propos de Sartre selon lesquels on ne peut se fier à ses sentiments ou aux conseils des autres pour guider ses actions.

3. Dans vos mots, résumez l'argument de Sartre sur le déterminisme. Qu'en pensez-vous ?

LECTURES SUGGÉRÉES

Beauvoir, S. de (1949). *Le deuxième sexe*. Paris : Gallimard.

Hodard, P. (1979). *Sartre entre Marx et Freud*. Paris : Delarge.

(1994). *Magazine littéraire,* dossier spécial sur l'existentialisme, *320*.

Sartre, J.-P. (1970a). *L'existentialisme est un humanisme*. Genève : Nagel.

Sartre, J.-P. (1970b). «Sartre par Sartre.» *Le nouvel observateur*, 26 janvier.

Sartre, J.-P. (1943). *L'être et le néant*. Paris : Gallimard.

Conclusion

En l'espace de quelques siècles, les conceptions de l'être humain ont évolué rapidement en Occident. La référence à une réalité transcendantale, incontournable jusqu'au XVIIIᵉ siècle, a été largement remplacée par une vision laïque et matérialiste. La contribution des sciences naturelles et des sciences humaines a été importante dans l'élaboration des nouveaux concepts pour appréhender la condition humaine. Ces conceptions ont été activées par le passage d'une société traditionnelle relativement stable à une société capitaliste en mouvement perpétuel. Il y a 150 ans, Marx avait déjà remarqué cette tendance du mode de production capitaliste à dissoudre les rapports sociaux traditionnels et les représentations que l'humain s'en fait.

Pour certains, ces nouvelles représentations correspondent à une perte ; elles signifient la disparition des repères qui constituaient les fondements mêmes de l'identité humaine. Nietzsche souligne qu'il ne faut pas se lamenter de la perte des valeurs traditionnelles et insiste sur l'impérieuse nécessité d'en créer de nouvelles. D'autres y ont découvert une source d'enrichissement, la complexité ; d'où l'impossibilité d'accepter toute définition réductrice de l'être humain, qui l'appauvrit et le confine dans un moule. L'être humain est ouvert, à faire, comme dit Sartre. Il n'est jamais tout à fait défini, car il se construit dans l'action.

Certaines perspectives que nous avons abordées s'excluent mutuellement. Le déterminisme biologique s'oppose très nettement à la représentation que Marx et Sartre ont de l'être humain, alors que les perspectives de Locke et Marx s'entrechoquent. D'autres, par contre, convergent en certains points.

Tout d'abord, l'être humain n'est pas biologiquement vide. Cette appartenance à la nature fait qu'il a des besoins qui semblent universels. Au premier rang de ces besoins se trouve, selon Marx, celui de déployer son énergie vitale, de réaliser ses capacités en construisant une société qui, dans la mesure du possible, mettra un terme à l'aliénation.

Cette appartenance à la nature place l'être humain devant l'inéluctable de la mort et l'incite à se poser la question du sens de la vie. Devant cette réalité angoissante, les penseurs occidentaux ont, selon Nietzsche, cherché refuge dans la métaphysique en érigeant des arrière-mondes, en dépréciant la vie, en calomniant le corps et le monde sensible. Ce refus de la vie réduit l'être humain et l'empêche d'aller au bout de ses passions. Si l'angoisse devant la mort lui fait éprouver le besoin d'une réalité transcendante, ce besoin a-t-il un objet ? Cette angoisse devant le temps qui passe, les incertitudes et les difficultés de la vie font de l'être humain une proie naturelle pour n'importe quel gourou et le rendent facile à conditionner. Totalement dépendant à la naissance, il cherche l'approbation de son entourage et, pour l'obtenir, il apprend à obéir et renonce souvent à son pouvoir d'autoconstruction.

Déjà, dans l'Antiquité, Épicure pensait que l'angoisse de l'être humain devant ce qu'il est – un être fini – le réduit. C'est parce que l'être humain méconnaît sa propre nature et celle de l'Univers qu'il est en proie à toutes les craintes. La peur de la mort et du vide se transforme en peur du manque. Pour se donner l'illusion de vivre, les humains courent après l'argent, les honneurs, le pouvoir, l'immortalité. Ils s'interdisent d'être. C'est ainsi qu'Épicure aurait porté un jugement sévère sur l'idée selon laquelle le but principal de l'être humain est l'accumulation des richesses, comme le préconise Locke.

Par ailleurs, l'être humain est fabriqué par les influences du milieu – institutions sociales (Dewey), appartenance de classe (Marx), liens familiaux (Freud). Il est le produit des circonstances et de l'éducation. Si ses capacités quasi illimitées d'apprentissage et les pressions sociales qui sont exercées sur lui ont tendance à le transformer en automate socioculturel, Marx rappelle que ce sont aussi les hommes qui transforment les circonstances. S'il n'est pas entièrement maître dans sa maison, il n'est pas contraint de s'exprimer de façon rigide par les pulsions, ces êtres « mythiques et mal définis » qui peuvent le rendre malade.

En effet, l'être humain est doué de la faculté de concevoir des concepts, de les organiser en une représentation plus ou moins cohérente du monde. Cette faculté sécrète ses propres pièges et n'est pas nécessairement « la chose du monde la mieux partagée[1] ». Cependant, elle permet à l'être humain d'organiser les multiples influences, que nous venons d'évoquer, à son avantage. Ainsi, ce qu'il a reçu à la naissance et son appartenance à une communauté humaine lui fournissent les moyens de transformer une réalité qu'il a largement créée, mais dont toutes les conséquences ne sont pas nécessairement prévisibles ni voulues. Il a la capacité de se libérer de ces influences, d'inventer, de transformer les décors. Et cette capacité est porteuse de liberté, qui est moins une qualité inhérente à la nature humaine qu'un mouvement perpétuel, un effort conscient pour dépasser les déterminismes et créer un univers où l'être humain pourra se reconnaître.

Cet effort peut aboutir grâce à la coopération. Comme Sartre l'a vu, les autres sont indispensables à notre existence. On a souvent tendance à voir l'autre comme un obstacle ; c'est le point de vue du darwinisme social. On oublie qu'il est une source. Collectivement, nous pouvons plus que lorsque nous agissons seuls. La vie sociale fait émerger des propriétés que les individus n'ont pas ; elle « est souvent la négation des limitations individuelles[2] ». Si nous pouvons apprendre, évoluer, maîtriser la réalité, nous le devons aux autres, qui ont fondamentalement les mêmes aspirations que nous. Ils sont tout aussi dignes d'exister et de s'épanouir, et le développement des potentialités de chacun ne doit pas être réservé à une élite, fûtelle nietzschéenne.

---

1. Descartes (1963), *Discours de la méthode,* p. 25.
2. Lewontin, Rose et Kamin (1985), p. 357.

Mais les avantages et les fardeaux de la coopération sociale ne sont pas répartis équitablement et ne profitent qu'à une minorité. La possibilité de se réaliser n'est « malheureusement accordée qu'à un petit nombre par la société des hommes. Combien d'entre eux n'auront d'autre choix que de jouer une pièce écrite par d'autres et déjà mille fois jouée par d'autres[3] ».

À mesure que la culture se développe, les moyens de transformer la réalité se multiplient. Il faut utiliser cette perfectibilité, que Rousseau place au cœur de l'aventure humaine, et les moyens dont on dispose pour créer des cadres qui permettront l'épanouissement des qualités humaines. Car l'histoire de l'humanité, c'est « l'histoire des victoires de la société sur la nature[4] ». Mais l'humanité est aussi devant la tâche urgente d'apprendre à maîtriser sa propre maîtrise de la nature, car nous vivons dans un monde aux ressources finies qui exclut l'appropriation illimitée des biens que la nature met à notre disposition.

Rien dans la nature humaine ne justifie un ordre social fondé sur des hiérarchies artificielles qui condamnent plus des trois quarts de l'humanité à la servitude ou à la semi-existence. Comme le disait Dewey, il y a peu de changements sociaux qui sont contraires à la nature humaine.

---

3. Jacquard (1991), p. 101.
4. Lewontin, Rose et Kamin (1985), p. 90.

Bibliographie

(1996). « À la recherche de la nature humaine » (dossier spécial). *Sciences humaines,* août-septembre.

Albertini, J.-M. et A. Silem (1983). *Comprendre les théories économiques.* Paris : Seuil.

Allard, G. (1995). *Descartes. Discours de la méthode.* Québec : Bernard Boulet (Coll. « Résurgences »).

Atkinson, R. L. et E. R. Hilgard (1980). *Introduction à la psychologie.* Montréal : Études vivantes.

Auroux, S. et Y. Weil (1991). *Dictionnaire des auteurs et des thèmes de la philosophie.* Paris : Hachette Éducation.

Ávila, T. d' (1964). *Œuvres complètes.* Bruges : Desclée de Brouwer.

Bachofen, B. (1996). *Le* Discours sur l'inégalité *de J.-J. Rousseau.* Paris : PUF.

Badinter, É. (1992). *XY de l'identité masculine.* Paris : Odile Jacob (Coll. « Le Livre de poche »).

Balibar, É. (1993). *La philosophie de Marx.* Paris : La Découverte.

Baroni, C. (1975). *Ce que Nietzsche a vraiment dit.* Verviers : Marabout Université.

Baudelaire, C. (1991). *Les fleurs du mal.* Paris : Flammarion.

Beauvoir, S. de (1949). *Le deuxième sexe.* Paris : Gallimard.

Beauvois, J.-L. (1995). « Sommes-nous vraiment libres ? » *Sciences humaines, 48.*

Beauvois, J.-L. (1994). *Traité de la servitude libérale, analyse de la soumission.* Paris : Dunod.

Bernard, M. (1976). *Le corps.* Paris : Delarge.

Bertrand, P. (1993). « Critique de la raison. Pour la philosophie. » *Philosopher, 14,* p. 155-169.

(1995). *Bible (La).* Montréal : Société biblique canadienne.

Blackburn, P. (1994). *Logique de l'argumentation* (2e édition). Saint-Laurent : Éditions du Renouveau Pédagogique.

Bowles, S. et V. Nelson (1974). « The inheritance of IQ and the intergenerational transmission of economic inequality. » *Review of Economics and Statistics, 54*(1).

Brenkert, G. G. (1983). *Marx's Ethics of Freedom.* Londres : Routledge & Kegan Paul.

Brie, M.-A. (1994). « Le siècle de Darwin. » *L'Agora,* février.

Campbell, B. G. (1995). *Humankind Emerging.* Boston : Little, Brown & Company.

Campeau, R. et autres (1993). *Individu et société.* Boucherville : Gaëtan Morin Éditeur.

Carrel, A. (1953). *L'homme, cet inconnu.* Paris : Plon.

Chabot, C. (1992). « Les jumeaux sous la loupe des chercheurs. » *Québec Science,* juillet-août.

Chambon, P. (1993). « Nos gènes décident-ils de tout ? » *Science et avenir,* novembre.

Chaunu, P. (1996). « Descartes est un grand mathématicien qui s'est cru philosophe, propos recueillis par François Ewald. » *Magazine littéraire, 342,* p. 27.

Clément, E. et autres (1994). *Pratique de la philosophie de A à Z.* Paris : Hatier.

Clottes, J. et autres (1998). *La plus belle histoire de l'homme.* Paris : Seuil.

Coisne, S. et C. Klinger (2009). « Le hasard au cœur de la vie. Les gènes jouent-ils aux dés ? » *La recherche, 434.*

Collectif (s. d.). *Philosophie.* Groupe Messidor, Paris : Éditions Sociales.

Cournut, J. et autres (1996). *Psychanalyse et sexualité.* Paris : Dunod.

Cuerrier, J. (1994). *L'être humain : quelques grandes conceptions modernes et contemporaines.* Montréal : McGraw-Hill.

Damasio, A. R. (1997). *L'erreur de Descartes. La raison des émotions.* Paris : Odile Jacob.

Darwin, C. (1981). *La descendance de l'homme.* Bruxelles : Éditions Complexe.

Darwin, C. et A. C. Seward (1903). *More Letters of Charles Darwin.* Londres : Murray.

Dawkins, R. (1976). *The Selfish Gene.* New York : Oxford University Press.

Demoule, J.-P. (1993). « Naissance du pouvoir et des inégalités. » *Sciences humaines, 31.*

Denis, H. (1971). *Histoire de la pensée économique.* Paris : PUF.

Derrida, J. (1993). *Spectres de Marx.* Paris : Galilée.

(1996). « Descartes » (dossier spécial). *Magazine littéraire, 342.*

Descartes, R. (1985). « Principes de la philosophie », dans G. Durozoi et autres, *Parcours philosophiques.* Paris : Nathan.

Descartes, R. (1963 [1637]). *Discours de la méthode, suivi des Méditations.* Paris : Union générale d'éditions (Coll. « Le Monde en 10/18 »).

Descartes, R. (1953 [1649]). *Les passions de l'âme.* Paris : Gallimard (Coll. « Idées »).

Dewey, J. (1994). «La nature humaine peut-elle changer ?», dans P. Blackburn, *Logique de l'argumentation* (2e éd.). Saint-Laurent : Éditions du Renouveau Pédagogique, p. 397-401.

Dewey, J. (1955). *Liberté et culture.* Paris : Aubier Montaigne.

Durozoi, G. et autres (1985). *Parcours philosophiques.* Paris : Nathan.

(1966). «L'Église et la vocation humaine », dans *Documents conciliaires 3, L'Église dans le monde.* Paris : Éditions du Centurion, p. 56-73.

Elias, N. (1977). *La civilisation des mœurs.* Paris : Calmann-Levy.

Engels, F. (1974). *L'origine de la famille, de la propriété privée et de l'État.* Paris : Éditions sociales.

Engels, F. (1960). *La situation des classes laborieuses en Angleterre.* Paris : Éditions sociales.

Ewald, F. (1996). «Descartes est un grand mathématicien qui s'est cru philosophe, propos recueillis par François Ewald. » *Magazine littéraire, 342.*

(1994). «L'existentialisme » (dossier spécial). *Magazine littéraire, 320.*

(1998). «La femme, cette inconnue » (dossier spécial). *Science et vie,* novembre.

Feuerbach, L. (1997). «Contre le dualisme du corps et de l'âme, de la chair et de l'esprit », dans *Pensées sur la mort et l'immortalité.* Paris : Éditions Pocket.

Feuerbach, L. (1960). «Principes de la philosophie de l'avenir », dans *Manifestes philosophiques.* Paris : PUF.

Foglia, P. (1996). «Dieu est-il un court-circuit ? » *La Presse,* 20 juin.

Fottorino, E. (1998). *Voyage au centre du cerveau.* Paris : Stock.

Fraisse, G. (1996). *La différence des sexes.* Paris : PUF.

Freud, S. (1970). *Abrégé de psychanalyse.* Paris : PUF.

Freud, S. (1968). *Métapsychologie.* Paris : Gallimard.

Freud, S. (1966). *Cinq leçons sur la psychanalyse.* Paris : Payot.

Freud, S. (1936). *Nouvelles conférences sur la psychanalyse.* Paris : Gallimard.

Freud, S. (1933). «Pourquoi la guerre ? Lettre à Einstein », dans *Résultats, idées, problèmes.* Paris : PUF.

Fromm, E. (1980). *Grandeur et limites de la pensée freudienne.* Paris : Robert Laffont.

Fromm, E. (1975). *La mission de Sigmund Freud.* Bruxelles : Éditions Complexe.

Gagnon, C. (1991-1992). «La filière génétique. » *Québec Science,* décembre-janvier.

Garaudy, R. (1992). *Les fossoyeurs.* Paris : L'Archipel.

(1996). «Gayness in the genes. » *The Gazette,* 19 octobre.

Gontier, T. (1994). «L'homme et l'animal. » *L'Agora,* mars.

Gould, S. J. (1997). *L'éventail du vivant, le mythe du progrès.* Paris : Seuil.

Guévremont, N. (éd.) (1992). *Idéologies et régimes politiques.* Ottawa : Éditions MGL.

Hadler, N. M. (2008). *Le dernier des bien portants. Comment mettre son bien-être à l'abri des services de santé,* traduit de l'anglais par Fernand Turcotte. Québec : Presses de l'Université Laval.

Halévy, D. (2000). *Nietzsche.* Paris : Librairie Générale Française (Coll. «Le livre de poche »).

Hayek, F. A. (1980, 1982, 1983). *Droit, législation et liberté,* t. I, t. II, t. III. Paris : Presses Universitaires de France.

Hayek, F. A. (1944). *La route de la servitude.* Paris : Librairie Médicis.

Héber-Suffrin, P. (1999). *Une lecture de Par-delà le bien et le mal : anciennes et nouvelles valeurs chez Nietzsche.* Paris : Ellipses Édition marketing.

Hodard, P. (1979). *Sartre entre Marx et Freud.* Paris : Delarge.

Hospers, J. (1953). *An Introduction to Philosophical Analysis.* Englewood Cliffs : Prentice-Hall.

Jaccard, R. (1975). *L'exil intérieur : schizoïdie et civilisation.* Paris : PUF.

Jacquard, A. (1991). *Inventer l'homme.* Bruxelles : Éditions Complexe.

Jacquard, A. (1984). *Au péril de la science.* Paris : Seuil.

Jordan, B. (2000). *Les imposteurs de la génétique.* Paris : Seuil.

Kant, E. (1968). *Critique de la raison pure.* Paris : PUF.

Keynes, J. M. (1971). *Essais sur la monnaie et l'économie.* Paris : Payot.

Langaney, A. (1979). *Le sexe et l'innovation.* Paris : Seuil.

Laplanche, J. et J.-B. Pontalis (1967). *Vocabulaire de la psychanalyse.* Paris : PUF.

(2003). *La Presse,* 18 octobre.

(1994). *La Presse,* 21 novembre.

(1978). *La Recherche,* janvier.

Le Breton, D. (1999). « De l'indignité du corps à sa purification technique », dans *Corps et science : Enjeux culturels et philosophiques,* L.-P. Bordeleau et S. Charles (éd.). Montréal : Liber.

Leclerc, B. et S. Pucella (1993). *Les conceptions de l'être humain.* Saint-Laurent : Éditions du Renouveau Pédagogique.

Lecomte, J. (1996a). « Définir l'homme : un enjeu éthique contemporain. » *Sciences humaines, 64.*

Lecomte, J. (1996b). « Regards multiples sur l'être humain. » *Sciences humaines, 64.*

Legrand, G. (1993). *Vocabulaire Bordas de la philosophie.* Paris : Bordas.

Lewontin, R. C., S. Rose et L. J. Kamin (1985). *Nous ne sommes pas programmés.* Paris : La Découverte.

Linteau, P.-A. (1992). *L'histoire de Montréal depuis la Confédération.* Montréal : Boréal.

Locke, J. (1992a). *Traité du gouvernement civil.* Paris : Garnier-Flammarion.

Locke, J. (1992b). *Lettre sur la tolérance et autres textes.* Paris : GF-Flammarion.

Macpherson, C. B. (2004). *La théorie politique de l'individualisme possessif. De Hobbes à Locke.* Paris : Gallimard (Coll. « Folio/ Essais »).

McCarthy, E. (1999). « Une philosophie non dualiste : le corps dans la philosophie japonaise contemporaine », dans *Corps et science : Enjeux culturels et philosophiques,* L.-P. Bordeleau et S. Charles (éd.). Montréal : Liber.

Malson, L. (1964). *Les enfants sauvages : mythe et réalité.* Paris : Union générale d'éditions (Coll. « 10/18 »).

Martineau, R. (1991). « Entrevue avec Michel Chartrand. » *Voir,* 25 avril-1er mai.

Marx, K. (1972a). *Critique du programme de Gotha.* Pékin : Éditions du Peuple.

Marx, K. (1972b). *La sainte famille.* Paris : Éditions sociales.

Marx, K. (1970). *Travail salarié et capital.* Pékin : Éditions du Peuple.

Marx, K. (1969). *Manuscrits de 1844.* Paris : Éditions sociales.

Marx, K. (1967). *Fondements de la critique de l'économie politique,* t. I. Paris : Éditions Anthropos.

Marx, K. (1964). *Misère de la philosophie.* Paris : Union générale d'éditions (Coll. « Le Monde en 10/18 »).

Marx, K. (1948). *Le capital.* Paris : Éditions sociales.

Marx, K. et F. Engels (1966). *L'idéologie allemande.* Paris : Éditions sociales.

Merleau-Ponty, M. (1945). *Phénoménologie de la perception.* Paris : Gallimard.

Michel, A. (1986). *Le féminisme* (3e édition). Paris : PUF (Coll. « Que sais-je ? »).

Mill, J. S. (1990). *De la liberté.* Paris : Presses Pocket.

Missel des jeunes. Turnhout : Proost.

Mussolino, M. (1997). *L'imposture économique. Bêtises et illusions d'une science au pouvoir.* Paris : Éditions Textuel.

Nguyen, V. (1991). *Le problème de l'homme chez Jean-Jacques Rousseau.* Québec : Presses de l'Université du Québec.

Nietzsche, F. (1995). *La volonté de puissance,* t. I et II, traduit de l'allemand par G. Bianquis. Paris : Gallimard (Coll. « Tel »).

Nietzsche, F. (1990). *Pour une généalogie de la morale.* Paris : Librairie Générale Française (Coll. « Le Livre de poche »).

Nietzsche, F. (1983). *Le crépuscule des idoles.* Paris : Hatier.

Nietzsche, F. (1982). *Le gai savoir.* Paris : Gallimard (Coll. « Folio/ Essais »).

Nietzsche, F. (1980). *Aurore.* Paris : Gallimard (Coll. « Folio/ Essais »).

Nietzsche, F. (1973). *Par-delà le bien et le mal.* Paris : Union générale d'éditions (Coll. « 10/18 »).

Nietzsche, F. (1967). *L'antéchrist,* traduit de l'allemand par Dominique Tassel. Paris : Union générale d'éditions (Coll. « 10/18 »).

Nietzsche, F. (1964). *La naissance de la tragédie : essai d'autocritique.* Genève : Éditions Gonthier.

Nietzsche, F. (1947). *Ainsi parlait Zarathoustra.* Paris : Gallimard (Coll. « Le Livre de poche »).

Nozik, R. (1988). *Anarchie, État et utopie.* Paris : PUF.

Pfeffer, R. G. (1990). *Marxism, Morality and Social Justice.* Princeton : Princeton University Press.

Platon (1965). *Apologie de Socrate, Criton, Phédon.* Paris : Flammarion.

Quilliot, R. (1993). *La liberté.* Paris : PUF (Coll. « Que sais-je ? »).

Quiniou, Y. (1995). *Figures de la déraison politique.* Paris : Éditions Kimé.

Rémond, R. (1974). *Introduction à l'histoire de notre temps, 2. Le XIXe siècle, 1815-1914.* Paris : Seuil.

Rey, P.-L. (1972). *La femme : de la belle Hélène au mouvement de libération des femmes.* Paris : Bordas.

Rothbard, M. (1991). *L'éthique de la liberté.* Paris : Les Belles Lettres.

Rougemont, D. de (1961). *Les mythes de l'amour.* Paris : Albin Michel.

Rousseau, J.-J. (1996). *Du contrat social.* Paris : Hachette.

Rousseau, J.-J. (1968). *Les confessions.* Paris : Garnier-Flammarion.

Rousseau, J.-J. (1964). *Émile ou De l'éducation.* Paris : Garnier Frères.

Rousseau, J.-J. (1962). *Du contrat social, suivi du Discours sur les sciences et les arts, du Discours sur l'origine de l'inégalité parmi les hommes, de la Lettre à d'Alembert.* Paris : Garnier Frères.

Ruffié, J. (1986). *Le sexe et la mort.* Paris : Odile Jacob.

Ruffié, J. (1983). *De la biologie à la culture.* Paris : Flammarion.

Ruffié, J. (1982). *Traité du vivant.* Paris : Fayard.

Russ, J. (1994). «L'offensive existentialiste.» *Magazine littéraire, 320.*

Sartre, J.-P. (1970a). *L'existentialisme est un humanisme.* Genève : Nagel.

Sartre, J.-P. (1970b). «Sartre par Sartre.» *Le Nouvel Observateur,* 26 janvier.

Sartre, J.-P. (1943). *L'être et le néant.* Paris : Gallimard.

Sartre, J.-P. (1938). *La nausée.* Paris : Gallimard.

Schiff, M. (1982). *L'intelligence gaspillée.* Paris : Seuil.

Serre, J.-L. (1992). «Biologie et médias : les dangers du scoop.» *La Recherche, 23*(239).

Skinner, B. F. (1972). *Par delà la liberté et la dignité.* Montréal : HMH.

Smith, A. (1859). *Recherches sur la nature et les causes de la richesse des nations.* Paris : Guillaumin & Cie.

Sondage Décima-La presse canadienne (2007). SRC – Société Radio-Canada, 5 septembre, http://www.vigile.net/le-creationnisme-dans-le-debat (page consultée le 1er octobre 2010).

Souccar, T. (1998). «Violence : la piste héréditaire.» *Sciences et avenir,* mars, p. 38.

Spinoza, B. (1991). *Traité politique, lettres.* Paris : Garnier-Flammarion.

St-Onge, J.-C. (2004). *L'envers de la pilule. Les dessous de l'industrie pharmaceutique.* Montréal : Éditions Écosociété.

St-Onge, J.-C. (2002). *Dieu est mon copilote. La Bible, le Coran et le 11 septembre.* Montréal : Éditions Écosociété.

St-Onge, J.-C. (2000). *L'imposture néolibérale. Marché, liberté et justice sociale.* Montréal : Éditions Écosociété.

Tannahil, R. (1980). *Le sexe dans l'histoire.* Paris : Robert Laffont.

Testart, J. (1992). *Le désir du gène.* Paris : Éditions François Bourin.

Thibodeau, C. (1999). «Image corporelle des ados dans leur assiette.» *La Presse,* 6 juin.

Thuillier, P. (1981a). *Darwin & Co.* Bruxelles : Éditions Complexe.

Thuillier, P. (1981b). *Les biologistes vont-ils prendre le pouvoir ?* Bruxelles : Éditions Complexe.

Tort, M. (1977). *Le quotient intellectuel.* Paris : Petite Collection Maspero.

Tort, P. et P. Acot (1985). *Misère de la sociobiologie.* Paris : PUF.

Vacher, L.-M. (1994). *Histoire d'idées.* Montréal : Liber.

Vachet, A. (1970). *L'idéologie libérale. L'individu et sa propriété.* Paris : Anthropos.

Van Ussel, J. (1970). *Histoire de la répression sexuelle.* Montréal : Éditions du Jour.

Vergez, D. et A. Huisman (1980). *Nouveau cours de philosophie.* Paris : Nathan.

Weinberg, A. (1996). «Origine de l'anthropologie et anthropologie des origines.» *Sciences humaines, 64.*

Welch, H. G. (2005). *Dois-je me faire tester pour le cancer ? Peut-être pas et voici pourquoi,* traduit de l'anglais par F. Turcotte. Québec : Les Presses de l'Université Laval.

Welzer-Lang, D., P. Dutey et M. Dorais (1994). *La peur de l'autre en soi.* Montréal : VLB.

White, T. I. (1996). *Discovering Philosophy, Brief Edition.* Englewood Cliffs : Prentice-Hall.

Index

Sources des illustrations